누구나 주식투자로 3개월에 1000만원 벌 수 있다

초판 1쇄 발행 | 2020년 3월 26일
초판 3쇄 발행 | 2021년 12월 31일

지은이 | 유지윤
펴낸이 | 박영욱
펴낸곳 | (주)북오션

경영지원 | 서정희
편 집 | 권기우
마케팅 | 최석진
디자인 | 민영선·임진형
SNS 마케팅 | 박현빈·박가빈
유튜브 마케팅 | 정지은

주 소 | 서울시 마포구 월드컵로 14길 62
이메일 | bookocean@naver.com
네이버포스트 | post.naver.com/bookocean
페이스북 | facebook.com/bookocean.book
인스타그램 | instagram.com/bookocean777
유튜브 | 쏠쏠TV·쏠쏠라이프TV
전 화 | 편집문의: 02-325-9172 영업문의: 02-322-6709
팩 스 | 02-3143-3964

출판신고번호 | 제2007-000197호

ISBN 978-89-6799-516-4 (03320)

*이 책은 북오션이 저작권자와의 계약에 따라 발행한 것이므로 내용의 일부 또는 전부를
 이용하려면 반드시 북오션의 서면 동의를 받아야 합니다.
*책값은 뒤표지에 있습니다.
*잘못 만들어진 책은 구입하신 서점에서 교환해 드립니다.

제2의 월급 데이 바이 데이 주식 트레이닝

누구나 주식투자로 3개월에 1000만원 벌 수 있다

유지윤 지음

북오션

들어가는 말

한국의 주식투자 인구가 몇 명인 줄 아는가? 500만 명이다. 5000만 명 중에 500만 명이다. 엄청난 수다.

이 500만 명이 주식투자를 시작하면서 이런 생각을 했을 것이다.

'은행이자보다 많이 벌었으면…….'

하지만 주식을 하다 보면 생각이 바뀐다.

'대박 한 번 터뜨리겠어!'

처음에는 주식이 어렵고 위험하다고 하니 조심스럽게 접근해서 은행이자율 정도의 수익을 내자고 생각한다. 하지만 주식시장에 들어오는 순간 생각은 바뀔 수밖에 없다. 하루 주가 움직임을 보라. 30%다. 하루에 30%를 벌 수 있다. 극단적으로 하한가까지 갔다가 상한가로 올라온다고 치면 60%를 벌 수 있다. 은행이자가 2% 정도인데 하루에 30%가 왔다 갔다 한다. 주식투자에서 2% 정도는 올랐다고 쳐주지도 않는다.

이런 주가 움직임을 보는 순간 대박을 노리게 된다. 하지만 쉽지 않다. 주가가 움직이는 게 눈에 보이는데 매수는 못 한다. 주가가 올라가서 따라 들어가면 떨어지고 팔면 올라간다. 아무리 뚫어지게 쳐다봐도 못 맞추는 것이 야바위와 닮았다.

이때부터 자기 공부가 부족해서 돈을 못 번다고 생각해 주식책도 사보고 유명 전문가를 따라다닌다. 거기서 배운 것을 실전에서 써 먹는데 안 된다. 분명 될 것 같은데 해보면 안 된다. 이건 아닌가 싶어 다른 매매법을 배워본다. 또 안 된다. 그러다 보니 지식은 늘어 가는데 계좌의 돈을 점점 줄어드는 현상이 일어난다.

아마 많은 개인 투자자가 이런 일을 겪고 있을 것이다. 지금 입문하는 초보 투자자도 이런 길을 겪게 될 것이다. 그럼 원인은 무엇인가?

한번 해보고 안 되면 그만두니 될 리가 없다. 뭐 하나 내 것으로 만드는 노력이 없다. 세상에 '한번 해보자' 해서 되는 일은 거의 없다. 더군다나 주식투자는 돈을 벌어보겠다는 일인데 한번 해보고 안 되면 그만둔다.

그렇게 쉬운 일이라면 대한민국에서 누가 회사를 다니고 아파트 경비를 하다가 무시를 당하겠는가. 매매기법을 하나 배워 내가 할 수 있는 매매인지 아닌지 아는 데 1년, 내 것으로 만드는 데 다시 1년이다. 이 정도의 노력은 있어야 한다.

처음부터 잘못 배우다 보니 목표 설정과 매매법이 잘못됐다. 목표는 '대박'

이고 기법은 '폭등주'이니 될 리가 없다. 현실에 맞게 바꿔야 한다. 지금 돈을 벌고 있는가? 아마 10원도 못 벌고 있을 것이다. 그러면 지금까지 배운 것이 잘못된 것일 가능성이 아주 높다. 대박 종목 잡는 법이 아니라 10원도 못 버는 법을 배워서 붙잡고 있는 꼴이다. 지금부터 이 책을 따라해 보자. 초보자라면 더욱 좋다.

목표 설정을 다음과 같이 정한다.

'3개월에 1000만 원 벌기'

아마 주식시장을 기웃거려 본 투자자라면 의아해할 것이다. '대박'을 기본이라 여기는 곳이 주식시장인데 1개월에 1000만 원도 아니고 3개월에 1000만 원을 벌어보자니 말이다.

생각해보자. 일단 1000만 원을 벌어야 2000만 원을 벌고 5000만 원을 벌고 1억 원을 번다. 하나부터 시작하자.

그리고 기간이 왜 3개월인가. 일단 1개월은 너무 짧다. 많은 투자자들이 한 달에 얼마 벌지를 목표로 정하고 시장에 대응한다. 주식시장에서 1개월이면 매매일수로 20일이다. 20일은 짧다. 이 기간 동안 시장 상황이 안 좋을 수도 있다. 그러면 10원도 벌지 못하는 일이 발생한다. 그러면 만회하려고 점점 무리한 매매를 한다. 주식시장은 마음이 급하다고 돈이 벌리는 곳이 아니다. 그리고 기간이 길면 늘어지기 쉽다. 물론 투자금액이 많다면 상관없다. 그러나 대부분의 투자자들이 몇 천만 원을 가지고 투자하기 때문에 3개월은 적당한 기간이다. 이 정도는 여유가 있어야 시장을 볼 때 마음의 여유가 생긴다.

다시 그러면 왜 1000만 원인가?

3개월엔 1000만 원이면 한 달에 330만 원이다. 대한민국에 330만 원 월급 받는 사람 많지 않다. 수백만 명이 200만 원도 못 받고 있다. 이들은 임금도 적지만 하는 일도 힘들다.

주식시장에서 버는 300만 원이 절대로 적은 금액이 아니다. 만약 주식시장에서 3개월에 1000만 원을 벌 수 있다면 부유하지는 않지만 나름 부족하지 않게 생활할 수 있다. 연봉으로 치면 1년에 4000만 원이다.

그러면 거기에 맞는 방법이 필요하다. 이 책은 대박을 가르쳐주지 않는다. 딱 3개월에 1000만 원을 벌 수 있는 방법만 적었다. 덕분에 많은 것을 소개하지는 못하지만 1000만 원 버는 데 집중할 수 있다. 이를 통해 3개월에 1000만 원을 버는 투자자가 나온다면 더할 나위 없이 기쁠 것이다.

한번 해보자. 되든 안 되든 일단 해보고 안 된다고 결론을 내자. 거기까지만 가도 성공적으로 투자에 입문할 수 있다.

'그런데 과연 벌 수 있겠어?'

아마 이 책을 읽기도 전에 이런 생각이 들 것이다. 읽고 난 후에도 똑같은 생각을 할 것이다. 여러 주식책을 보고 여기저기서 여러 매매기법을 배워서 해봤는데 신통찮은 성적을 올렸기 때문이다. 초보자는 주식으로 돈을 잃은 사람이 많다고 하는데 이렇게 하면 과연 돈을 벌 수 있을까 의심할 것이다. 해보지도 않고 의심하는 사람들이 태반이다. 대부분 그런 마음이고 혹시나 하는 마음에 이 책을 펴 들었을 것이다. 그러면 이 책을 따라 하면 정말 수익이 나는지 맛보기로 한번 해보자.

종목명	구분	평균단가	현재가	매입금액	평가금액	평가손익	수익률▼
엠에스오토텍		3,760	4,490	37,731,600	44,608,150	6,876,550	18.22
코엔텍		8,850	9,930	26,642,925	29,596,365	2,953,440	11.08
KC그린홀딩스		4,795	5,070	24,058,912	25,185,225	1,126,313	4.68

수익표

앞으로 배울 매매기법을 이용해 몇 종목 사 보았다. 시장이 횡보인 상태에서 수익이 났다. 만약에 종목당 1000만 원씩 매수했다고 해보자. 그러면 처음 종목은 18% 정도의 수익이니 180만 원을 번 것이고 두 번째 종목은 11%의 수익이니 110만 원, 세 번째 종목은 46만 원 정도가 된다. 다 합치면 336만 원 정도다. 3개월에 1000만 원 불가능하다고 생각하는가? 안 하니까 안 되는 것이지 하면 된다. 투자금액이 1억 원이라면 상상할 수 없는 금액을 벌 수 있었고 만약 투자금액이 1000만 원이라서 한 종목당 300만 원씩 매수했다 해도 100만 원 정도의 수익이 가능했다. 투자금액이 적더라도 이렇게 계속 벌면 투자금액이 커질 것이니 그때 3개월에 1000만 원씩 벌면 된다.

물론 기법대로 매수한 종목이 모두 큰 수익을 내는 것은 아니다. 하지만 어떤 종목을 끊고 어떤 종목은 가져가서 수익을 극대화할 것인지 판단하는 실전 능력을 연마한다면 주식시장은 현금인출기가 될 것이다. 앞으로 배울 기법을 열심히 연마해 수준을 높여간다면 충분히 가능한 일이다. 우리가 대박을 노리는 것도 아니고, 1개월에 1000만 원을 벌자는 것도 아니고 3개월에 1000만 원 벌자는 것이다. 투자금액이 아주 적지 않다면 절대 불가능한 일이 아니다. 그러면 어느 지점에서 매수했는지 한 번 살펴보자.

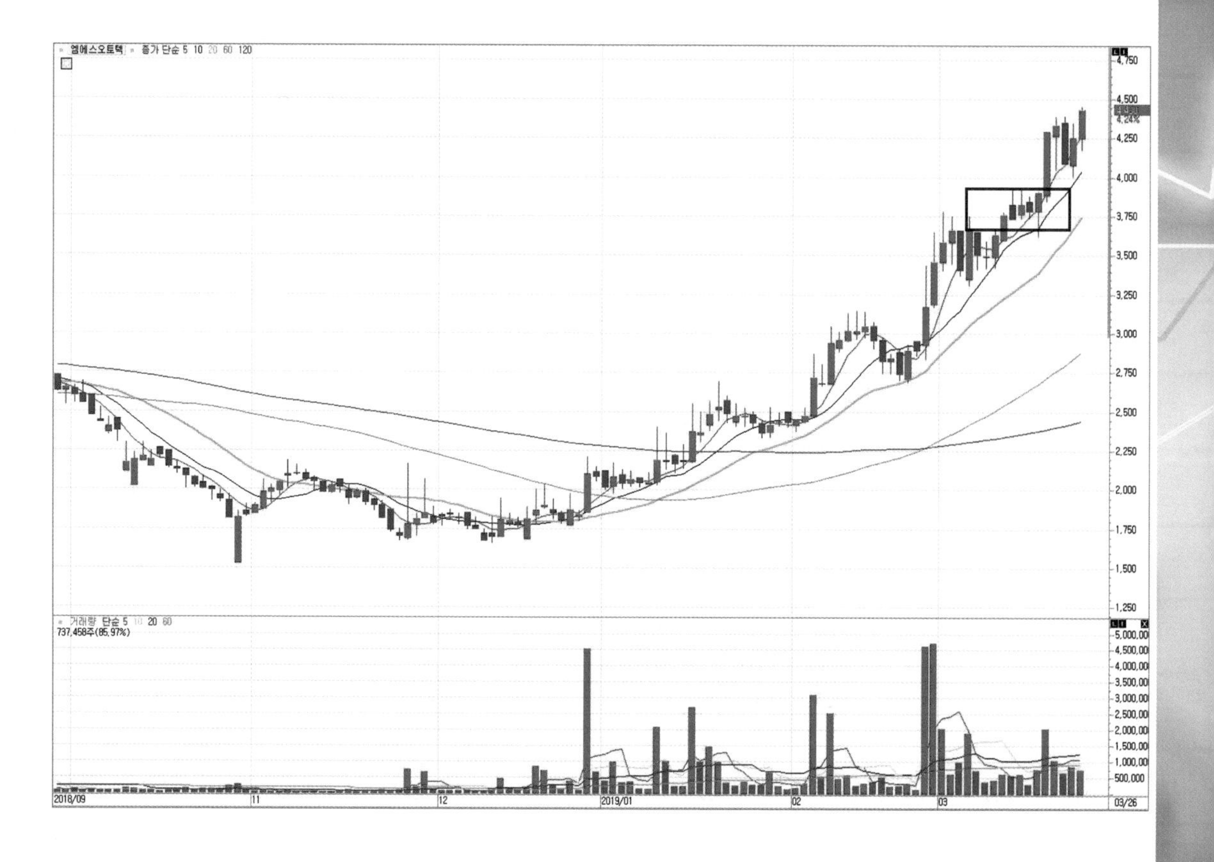

매수지점을 보면 바닥에서 크게 오른 종목이다. 물론 바닥에서 매수해야 한다. 이 책은 바닥에서 매수하는 법을 가르쳐주고 있으니 염려할 필요 없다. 하지만 주가가 올라간 자리라고 하더라도 매수 자리가 나오면 손 놓고 기다릴 필요 없다. 매수해서 수익을 올리면 된다.

고수와 하수의 차이가 뭐냐. 바로 매수 자리에서 매수할 수 있느냐, 없느냐다. 하수는 늘 구경만 한다. 그래서는 절대로 돈을 벌 수 없다.

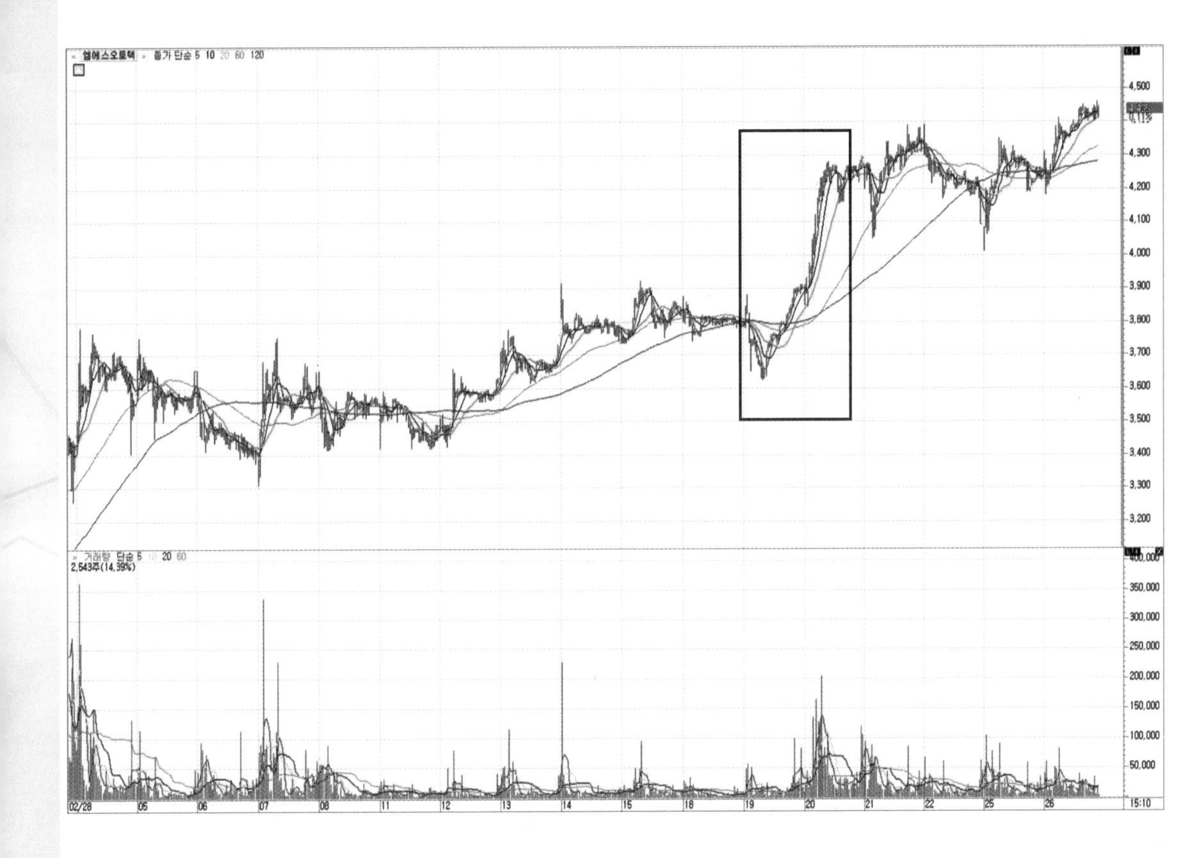

분봉을 보자. 거래량이 터지면서 주가가 올라가고 있다. 이 구간에 진입하는 것이 능력이다. 할 수만 있다면 돈을 벌 수 있다. 이 능력을 길러야 된다. 고수들이 들어갈 때 같이 따라 들어갈 수 있다면 당신도 고수의 반열에 오를 수 있다.

이 종목은 앞에 전고점이 있는데 지지가 나오고 있다. 매수했다면 11%의 수익이 가능했다. 대부분 여기서 멈칫한다. 하락의 공포 때문이다. 그러나 차트를 자세히 분석할 줄 알았다면 진입했을 것이다. 이 책은 여러분의 차트 분석 능력을 향상시켜 줄 것이다.

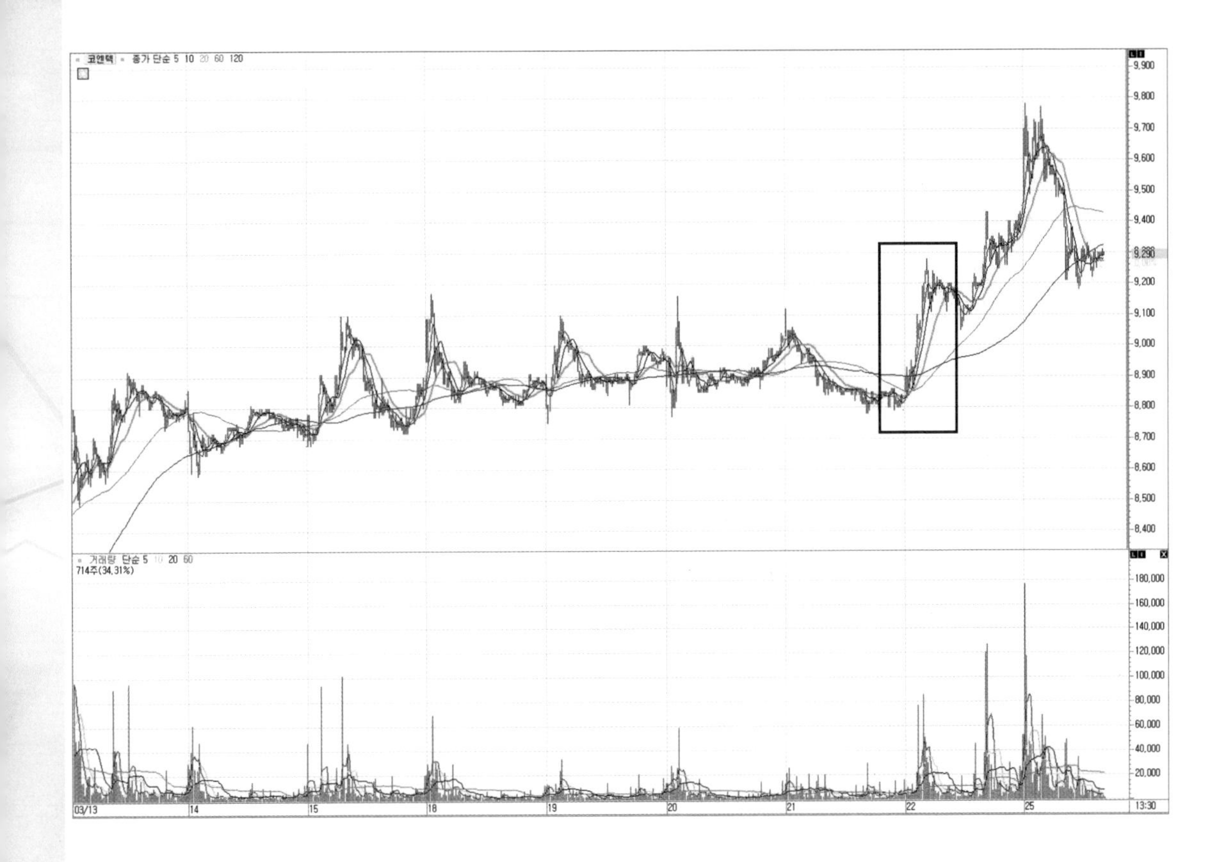

분봉에서 치고 올라가고 있다. 분봉상 주가를 보자. 박스권이다. 박스권 바닥에서 매수세가 등장하면서 주가가 치고 올라가고 있다. 능력이 있다면 일봉과 호가창만 봐도 매수할 수 있다. 이 구간에 진입할 수 있는 능력을 이 책을 통해 길러보자. 더 이상 수익이 남의 일이 아닐 것이다.

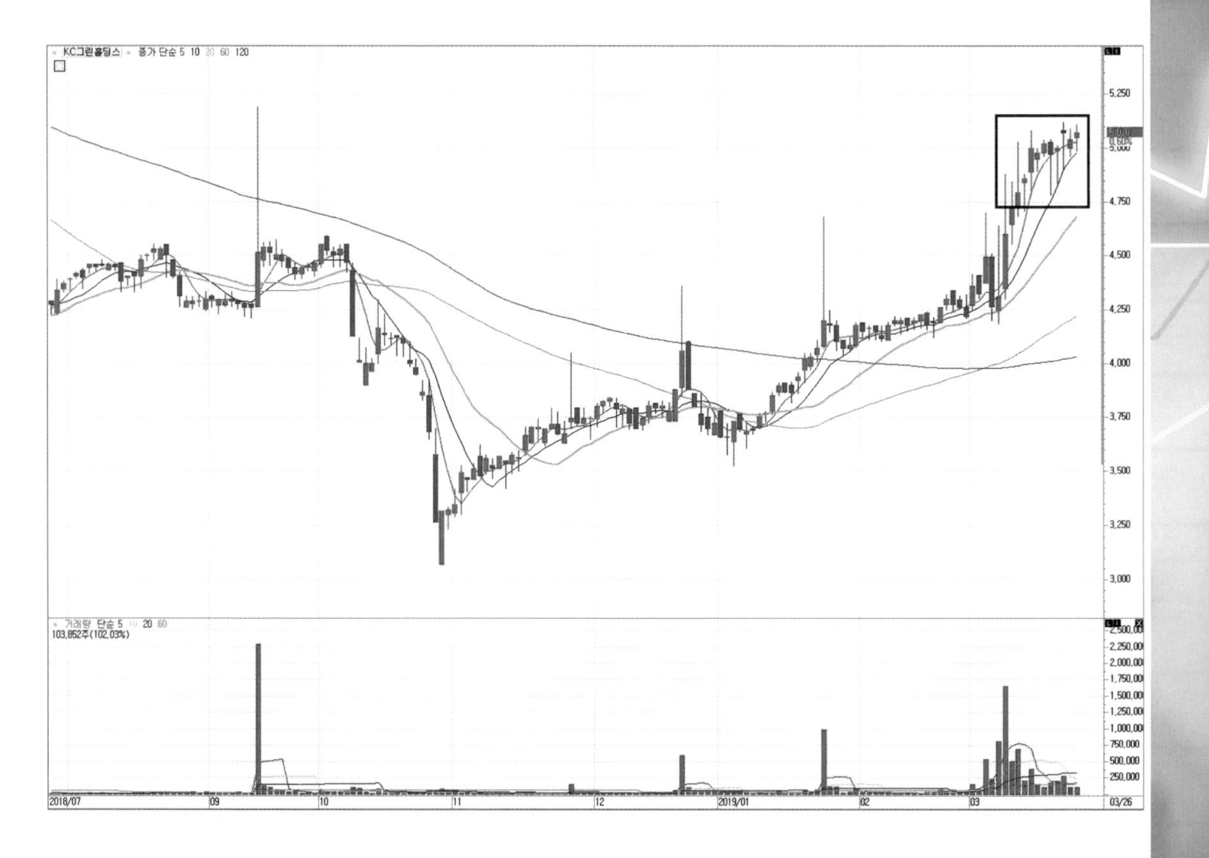

이 종목은 크게 치고 올라갈 구간에 진입했지만 조정이 예상과 달리 조금 길어지고 있다. 전고점을 돌파 못 하고 하락할 수도 있다. 이때 4% 정도의 수익을 챙기고 나올 것인지, 아니면 기다릴 것인지, 판단해야 한다. 이런 능력도 이 책을 통해 기를 수 있다. 만약 이 능력까지 가지게 된다면 그야말로 3개월에 1000만 원 버는 것이 더 이상 꿈이 아닐 것이다.

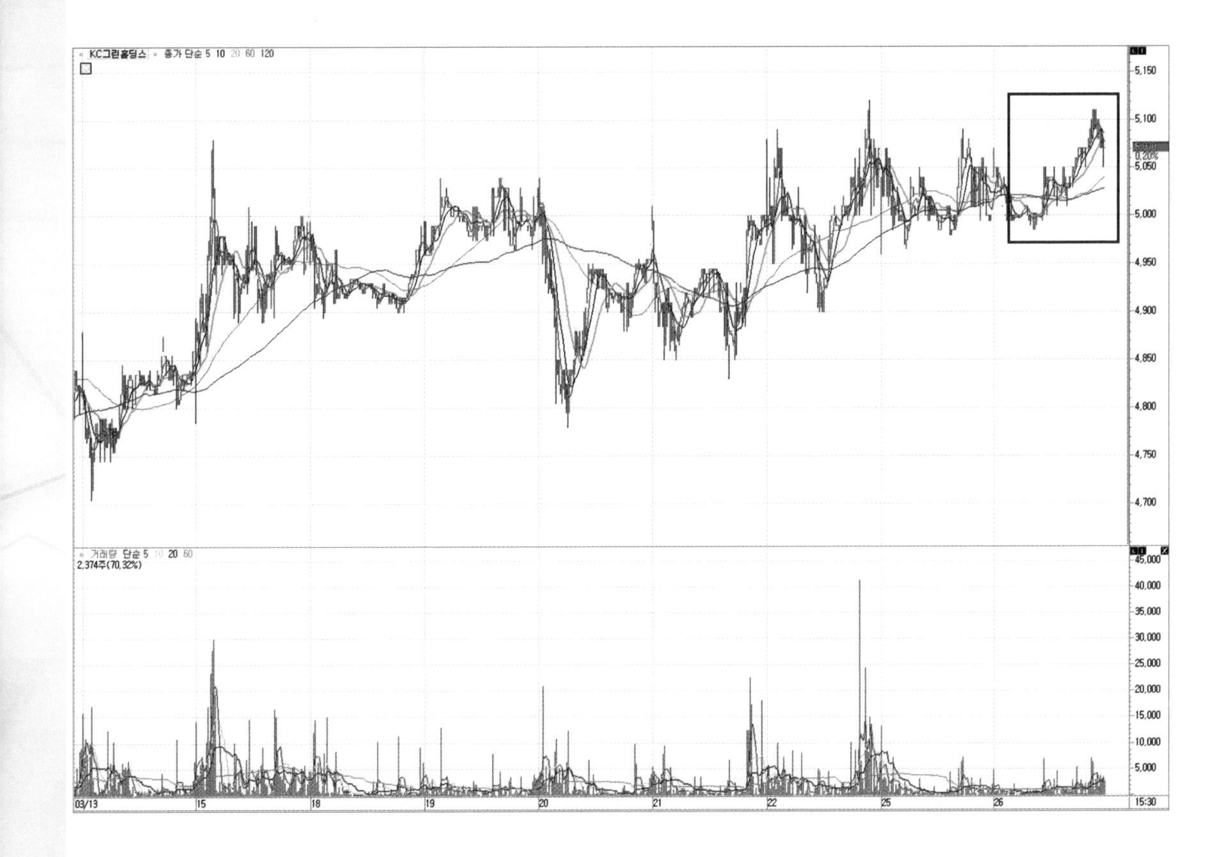

분봉을 보자. 매수지점은 참 좋았다. 하지만 이후 주가가 예상대로 움직이지 않고 완만히 상승하고 있다. 그리고 장중에 흔들림도 있다. 그러면 장중에 어떻게 대응할 것인가. 이걸 이 책을 통해 배워야 한다.

영어책 한 권 보고 영어 잘하는 경우는 없다. 이후 본인이 꾸준히 노력해야 실력을 향상시킬 수 있다. 주식도 마찬가지다. 주식책 한 권 보고 수익을 내기는 정말 어렵다. 그 책을 바탕으로 본인이 노력해야 하는데 많은 투자자들이 그 고개를 넘지 못하고 있다. 이 책이 여러분의 성공 투자에 기본 바탕이 되기를 희망한다. 여러분이 쉽게 이해할 수 있도록 지면이 허락하는 한 자세히 설명했다. 이제 본격적으로 시작해 보자.

목 차

목차

chapter 05

1000만 원 쉽게 버는 다중지지 매매법 115

chapter 06

위꼬리 종목으로 1000만 원 수익 올리기 138

chapter 07

전고점 돌파 종목 하나면 1000만 원 번다 159

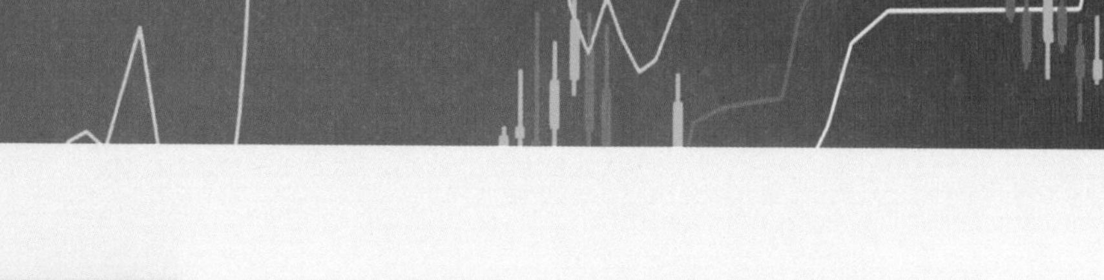

Chapter 00

시작하기 전 지켜야 할 것

분산투자 반드시 해라

주식투자 격언에 이런 말이 있다.

'계란을 한 바구니에 담지 마라.'

아마 주식에 조금이라도 관심이 있는 투자자라면 한 번쯤 들어 봤을 말이다. 계란을 한 바구니에 담으면 어떻게 될까? 조금만 충격을 주어도 서로 부딪혀 깨지기 쉽다.

이게 주식투자와 무슨 상관이 있을까? 주식투자를 하려고 마련한 투자자금을 한 종목에 전부 집어넣었다가 충격이 오면 손실로 이어진다는 뜻이다.

많은 투자자들이 무엇에 홀린 듯 대박 환상에 빠져 있다. 자신이 매수한 종목은 크게 오를 것이라는 착각이다. 일종의 자기 암시로서 자신이 매수한 종목에 기를 불어 넣는 행위라 할 수 있다. 그러나 주가는 기를 불어넣는다고 위로 움직이는 게 아니다. 이러한 행위는 마치 화투판에서 타짜가 건네준 패를 보고 올인할 패라고 착각하는 꼴이다.

주가가 어디로 움직일지는 아무도 모른다. 올라갈지 내려갈지 정확히 아는 것은 불가능하다. 단지 과거의 경험과 데이터를 가지고 예측할 뿐이다. 예측은 맞을 수도 있지만 틀릴 수도 있다. 예측이 적중하면 기쁘겠지만 틀릴 경우도 대비해야 한다.

내 돈을 한 종목에 몰빵한 상태에서 틀리면 타격이 크다. 어쩌면 복구 불가능한 상태로 전락할 수도 있다. 예측이 빗나갔을 경우의 대비책이 바로 계란을 한 바구니에 담지 말라는 것이다. 한 종목에 올인하지 말고 분산투자를 하라는 뜻이다.

주식투자는 분명 리스크가 존재하는 재테크다. 자신이 선택한 종목이 올라갈 수도 있지만 예상과 달리 떨어질 수도 있다. 예금하면 이자를 주는 은행과 달리 원금을 가지고 직접 투자에 나서는 것이기 때문에 원금 보장이 안 되는 투자처다.

그럼 원금도 보장이 안 되는 이 위험한 주식투자를 무엇 때문에 할까? 기대수익이 높기 때문이다. 리스크가 크다 하더라도 기대수익이 높기 때문에 적중했을 경우 리스크를 감수할 만한 투자 대가를 얻을 수 있는 곳이 주식시장이다. 기대수익이 크면 클수록 달콤하지만 그만큼 리스크가 크니까 기대수익을 조금 낮게 잡더라도 분산투자로 위험을 줄여야 한다.

"그러면 분산투자는 어떻게 하는 것이 좋을까?"

지금 거래할 수 있는 종목이 수천 개에 달한다. 그러나 실제로 부실한 기업이나 거래량이 적은 종목 등 개인 투자자가 매매하기 적합하지 않은 종목을 제외한다면 500개 내외의 종목으로 추릴 수 있다. 그래도 엄청난 수다. 투자금액이 아무리 많다고 해도 이 많은 종목을 모두 나눠 살 수는 없는 노릇이다.

그래서 종목을 압축하여 분산투자를 해야 하는데 투자할 종목을 5종목 내외로 줄이는 것이 좋다. 5종목이라면 한 종목당 비중이 20%다. 여기서 중요한 것은 항상 모든 종목의 비중이 일정해야 한다는 것이다. 어느 종목은 비중이 높고 어느 종목은 비중이 낮다면 분산투자라 할 수 없다.

상승 확률이 높아 보인다고 투자금액 중 50%를 매수하고 상승 확률이 떨어진다고 판단해 10%만 매수해서는 안 되는 것이다. 투자금액 중 50%를 투자한 종목이 떨어지고 10%만 투자한 종목이 올라갈 수도 있기 때문이다. 항상 일정한 투자금액을 유지해야 분산투자가 효과를 볼 수 있다.

투자금액을 일정하게 매수하기로 했으니 이제는 종목을 압축해 골라야 하는데 먼저 업종을 볼 필요가 있다. 업종별로 투자 종목을 나누고 업종 안에서 제일 우량한 종목을 선정해 분산투자 하는 것이다. 전기전자에 20%, 조선주에 20%, 화학주에 20% 등 각 업종별 종목을 발굴해 투자한다.

단, 상승장임에도 불구하고 특정 업종이 올라가지 않는다면 그 업종은 배제하고 상승장에 맞는 업종 위주로 포트폴리오를 구성해야 한다. 같은 업종 안에서도 1등 종목과 2등 종목이 나뉠 수 있다. 주도업종이라면 같은 업종이라도 종목을 달리하여 투자한다. 가장 중요한 건 종목당 투자비중은 항상 일정해야 한다는 것이다.

02

최저 바닥은 아무나 잡을 수 없다

"주식을 가장 싸게 사는 방법은 없나요?"

아마 많은 주식 투자자들이 제일 많이 고민하는 문제 중 하나일 것이다. 하지만 주식을 가장 싸게 사는 방법은 없다. 실망스러운 대답일 수 있겠지만 만약 주식을 가장 싸게 사는 방법이 있다면 누구나 벌써 큰 부자가 되어 있을 것이다. 주가의 바닥이 어디인지 알 수 있는 방법은 없다. 어쩌다 우연히 수익을 올릴 수 있겠지만 우연 말고는 방법이 없다.

그래서 매수할 때의 마인드부터 바꿔야 한다. 바닥에서 매수하려 하지 말고 확인하고 매수하는 것이다. 주가의 바닥은 아무도 알 수 없다. 내가 바닥이라고 판단하고 매수한 시점이 진짜 바닥인지는 지나고 나서야 알 수 있다. 그러니 확률 낮게 바닥을 찾아 매수하지 말고 확인하고 매수하는 편이 좋다.

주가가 확실히 바닥인 것을 보고 매수하자는 것이다.

이렇게 하면 주가는 이미 바닥에서 상승했을 것이다. 하지만 조금 다르게 생각해 보자. 바닥이 어디인지 모르는 곳에서 불확실하게 매수하는 것이 좋을까? 아니면 조금 더 주더라도 확실한 곳에서 매수하는 것이 좋을까?

인간의 욕심은 끝이 없다. 주식투자를 시작하는 사람은 가장 싼 가격에 매수하고 싶어 바닥이 확인되지 않았음에도 불구하고 매수하는 경향이 있다. 하지만 산전수전 다 겪은 고수는 바닥에서 매수하려 하지 않고 확인하고 매수한다. 초보는 조금 더 주고 매수하는 것을 매우 부담스러워 하지만 고수들은 확실히 수익을 낼 수 있는가에 기준점을 둔다. 초보와 고수의 차이인 것이다.

주식 격언에 '무릎에 사서 어깨에 팔라'는 말이 있다. 이 말이 괜히 나온 게 아니다. 오랜 경험에서 나온 격언이 왜 '바닥에서 사서 고점에서 팔라'가 아니고 '무릎에 사서 어깨에 팔라'인지 생각해 봐야 한다.

격언은 수많은 투자자들의 시행착오 끝에 얻은 것이다. 대충 지어낸 것이 아니라는 말이다. 주식은 바닥에 매수하려 하지 말고 조금 더 주더라도 확인하고 매수해야 되고 최고점에 매도하려 하기보다 수익이 적더라도 적당한 가격에 매도해야 한다.

고수들이 늘 하는 얘기가 있다. '생선의 꼬리와 머리는 고양이에게 주라'는 것이다. 맛있는 몸통만 먹고 꼬리와 머리는 다른 사람에게 주라는 뜻이다. 생선을 몽땅 먹으려다가 욕심 때문에 몸통까지 토해낼 수 있다. 실제로 이런 일들이 수없이 일어나고 있는 곳이 바로 주식시장이다.

실전에서 매매해보면 금방 알 수 있다. 바닥이 어디인지 고점이 어디인지 알아낼 방법이 전무하다는 것을 말이다. 오죽하면 주식 연구가 직업인 사람들도 바닥과 고점을 예측하는 일은 불가능하다고 말할까.

결국 돈을 벌려고 주식투자를 하는 것은 맞지만 욕심을 부리지 말라는 것이다. 주식시장에서 욕심을 부린다는 것은 쪽박으로 가는 관문을 하나 통과했다는 뜻이다. 포기할 땐 포기하고 매수할 땐 매수할 줄 아는 판단력이 꼭 필요하다.

03

손해 보는 종목부터 팔아라

"보유하고 있는 종목 중 손해 보고 있는 종목부터 팔아야 하나요. 아니면 수익이 나고 있는 종목부터 팔아야 하나요?"

많은 초보 투자자가 실수하는 것 중 하나가 수익이 나는 종목부터 매도한다는 것이다. 아마 필자가 분산투자를 하라고 말하지 않아도 대부분의 투자자는 여러 종목에 나눠서 투자할 것이다. 여러 종목을 매수하니 수익이 나는 종목도 있고 손실이 나는 종목도 있을 것이다. '닭이 먼저냐, 계란이 먼저냐' 하는 것처럼 어려워하는 투자자도 있겠지만 대부분 수익이 나는 종목부터 매도할 것이다. 왜냐하면 수익이 나면 수익을 확정하고 싶은 욕구가 생기기 때문이다. 혹시 주가가 다시 떨어져서 지금 올린 수익을 잃을지도 모른다는 걱정 때문이다. 그래서 일단 수익을 챙기고 보자는 마음에 수익이 난 종목부터 매도하게 된다.

반대로 손실이 난 종목은 '손해 보고는 못 판다'라는 심리가 작용한다. 조금만 기다리면 오를 것 같다. 그래서 손실 보지 않고 본전에 팔 수 있을 것 같다는 기대심리다.

때문에 많은 초보 투자자가 수익 난 종목은 팔고 손실 난 종목은 보유한다. 그런데 이렇게 해서 오히려 손실이 더 커진 투자자가 많다. 초보를 벗어나 수익을 올리는 투자자가 되려면 이 반대로 해야 한다. 자신의 심리에 기대지 말고 주식의 속성을 따라야 한다. 오르는 종목은 계속 오르고 떨어지는 종목은 계속 떨어지는 것이다.

한 번 주가가 탄력을 받으면 지속적으로 올라간다. 그 이유는 주가가 그냥 움직이는 게 아니기 때문이다. 실적이든 재료든 이유가 있기 때문에 올라간다. 그래서 한 번 움직인 종목 대부분은 잠깐 올라가다가 도로 하락하지 않는다. 투자자는 이익을 확정하고 싶은 욕구가 생기겠지만 주가는 실적을 반영할 때까지 올라간다. 탄력을 받고 올라가는 주가를 믿어야지 내 마음을 믿어서는 안 된다.

주가는 떨어지면 계속 떨어진다. 주가가 떨어지는 이유는 실적 악화라든가 악재의 발생, 또는 시장 상황이 악화되었기 때문이다. 실적이 나빠진 기업은 하루아침에 좋아지지 않는다. 악재가 발생하거나 시장 상황이 나빠진 상황이 하루아침에 바뀔 수 없기 때문이다. 악재나 실적을 하루 만에 반영하기 힘들기 때문에 떨어지는 종목은 계속 떨어진다. 조금만 기다리면 본전이 될 것 같지만 실전에서는 매입가격과 점점 멀어지는 경우가 대부분이다. 보통 손실이 나면 원금에 집착해 손해 보고 있는 종목은 팔려고 하지 않는다. 그러나 이런 심리는 쪽박 관문을 하나 더 지났다는 의미일 뿐이다.

주식투자로 성공한 많은 투자자들이 일단 매수하고 나면 매입한 가격은 잊으라고 한다. 이게 무슨 말인가 하면 일단 매수했으면 내가 얼마에 매수했는가에 집착하지 말고 주가의 흐름만 보라는 의미다. 주가 흐름을 보고 매도를 판단해야지 매입가격을 보고 판단해서는 안 된다는 것이다. 매입가격을 생각하면 매도 타이밍을 놓치게 되고 이는 큰 손실로 이어진다. 그래서 떨어지는 종목은 매도하고 수익이 난 종목은 매도 신호가 나올 때까지 계속 보유하고 있으라고 충고한다.

물론 디테일한 것은 조금 달라질 수 있다. 하지만 기본은 손해 본 종목은 빨리 끊어 버리고 이익이 발생한 종목은 극대화해야 한다는 것이다. 주식투자로 성공한 많은 투자자가 그런 것처럼 자신과의 싸움에서 이겨내야 주식투자에 성공할 수 있다.

04

손절매 못 하면 무조건 아웃

손실 난 종목은 일단 팔아야 한다. 주식투자에서는 이를 손절매라고 한다. 주식투자로 4억 원을 날리고 각고의 노력 끝에 이제는 1년에 2~3억 원씩 벌어들이는 어느 고수는 이렇게 말했다.

"내가 4억 원을 날리는 동안 배운 것은 손절매를 잘해야 한다는 것이었습니다."

아마 주식에 관해 왕초보가 아닌 이상 손절매라는 말은 들어봤을 것이다. 그리고 왕초보라 해도 앞으로 주식투자를 하면서 귀가 닳도록 들을 말이 손절매일 것이다. 그런데 주식투자를 조금 하다 보면 손절매란 그냥 초보들에게나 필요한 말인 줄 착각하게 된다. 하도 듣다 보니 초보들에게나 필요한 시시한 조언이라고 생각하게 되는 것이다.

장담하건데 이런 생각을 가지고 있는 투자자 중에 돈을 벌고 있는 투자자는 없을 것이다. 주식에 대한 경험이 쌓인 후 이런 생각이 들 때는 본인 계좌를 살펴봐라. 반드시 손실이 나 있을 것이다. 그리고 조금 더 지나면 회복불능의 쪽박계좌가 될 것이다. 손절매 무시하다가는 운전면허 시험도 아닌데 쪽박을 필수코스로 거치게 될 것이다.

손절매하는 방법은 간단하다. 우리가 주식을 매수할 때는 매수한 이유가 있을 것이다. 재료가 발생했다든지, 주가에 20일선 눌림목이 형성됐다든지 하는 이유가 있기 때문에 매수를 한다. 이렇게 이유가 있어 매수를 했는데 이게 적중하여 주가가 올라가면 수익을 챙긴다. 하지만 주가가 올라가지 못하고 떨어지면 바로 매도하는 것이다. 매수 근거가 사라졌는데 그 종목을 보유하고 있을 필요가 없다.

또 다른 손절매 방법은 매도가격을 정해 놓는 것이다. 만약 5000원에 매수해서 '주가가 올라가지 못하고 떨어져 4700원을 이탈하면 매도하겠다'고 정했다면 주가가 이 가격을 이탈하면 매도하는 것이다.

하지만 실전에서 손절매는 어렵다. 오죽하면 4억 원을 날리고 배운 것이 손절매 하나일까. 말이 쉽지 4700원이면 손해다. 손해를 입은 상황이니까 쉽게 매도할 수 없는 것이다. 매입가격을 생각하면 안 되는데 처음에는 생각을 안 할 수 없다.

그래서 손절매는 연습이 필요하다. 모의투자를 통해 연습해야 한다. 아니면 소액투자를 해보고 돈을 다 잃을 때까지 손절매를 연습해야 한다. 100만 원 투자해서 다 날릴 때까지 연습해 보는 것도 나쁘지 않다. 나중에 진짜 큰 돈을 날리는 것보다 수업료 내고 제대로 배우는 쪽이 훨씬 낫다. 4억 원 날리고 2억~3억 원 버는 것이 좋을까. 100만 원 날리고 2억~3억 원 버는 것이 좋을까.

4억 원 날리고도 손절매 하나 배우지 못한 사람이 수두룩하다. 손절매 하나만 제대로 배워도 쪽박 관문 두 개만큼은 뒤로 물릴 수 있다. 손절매 못하면 다시 쪽박 관문 두 개만큼 전진한 것이나 마찬가지다.

05

모의투자를 하자

주식투자는 돈을 벌려고 하는 것이다. 손절매도 다음 기회를 노리려고 하는 것이지 손실을 보고 물러나려 하는 것은 아니다.

초보 투자자가 주식투자로 처음부터 돈을 번다는 것은 사실 불가능에 가깝다. 많은 경력을 쌓은 투자자도 조심스럽게 접근하는 곳이 바로 주식시장이다. 그런데 초보 투자자의 매매 행태를 보면 일단 지르고 본다. 일단 매수하고 보는 것이다. 돈 벌기 전에 물건부터 사야 한다는 다단계도 아닌데 말이다. 누가 매수해야 된다고 떠미는 것도 아닌데 마음이 조급해진다. 고수들도 신중히 접근하는 주식시장에 왕초보가 무작정 덤벼들어서 돈을 벌 리가 만무하다.

그런데 버는 사람도 있다. 주식투자란 어떻게 보면 오르고 내리고를 맞히는

홀짝게임과도 같으니 확률은 50%인 것이다. 그래서 한 번에 돈을 버는 경우도 있다. 실력이 아닌 어쩌다 맞은 거다. 그런데 자기가 실력이 좋아서 번 줄 알고 들뜬 마음에 무리한 투자를 하다가 결국은 큰 손실로 이어진다.

도박에서 처음에 돈을 벌면 그 재미 때문에 계좌에서 돈 빠져 나가는 소리가 들리지 않을 정도로 빠진다. 타짜들은 처음에 일부러 잃어주기도 한다. 한마디로 호구를 만드는 것이다. 주식투자도 잘못하면 이와 같은 길을 걷게 된다.

세상에 남의 돈 먹기 쉬운 곳은 없다. 돈에 환장한 사람들이 떼거리로 몰려있는 주식시장은 말할 것도 없다. 어설픈 실력만 믿다가 큰 손실을 입는 곳이 주식시장이다. 하지만 이를 피할 수 있는 방법이 있다. 바로 모의투자를 하는 것이다.

처음 주식투자를 하다 보면 눈앞에서 돈이 왔다 갔다 하니까 조급한 마음에 약간의 준비만으로 실전투자에 나선다. 하지만 만반의 준비 없이는 무조건 돈을 날릴 수밖에 없다. 살벌한 주식시장에서 돈을 벌려면 자신이 먼저 준비가 되어 있어야 한다. 그래서 실전에 뛰어들 준비가 될 때까지 모의투자를 하자는 것이다.

주식투자에서 성공 확률을 높이려면 수많은 시행착오를 겪어봐야 한다. 다른 모든 일이 마찬가지다. 시행착오를 겪어봐야 노하우가 쌓인다. 이 시행착오를 진짜 내 돈을 가지고 하지 말고 가짜 돈을 가지고 해보자는 것이다. 가짜 돈은 아무리 잃어도 상관없으니까 말이다. 몇 번이고 잃어도 괜찮다.

많은 증권사에서 모의투자 프로그램을 제공하고 있다. 모의투자 대회도 열고 있다. 이를 이용하여 경험을 쌓아 보자.

모의투자를 할 때 단기매매를 해보고 싶다면 1개월 단위로 수익률을 결산한다. 만약 조금 길게 중기투자를 하고 싶다면 3개월 단위로 수익률을 결산하면 된다. 그래서 지속적으로 수익이 나고 자신이 붙으면 그때 투자금액 일부를 가지고 실전투자에 나서 보는 것이다. 모의투자와 실전투자를 대하는 심리가 다르므로 또 다른 시행착오가 생길 수 있다. 그래서 모의투자에서 수익이 나면 투자금액의 일부만 가지고 투자에 나서야 한다. 실전에 뛰어 들기 전에 연습을 거듭해야 한다. 그래야 실전에서 타짜들과 진검 승부를 할 수 있다.

06

물타기를 멈춰라

주식투자를 하다 보면 매수한 이후 주가가 하락하는 경험을 하게 될 것이다. 한마디로 손실이 나는 것이다. 매수했는데 손실이 나고 자신이 정한 손절가 기준을 이탈하며 매도하면 된다. 그런데 많은 초보 투자자가 매도는 하지 않고 물타기를 한다.

물타기란 주가가 떨어지면 매도하기보다 주식을 더 매수하는 행위를 말한다. 1000만 원을 매수했는데 주가가 10% 하락했다고 해보자. 그러면 900만 원이 남는다. 본전을 찾으려면 10% 이상의 수익을 올려야 한다. 떨어진 가격에서 매도하기보다는 추가매수를 해 2000만 원을 채운다. 이제는 매수한 금액이 2000만 원이니까 10% 이상이 아니라 5%만 올라도 100만 원의 손해를 만회할 수 있다.

많은 초보 투자자들이 주식을 매수한 이후 주가가 떨어지면 이 같은 생각을 하고 또 실천에 옮긴다. 이게 맞아 떨어지면 다행인데 만약 반대의 경우라면 5%만 하락해도 100만 원의 추가 손실을 입게 된다. 손실폭이 더욱 커지는 것이다. 리스크를 더욱 키우는 매매를 한 꼴이다.

물타기는 이론적으로는 맞지만 실패할 확률이 높다. 왜냐하면 앞에서도 말했듯이 떨어지는 종목은 반등하기보다 추가로 하락할 확률이 높기 때문이다. 추가 하락 가능성이 높은 종목에 추가로 자금을 투여하니 될 리가 없다. 끊을 때는 끊어줘야 하는데 그러지 못하고 계속 물려들어 가니까 나중에는 빠져나오지 못하고 큰 손실을 입는다.

이런 일 몇 번 겪다 보면 주식투자를 하기 싫어진다. 그리고 주식투자로는 돈을 벌 수 없다고 생각하게 된다. 청개구리도 아니고 하라는 대로 하지 못할망정 하지 말라는 것은 다 하면서 주식투자로 돈을 못 번다고 하면 어쩌자는 것인가.

주식투자로 돈을 벌 수 없다고 말하는 사람들을 잘 살펴보면 하라는 대로 한 사람이 아무도 없다. 다들 하지 말라는 것만 곧잘 하다가 투자자금을 잃고 다시는 주식투자 하지 말라고 떠들고 다닌다.

물타기는 평균단가를 낮추는 장점이 있다. 하지만 리스크는 그만큼 커지고 하락하는 종목은 계속 하락할 가능성이 높기 때문에 실패할 확률이 높다는 점에서 절대로 해서는 안 되는 행위 중 하나다. 이 또한 쪽박계좌로 향하는 관문을 하나 또 통과하는 행위다.

한 종목에 1000만 원을 투자했다면 이 종목에는 1000만 원이 적당하다고 판단했기 때문일 것이다. 그런데 물타기를 해서 1000만 원이 2000만 원이 되고 3000만 원이 되면 심리적으로 굉장히 불안하고 초초해진다. 이성적으로 판단하기 어려워진다. 1000만 원이 적당하다고 판단해 투자한 종목인데 투자금액이 몇 배로 늘어나니까 감당할 수 없게 되는 것이다. 감당할 수 없는 지경에 이르기 전에 빨리 손을 써야 한다. 어떻게 해야 할까?

손절매를 통해 빨리 끊어 버리는 거다. 감당할 수 없는 지경에 이르느니 빨리 끊고 다음 기회를 노리는 편이 훨씬 낫다. 주식투자로 돈을 번 수많은 고수 중에 물타기로 돈 벌었다는 사람은 아무도 없다. 그런데 주식투자로 쪽박계좌가 된 사람 중에는 물타기가 원인이라는 사람이 수두룩하다.

주식투자로 돈을 번 사람을 따라 해야 할까? 돈 날린 사람을 따라 해야 할까? 돈을 벌려고 주식투자를 하는 것이니 당연히 돈을 번 사람을 따라 해야 한다. 그런데 꼭 실전에서는 반대로 한다. 이렇게 강조함에도 불구하고 여러분 중에 틀림없이 물타기를 하는 사람이 생길 것이다.

지금부터 제대로 배워야 한다. 처음에 투자 습관을 잘 들여야 나중에 성공할 수 있다. 기초가 탄탄한 사람이 흔들리지 않듯이 처음에 가장 중요한 기본적인 투자 습관을 잘 들여놔야 성공할 수 있다. 이걸 무시하고 고수들의 기법을 배워봐야 실패하게 돼 있다. 무슨 말인지 알 것이다. 공부와 똑같다. 나중에라도 물타기를 생각하는 자신을 발견한다면 '망하는 길로 들어섰구나' 하고 정신 바짝 차리시기 바란다.

07

관심 있는 종목에 집중하라

주식시장에는 수많은 업종의 기업이 2000개 내외로 상장되어 있다. 이 종목들은 증시가 열리는 한 언제든지 매매할 수 있다. 심지어는 초단위 매매도 가능하다.

하지만 주식투자를 처음 시작하는 입장에서는 말이 2000개지 도대체 어느 종목에 투자해야 할지 알 수 없다. 어느 종목을 매수해야 할지 모르니까 남들이 좋다는 종목을 매수한다. 남이 추천한 종목이다 보니 종목에 급격한 변화가 생기면 어떻게 대처해야 할지 몰라 당황한다. 그리고 대부분 손실로 이어진다. 남의 말 듣고 투자해서 돈 벌 정도로 주식시장이 호락호락하다면 대한민국 국민 누구나 주식시장에서 돈을 벌었을 것이다. 그러나 남의 말 듣고 돈을 벌었다는 사람보다 손실난 사람이 많으니 여전히 개인 투자자에게 주식시장은 어려운 곳이다.

사실 처음 주식투자를 하는 투자자에게 종목 선정은 어려운 일이다. 그러면 어떻게 해야 할까? 주식투자를 처음 시작할 때 이 종목 저 종목 기웃거리지 말고 자신이 아는 종목부터 분석해야 한다.

전문적으로 기업과 업종을 분석하는 사람을 애널리스트라 한다. 전문적으로 분석을 하는 사람이니 애널리스트라면 뭐든지 다 알 것이라고 생각하기 쉽다. 2000여 개의 종목을 낱낱이 알고 있을 것이라는 인식을 가지고 있는 것이다. 하지만 증권사에 가보라. 한 애널리스트가 한 업종 이상 분석하기 힘들다. 업종 하나에 몇 명의 애널리스트가 붙어서 분석하기도 한다.

뛰어난 애널리스트라고 해도 10개 이상의 종목을 분석하기란 쉽지 않다. 많은 종목을 분석해야 베스트 애널리스트가 되는 것이 아니다. 한 종목이라도 잘 분석하는 것이 실력 있는 애널리스트의 기준이다.

그런데 초보 투자자가 많은 종목을 분석한다는 것이 가능하겠는가. 불가능하다. 그러면 어떻게 해야 할까? 먼저 가까이 있는 기업부터 분석해보자. 만약에 당신이 삼성물산에 다닌다고 해보자. 삼성물산에 대해서라면 다른 투자자보다 당신이 훨씬 많이 알 것이다. 또 당신이 상장돼 있는 바이오회사에 다니고 있다면 그 회사의 전망이나 비전에 대해 당신만큼 잘 아는 사람도 드물 것이다. 자신이 잘 알고 있는 기업에는 남이 가르쳐 준 종목보다 훨씬 확률 높은 투자를 할 수 있을 것이다. 종목 찾기는 어려운 것이 아니다. 다만 보는 눈이 없을 뿐이다.

08

목표수익률은 1년 단위로 정하라

주식투자를 하다 보면 목표수익률이 허황된 경우를 종종 본다. 처음에는 '은행이자보다 많이 벌면 좋겠다'고 생각하던 투자자도 일단 주식시장의 생리를 조금이라도 알고 나면 1년 은행이자를 1개월에 벌 생각을 하고 조금 더 나아가 몇 배를 1개월에 벌기를 원한다. 1년에 10%의 목표수익률이 1개월로 바뀌고 조금 더 지나면 1개월에 30% 이상으로 바뀌는 경우도 종종 있다. 인터넷에서 주식 관련 정보를 찾아보면 1년에 몇 백 퍼센트, 심지어는 몇 천 퍼센트를 벌었다고 하니 웬만한 수익률은 성에 차지 않게 된다.

또 본인이 주식투자를 하면 1개월에 20% 이상은 쉽게 벌 수 있을 것 같다는 생각이 든다. 주가가 하루에 최대로 올라갈 수 있는 폭이 30%다. 종목 하나 잘 고르면 하루 만에 30% 수익이 가능하다는 뜻이다. 한 달에 종목 하나만 잘 선택하면 30%는 기본으로 벌 수 있고 한 종목만 더 성공해도 60%의 수익이 가능하다.

그러니까 한 달에 상한가 가는 종목 두 개만 잡으면 60%의 수익이 가능하겠다는 생각이 든다. 아마 누구나 이런 생각을 해보았을 것이다. 하지만 실전에서는 매우 어려운 일이다. 생각처럼 쉬운 일이라면 대한민국 모든 국민이 주식투자만 하고 있지 뭣 하러 힘들게 직장을 다니고 있겠는가.

주가의 하루 변동폭이 크다 보니 처음의 조심스러운 마음은 온데간데없어지고 허황된 수익률에 사로잡혀 무리한 투자를 일삼다가 자신의 계좌 잔고가 줄고 있는 것도 잊어버린다.

또 누구는 '하루에 1%만 벌자'라고 한다. 아무것도 아닌 것 같지만 하루에 1% 벌기란 매우 어렵다. 일단 주식시장에 매일 벌 수 있는 좋은 환경이 조성되지 않다. 그러면 버는 날도 잃는 날도 있다. 1% 벌고 5% 잃는 경우도 허다하다. 또 하루에 1%를 벌자고 마음을 먹으면 못 버는 날은 어떡할까. 하루에 1%를 벌자고 했으니 못 버는 날은 다음 날 2%를 벌어야 목표를 채울 수 있다. 마음이 조급해지고 심리적으로 흔들리게 된다. 결국은 불가능하게 되는 것이다.

그래서 불가능한 목표를 세우느니 가능한 목표를 세워 거기에 맞춰 매매하는 쪽이 현명하다. 또한 목표수익률을 잡을 때 기간을 되도록 길게 잡아야 달성에 유리하다. 목표수익률은 1주일 단위나 1개월로 잡지 말고 최소 3개월 이상으로 잡는 것이 좋은데 실제로는 1년 단위가 가장 좋다. 1주일이라고 해봐야 실 거래일수는 5일이고 1개월이라면 20일이다. 그런데 주가가 매일 올라가면 좋겠지만 주식시장은 1년 중에 돈을 벌 수 있는 달이 그리 많지 않다. 1개월 동안 주가가 거의 움직이지 않을 수도 있고 3개월 내내 지수가 하락할 수도 있다. 1년 내내 박스권에서 횡보할 수도 있다. 1개월 단위로 목표수익률을 잡았는데 주가가 움직이지 않을 수도 있다. 그러면 다음 달로 수익률이 넘어 간다. 또 시장 상황이 안 좋을 때는 3개월 정도 수익을 전혀 못 낼 수도 있다. 목표수익률을 달성하지 못했을 때 다음 목표 기간으로 달성하지 못한 수익률을 넘긴다면 상당히 부담이 되고 심리적 압박감 탓에 달성 불가능한 목표가 될 가능성이 높다. 이렇게 할 바에는 차라리 여유 있게 1년 단위로 수익률을 잡자는 거다.

왜 1년으로 잡아야 하느냐 하면 일단 마음이 여유로워지기 때문이다. 1년 중에는 분명히 돈을 버는 시기가 있고 돈을 잃는 시기도 있을 것이다. 마음에 여유가 있으니까 시장을 보는 눈이 넓어진다. 관망하는 자세로 시장을 보다 보면 투자 시기를 볼 확률이 높아진다. 이게 굉장히 중요한 거다. 실전에서 시장을 읽을 수 있는 눈을 가진다는 것은 일단 돈을 벌 확률이 높아진다는 뜻이다.

목표수익률도 30% 정도로 잡는 것이 좋다. 투자자들은 목표수익률을 정하지만 사실 얼마를 벌지 아무도 모른다. 장이 좋다면 많이 벌 수 있고 장 상황이 안 좋다면 아무리 노력해도 목표수익률을 달성하기 힘들다. 차라리 목표수익률을 30%로 잡고 길게 1년을 보고 투자를 하자는 것이다. 목표수익률이 얼마 안 되니 편안한 마음으로 투자할 수 있다. 이렇게 하면 오히려 수익률을 높게 정하고 조급하게 투자하는 것보다 훨씬 좋은 결과를 얻을 수 있다.

09

현금도 종목이다

개인 투자자들이 주식투자로 돈을 못 버는 이유 중 하나가 조급증 때문인데 이 조급증이 실전에서는 투자금액 전부를 주식으로 보유하는 것으로 나타난다. 투자금액 1억 원이 있으면 1억 원 전부를 주식으로 보유하고 있는 것이다. 마치 현찰이 조금이라도 있으면 입안에 가시가 돋치는지 1000원짜리 한 장까지 계산해서 주식을 매수한다.

주식투자로 1년 내내 돈을 벌기는 정말 어렵다. 1년 내내 돈을 버는 것이 불가능한데 1년 내내 주식을 보유하고 있으니 당연히 손실로 이어진다.

주식투자로 1년에 돈을 벌 수 있는 기회는 몇 번 되지 않는다. 우리가 1년 내내 주식을 연구하는 이유는 몇 번 되지 않는 기회를 놓치지 않고 잡기 위함이다. 기회가 왔을 때 매수하는 것이다. 그런데 1년 내내 주식을 보유하고 있으면 기회가 와도 매수할 돈이 없다. 정말 좋은 종목이 나왔는데도 매수하지 못한다. 보유하고 있는 종목을 매도하고 매수하면 되지 않느냐고 생각할 수도 있다. 그런데 정말 이상하게도 그렇게 하지 못한다. 정말 좋다고 생각한 종목이 나왔다 하더라도 보유하고 있는 종목을 팔지 않고 그냥 보유하고 있다. 특히 손실 난 종목은 수익이 나기 전까지 절대로 팔지 않는다. 한 번 매수를 하면 수익이 날 때까지 계속 보유하고 있는 것이다. 그리고 정말 좋은 종목이 크게 올라가는 것을 보고 입맛만 다신다. 실제로 많은 초보 투자자들이 이렇게 매매를 하고 있다. 이런 식으로 투자를 하니까 당연히 돈을 못 벌고 주식투자로 돈을 벌기 정말 어렵다고 판단하는 것이다. 대부분의 투자자들이 겪는 과정 같은 것인데 수업료를 내기 전에 이미 수업료를 낸 투자자의 경험을 배울 필요가 있다.

Chapter 01

장기차트를 보면 1000만 원이 보인다

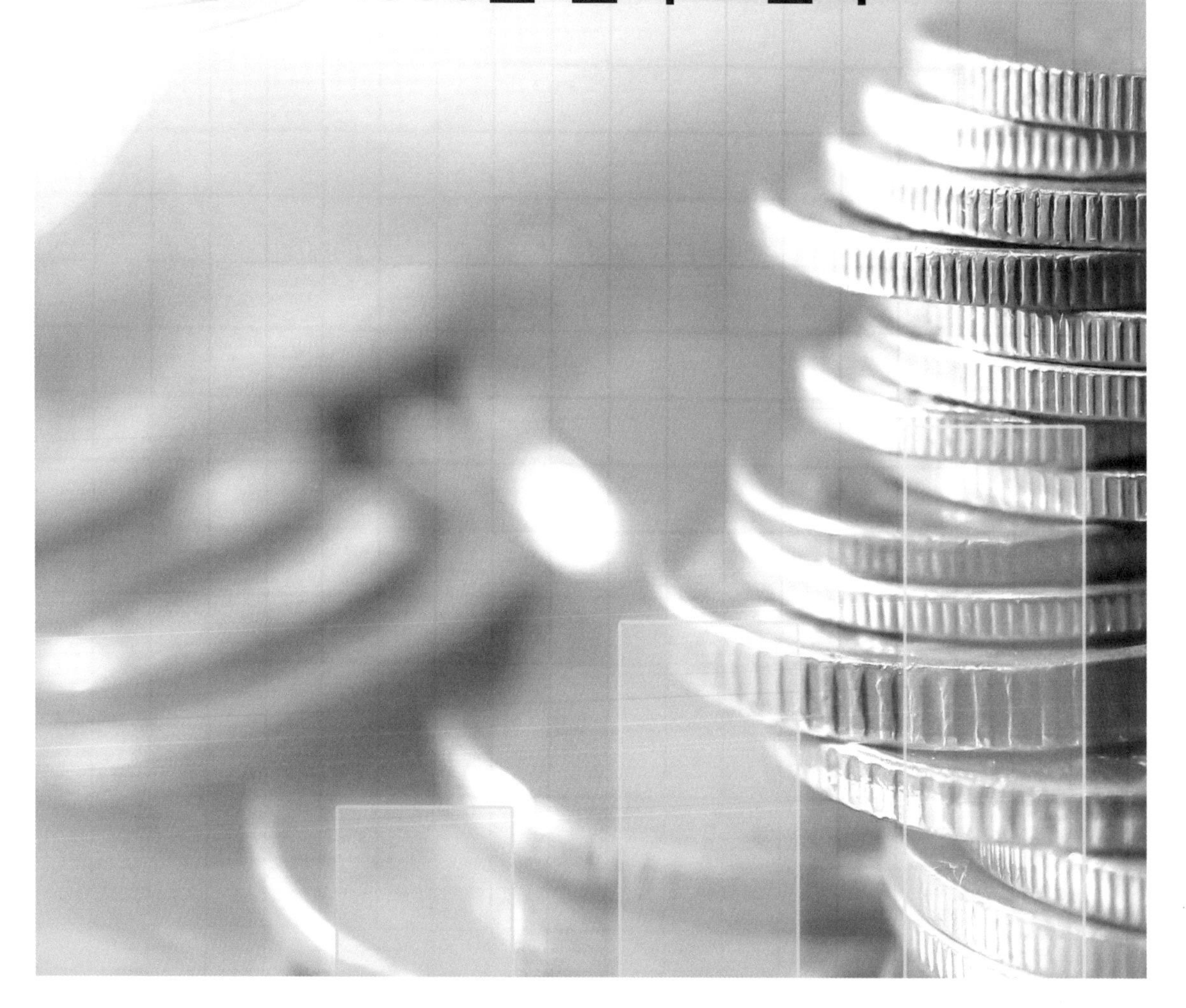

짧은 기간만 차트를 보는 개인 투자자가 많다. 보통 몇 개월 정도만 보고 차트를 해석한다. 하지만 단기간 흐름만 보면 주가가 어느 위치에 있는 것인지 알 수 없다. 지금 내가 어떤 위치에 와 있는 종목을 매매하고 있는지 알 수 없는 것이다. 정확히 판단하려면 주가의 위치와 역사를 알아야 한다. 예를 들어 보자.

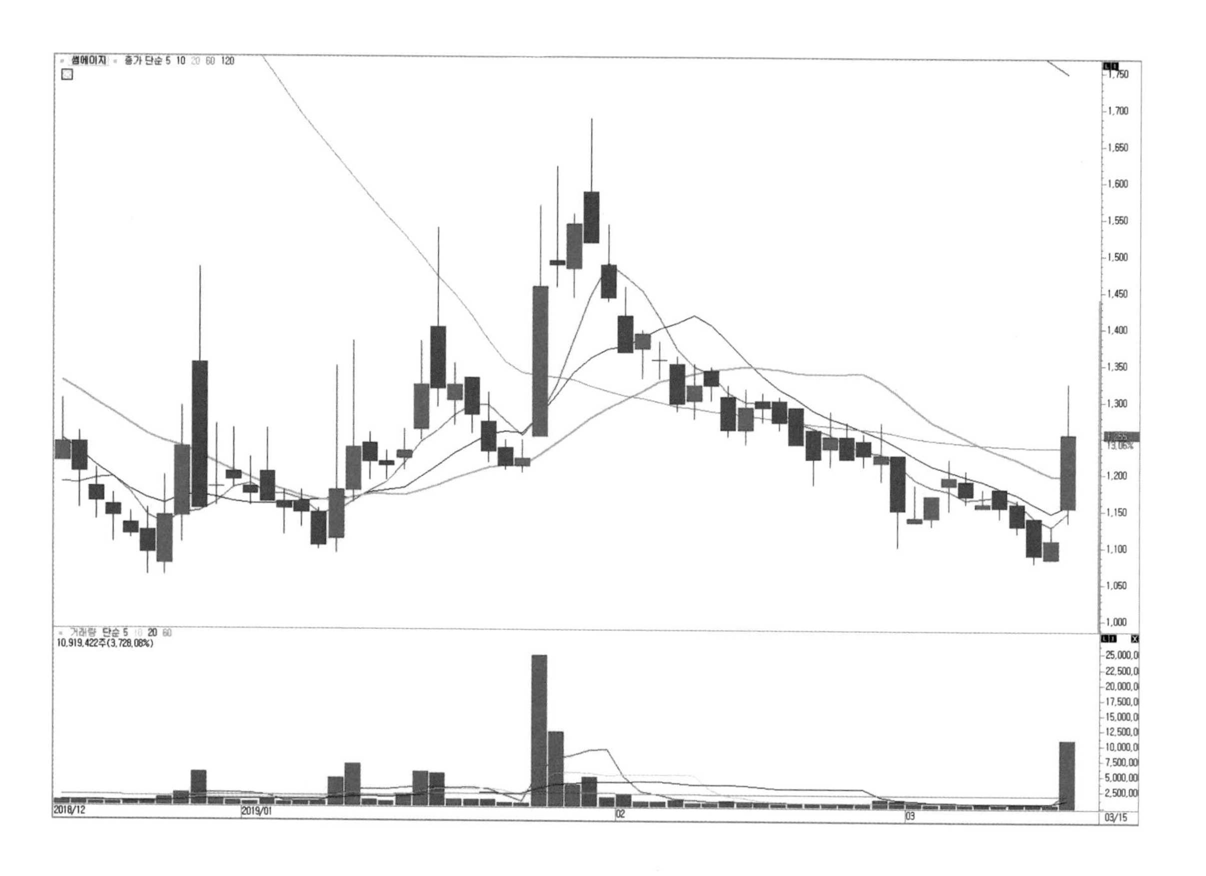

3개월 주가 흐름이다. 개인 투자자들은 보통 이 정도의 주가 흐름만 본다. 어떻게 움직이고 있나? 1개월 정도는 주가가 오락가락하지만 그래도 오르고 있다. 그리고 나머지 1개월 반은 하락추세였고 오늘 반등이 나왔다. 이번에는 기간을 조금 더 넓게 보자.

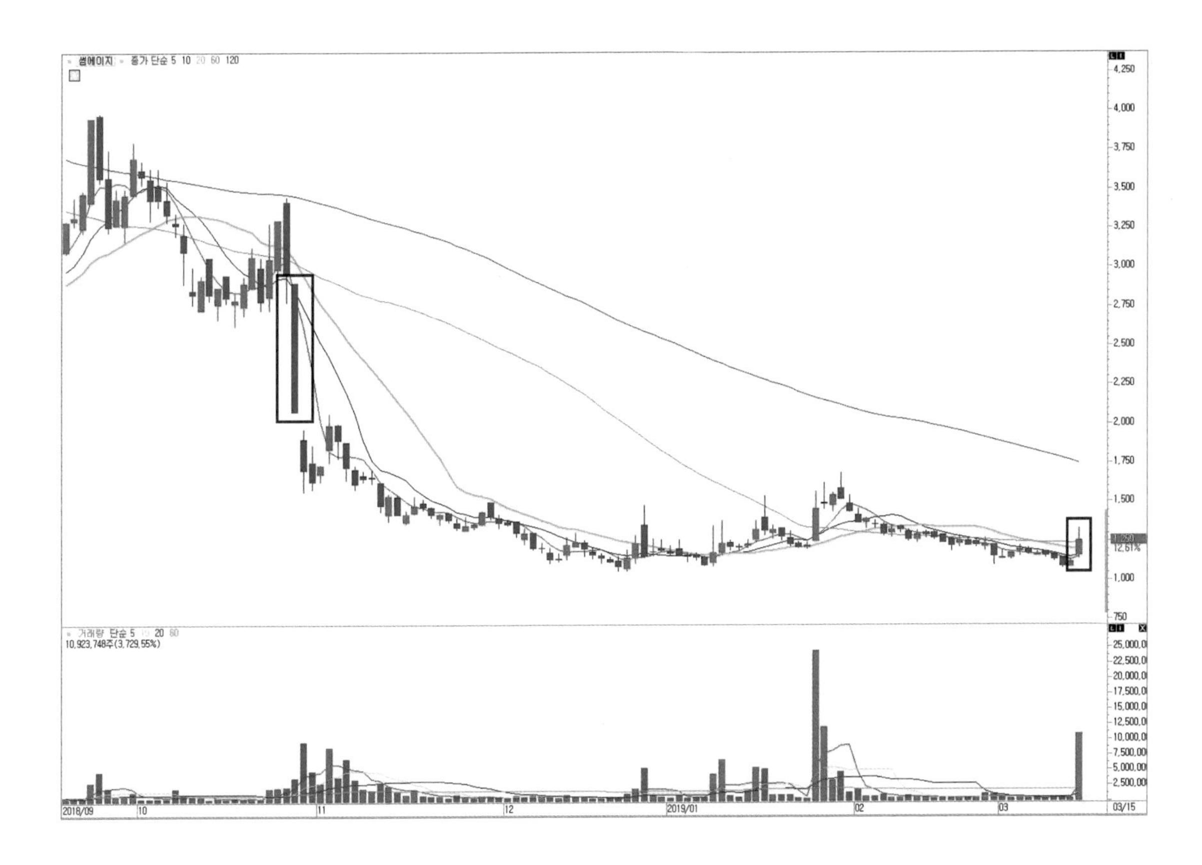

6개월 차트다. 주가 흐름이 완전히 다르다. 최근 3개월의 주가 흐름은 보이지 않을 정도로 큰 하락추세의 종목이다. 차트 앞부분을 보면 장대음봉으로 급락한 모습도 확인할 수 있다.

급락 다음에는 횡보하는 것 같지만 완만히 하락추세가 이어지고 있다. 오늘의 양봉은 주가 하락에 비하면 얼마 안 되는 상승이다. 3개월과 6개월의 주가 흐름은 전혀 다르게 보인다.

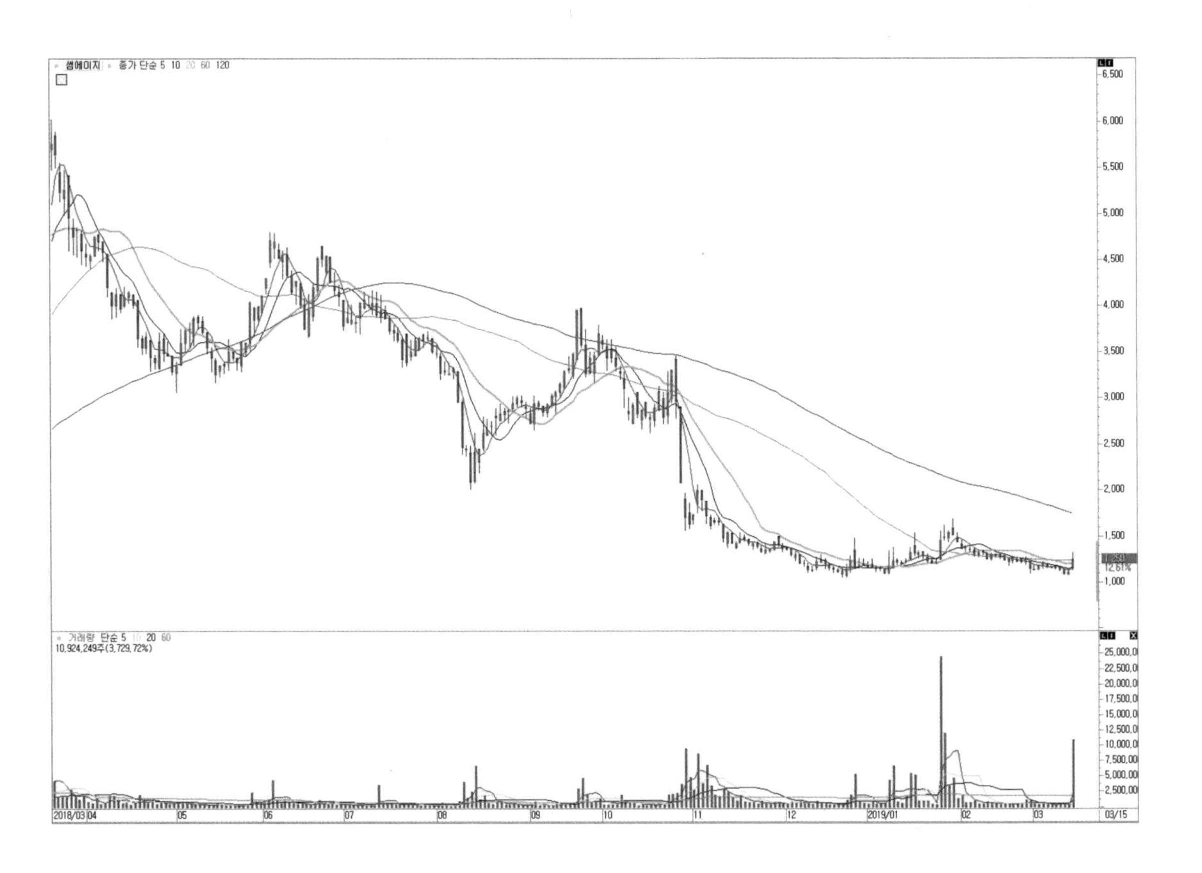

이번에는 1년짜리 차트다. 4000원대부터 하락 추세가 이어진 종목이 아니었다. 6000원대부터 주가 하락이 이어지고 있었다. 중간에 반등 시도가 있기는 하지만 1년 동안 하락추세가 이어졌고 지금도 하락 중인 종목을 보고 있었던 것이다. 갑자기 이 종목이 무서워지지 않는가. 한편으로는 주가 반등이 나오면 어디까지 갈 수 있을지, 오늘의 양봉이 의미가 있는지 생각해 볼 수 있다. 더 넓게 보자.

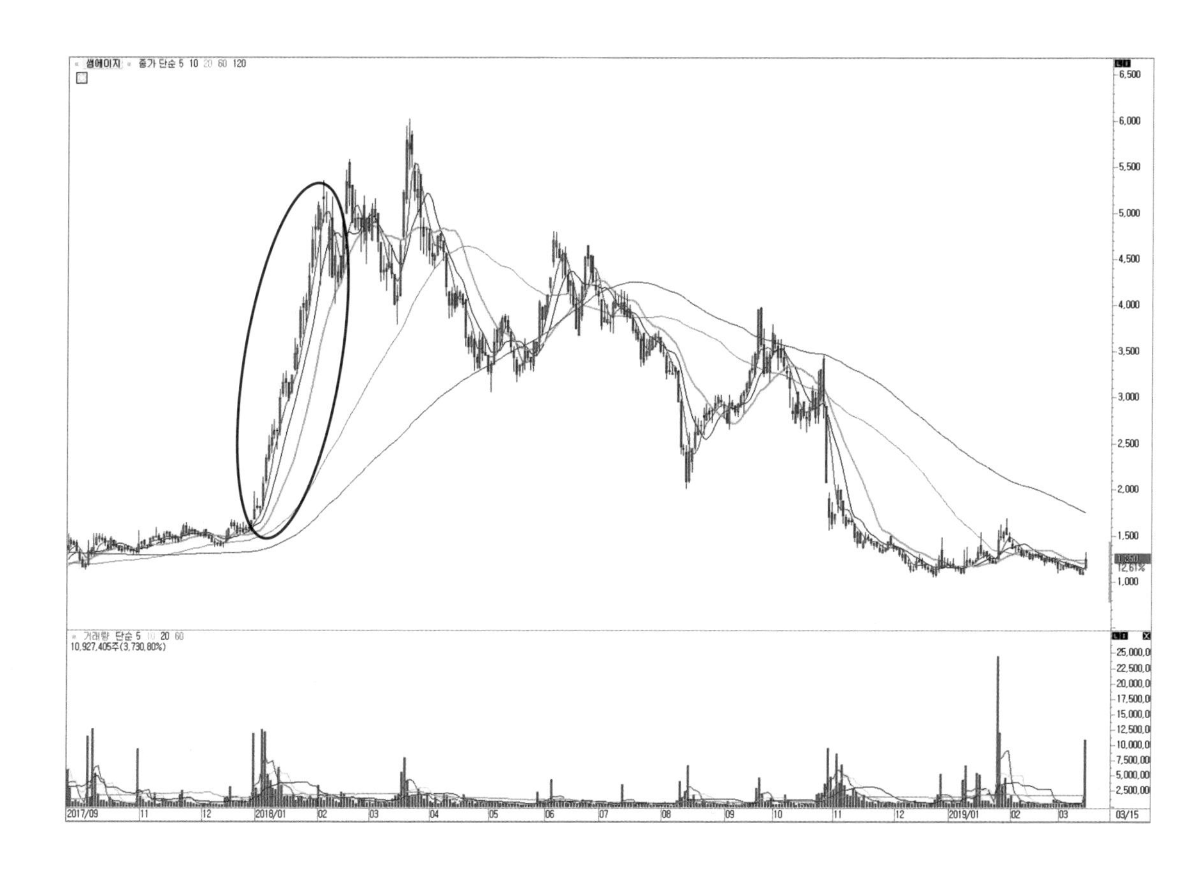

이번에는 1년 6개월간의 주가 흐름이다. 폭락만 있던 것이 아니다. 앞에 주가가 폭등한 기록이 있다. 1000원대의 주가가 6000원대까지 올라갔다가 하락하고 있었다. 한바탕 시세를 마무리하고 하락의 끝물인 것이다. 차트만 봐도 세력주란 판단이 들고 이 종목의 역사가 읽혀진다.

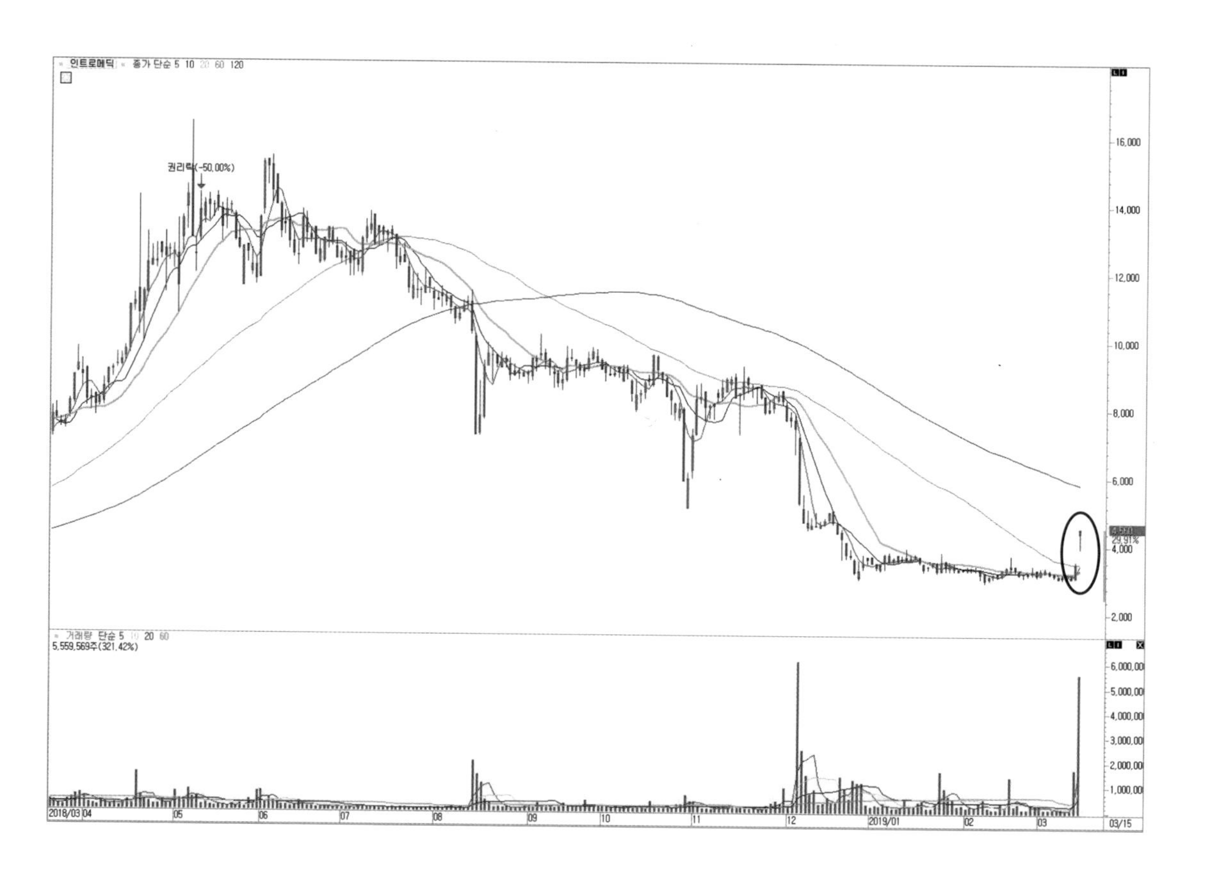

이 종목도 끔찍하다. 앞부분 상승을 빼고는 끊임없이 하락하고 있다. 주가가 하락하면서 지하실도 뚫고 내려가고 있다. 최근에는 주가가 횡보하고 있다가 오늘 상한가가 나왔다. 상한가면 30% 상승인데 워낙 하락폭이 크니 상한가 한 번은 눈에 잘 보이지도 않는다. 3개월 차트였다면 횡보하고 있는 모습과 오늘 상한가만 보일 것이다. 그러나 장기차트로 이런 폭락의 역사를 확인할 수 있다.

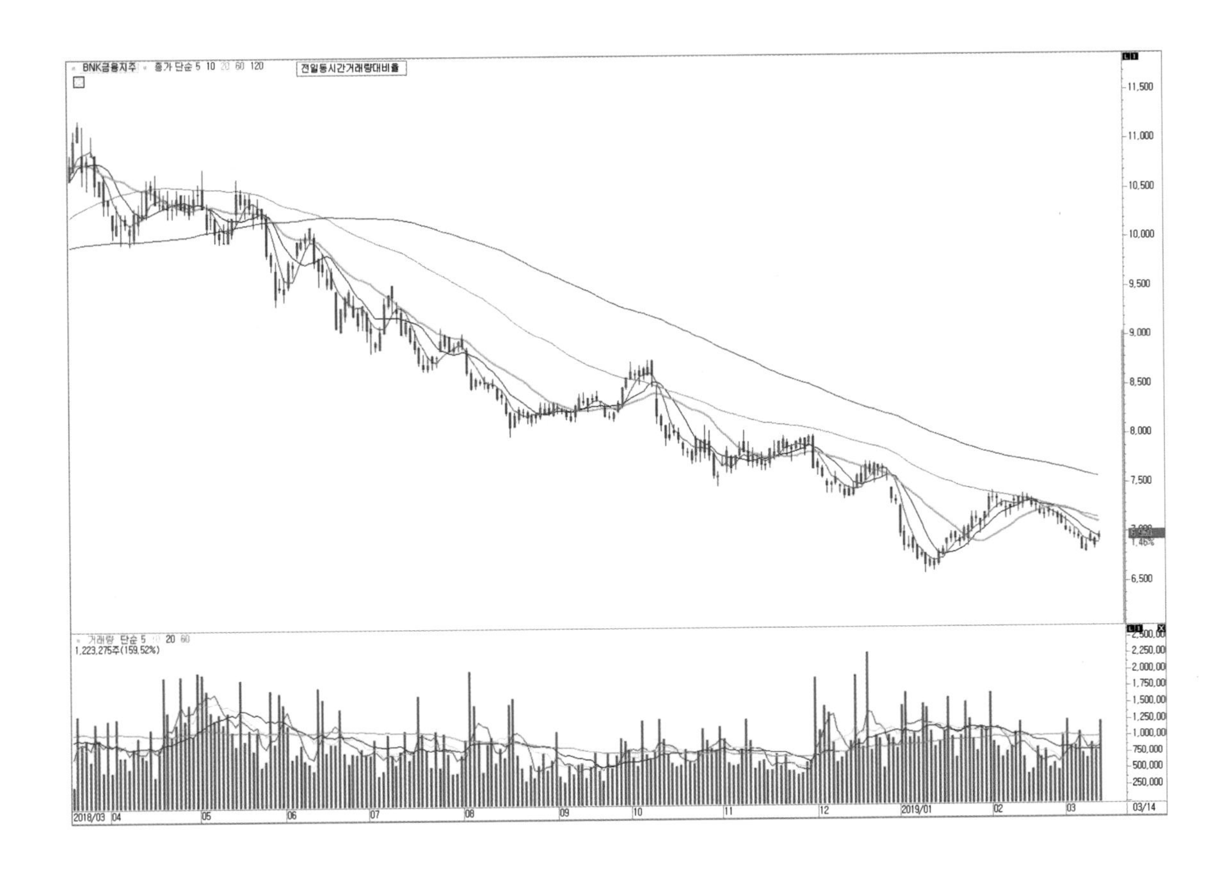

이 종목도 1년간 쉬지 않고 하락하고 있다. 매수 구간도 전혀 없어 아찔한 종목이다.

이 종목을 보유하고 있다면 심정이 어떨까? 주가가 하락하는 것도 큰일이지만 마음고생이 얼마나 심하겠는가. 매일 밤 소주잔을 기울여도 쓰린 속을 달랠 수 없는 종목이다. 이 종목을 통해 손절매의 중요성을 다시 한 번 되새기자.

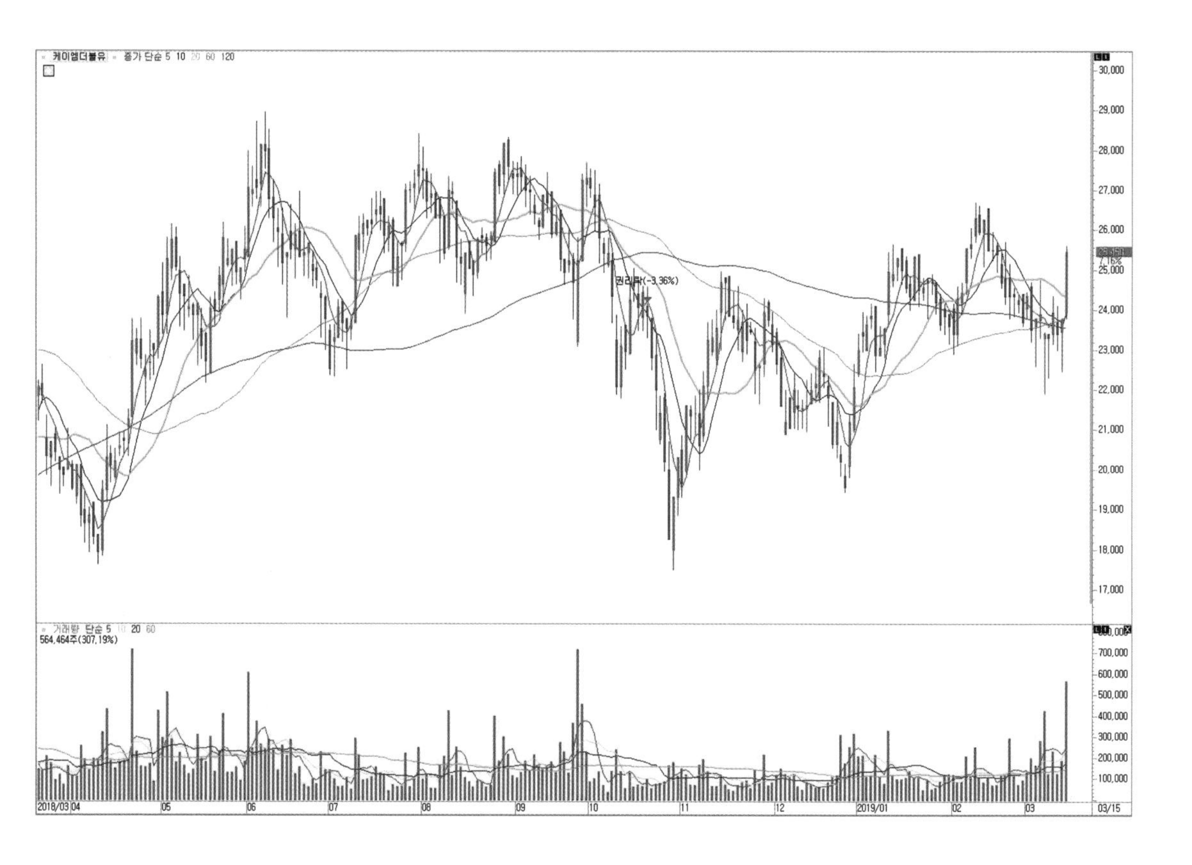

이 종목은 1년 동안 큰 추세는 만들지 못하고 있다. 주가 변동성은 있지만 장기차트로 보니 일정 가격대에서 움직이고 있다. 크게 보면 박스권에서 움직이는 종목이다. 이 종목이 고점을 뚫고 위로 올라가려면 큰 매물을 소화해 줘야 한다. 그러려면 기업 가치가 확연히 좋아지거나 큰 재료가 터져야 한다. 그러니 이 종목을 매매하기 전에 기업 가치를 변화시킬 재료가 있는지 먼저 살펴보고 대응하는 것이 좋다.

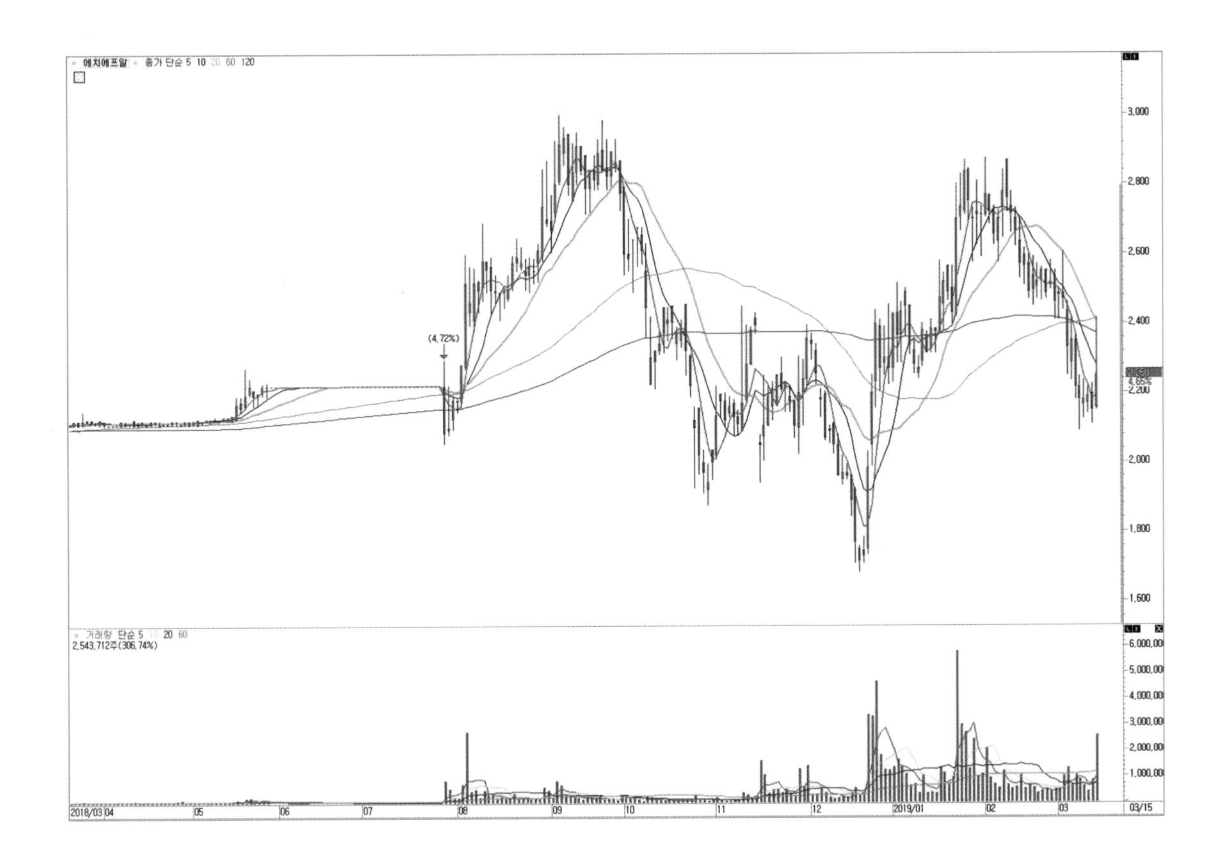

이 종목의 1년 차트를 보니 지저분한 주가 흐름이다. 하락폭이 큰 만큼 오른 폭도 크다.

저가주가 1년 동안 중심을 못 잡고 이렇게 변동이 있다는 것은 그만큼 재료에 의해 움직였다는 의미다. 즉, 세력이 개입되고 개인 투자자들에 의해 움직인 종목이다. 이런 종목을 매매하겠다면 기본적으로 단기매매로 접근해야 한다.

이렇게 장기차트만 봐도 어떻게 주가가 흘러가고 어떤 종목이라는 것이 나온다. 그중 뭔가 있다 싶으면 기업 내용과 뉴스를 보고 매매할 만한 종목인가 살펴보면 된다.

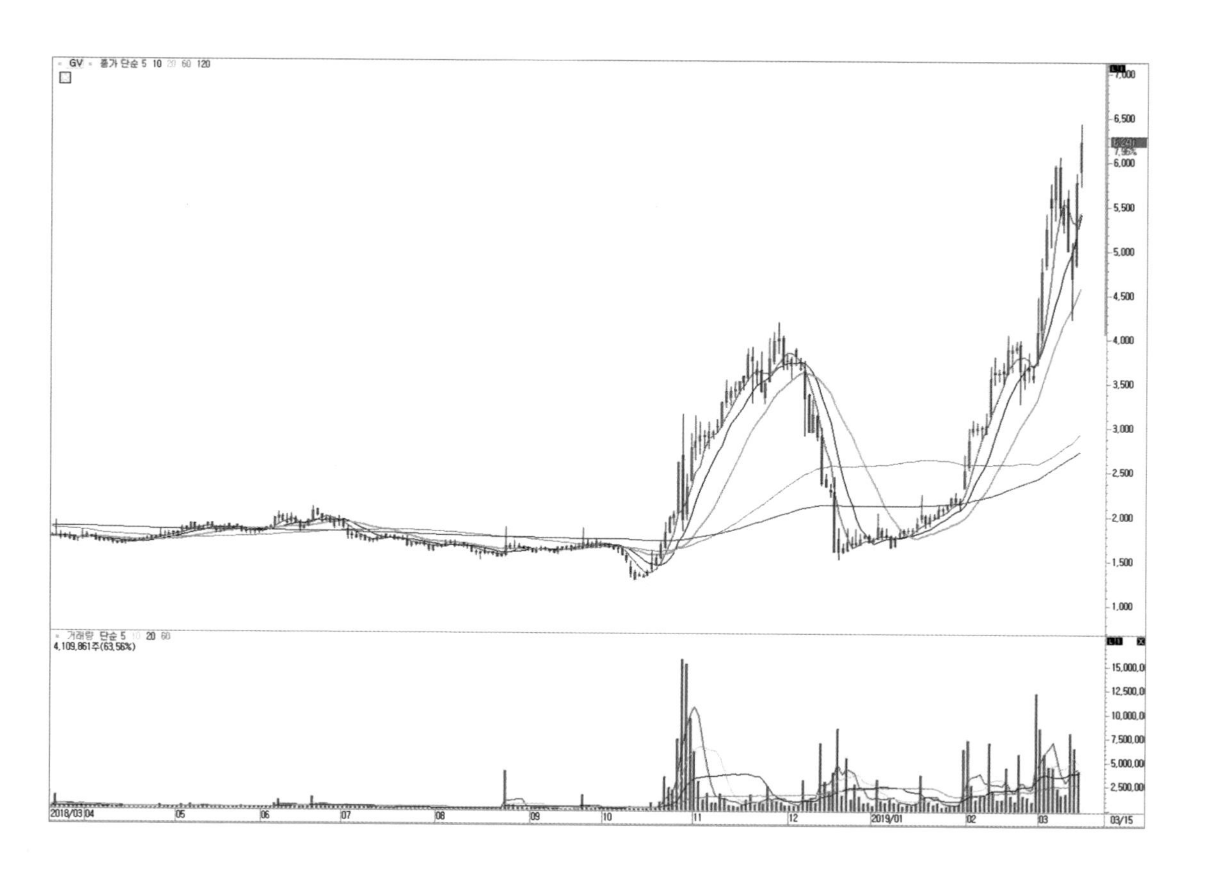

이 종목은 주가의 변화가 거의 없다가 급등락을 반복하고 있다. 전형적인 세력주다. 저가주이니 세력이 개입되어 주가를 움직였을 것이다. 매수 가격이 좋았다면 이 종목에서 큰돈을 벌었겠고 급락할 때 매수했으면 큰 손실을 입었을 것이다. 주가의 위치를 보자. 2000원대에서 6000원대까지 상승하고 있다. 단기차트만 봐서는 지금 주가 상황이 어떤지 알기 어렵다. 장기차트를 통해 종목의 역사를 봐야 한다.

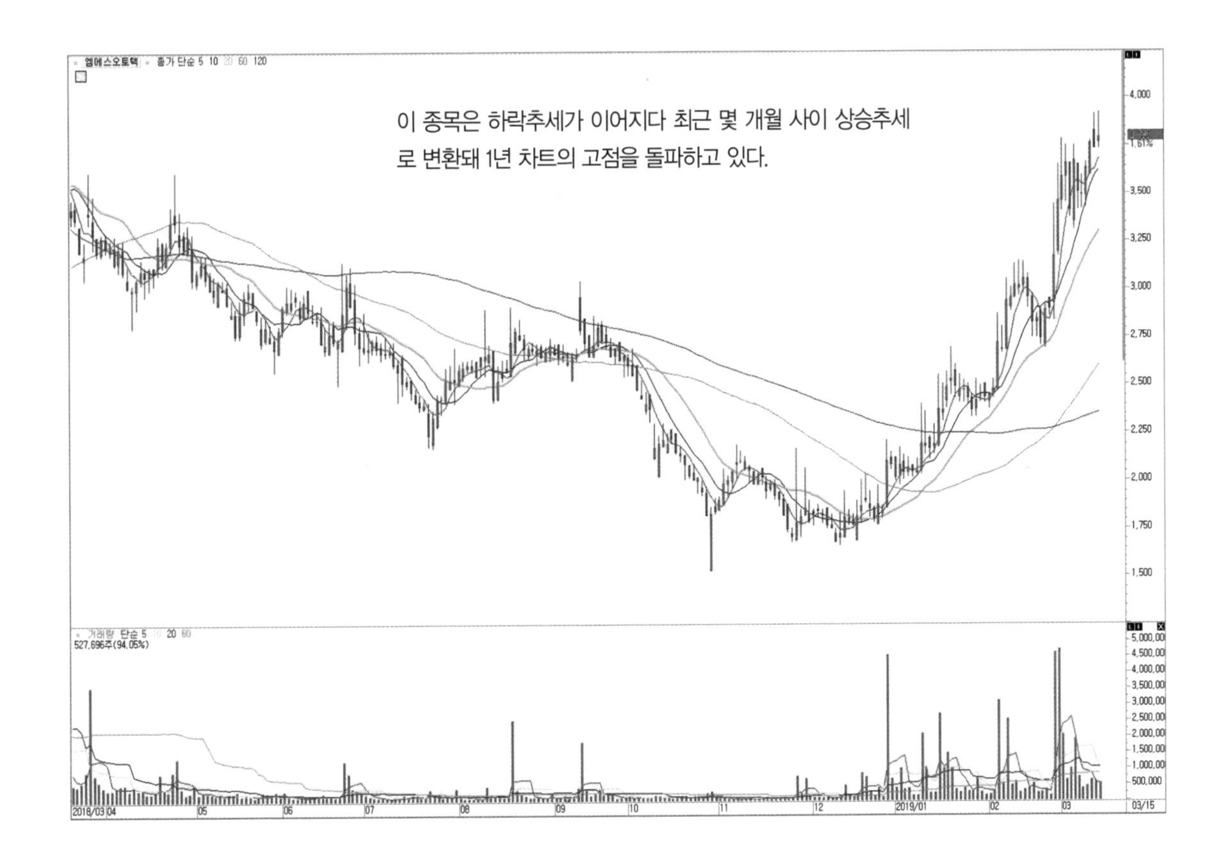

이 경우 차트를 1년 이상으로 설정해서 최고 고점이 어디였는가를 확인할 필요가 있다. 이렇게 장기차트를 봐야 이 종목이 아직 하락추세 종목인지, 일시 반등이 나온 종목인지, 박스권 종목인지, 지금 시세를 주고 있는 종목인지 확실히 알 수 있다. 이를 바탕으로 지금 세력이 개입돼 주가를 움직이고 있는지를 살펴보면 대응 전략을 짜는 데 도움이 될 것이다. 그러니 새로운 차트를 볼 때는 먼저 장기차트를 보고 최근 주가 흐름을 보라. 1초도 안 걸린다.

1000만 원 벌고 싶다면 장대양봉부터 찾아라

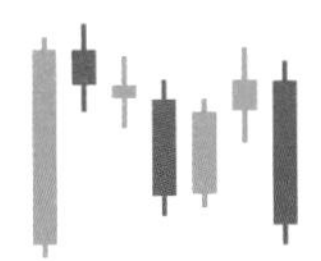

종목 검색을 하다 보면 여러 모습의 차트가 내 앞에 만들어져 있을 것이다. 그걸 보고 있자면 어떤 종목을 매매해야 할지 막막하다. 먼저 해야 할 일이 종목을 고르는 것인데 처음부터 막히고 만다. 그런 투자자는 먼저 이런 종목부터 찾아보자. 첫 장대양봉이 나온 종목을 찾는 것이다.

장대양봉이 나오는 위치는 다양하다. 바닥에서도 나오고 상승 중에도 나오고 바닥에서 한참 올라간 고점에서도 나온다. 그중에서도 주가 바닥에서 첫 번째로 나온 장대양봉을 찾는 것이다. 상한가면 더욱 좋다. 예전처럼 주가 변동폭이 하루 15%였다면 상한가만 찾으라고 했을 것이다. 그러나 지금은 30%다. 상한가가 잘 안 나온다. 그래서 장대양봉으로 기준을 낮추었다. 장대양봉이라고 해도 15%가 넘는 경우가 흔하다. 예전 상한가보다 더 많이 오르는 셈이다.

바닥에서 움직이는 종목이라면 빌빌대는 종목이다. 죽은 차트다. 매매를 해서는 안 되는 종목이다. 그런데 죽은 차트에서 장대양봉이 나왔다면 살아난 것이다. 죽었다가 이제 막 살아난 차트다. 아무도 찾지 않은 종목이었다가 이제 사람들이 찾기 시작했다고 보면 된다. 주가가 오랜 기간 동안 바닥을 기면서 단기 세력이 개입할 여지를 만들어준 것이다.

그러나 이미 장대양봉이 나왔으니 저점에서 많이 오른 상태일 것이다. 장대양봉의 길이에 따라 바닥에서 최고 30%까지 올라 있을 수 있다. '이미 바닥에서 저만큼 올랐는데 어떻게 매수하지'라고 생각을 할 수 있다. 그런데 왜 장대양봉을 찾아야 할까? 이유는 바닥에서 출발한 종목은 장대양봉 하나로 끝나는 경우가 별로 없기 때문이다. 바닥에서 단기 세력이 장대양봉을 만들었다면 양봉 하나로 끝내지 않는다.

세력이 매수해서 장대양봉이 만들어졌다고 해보자. 매도를 해야 수익을 챙길 수 있다. 누군가 자신들의 물량을 사줘야 한다. 그런데 매도하는 순간 다시 주가가 제자리로 돌아간다. 그러면 돈을 벌기는커녕 개인 물량이 쏟아져 나온다. 수익은 고사하고 오히려 손실을 입을 수 있다. 자신들이 팔기 전에 개인이 먼저 팔아 버리는 것이다. 그러니 세력이 수익을 얻으려면 주가를 더 높이 올려서 팔아야 한다. 양봉 하나 만들려고 들어오는 세력은 없다. 무슨 말인지 이해가 되는가. 그러면 어떤 차트인지 알아보자.

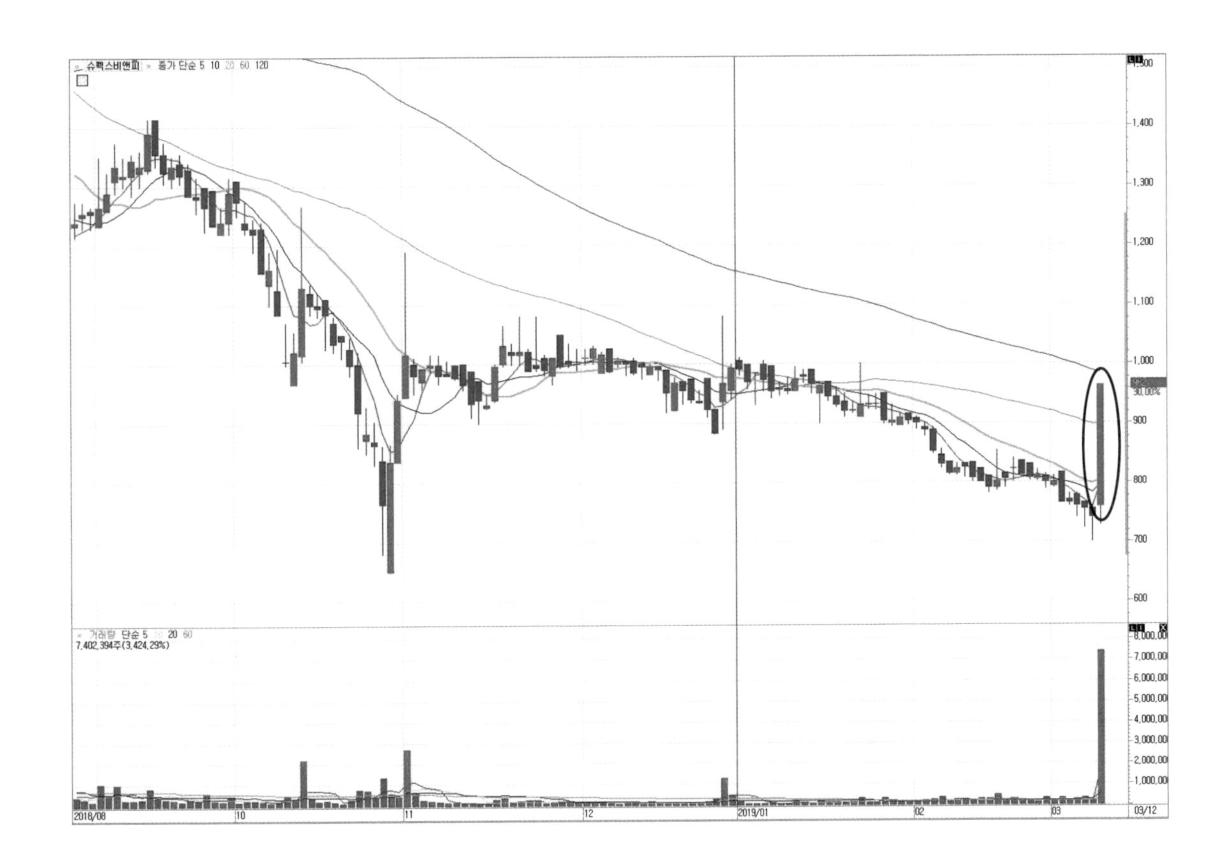

이 종목은 무려 6개월 동안 하락한다. 제대로 된 반등 한 번 없다. 이 종목을 매수하고 있었다면 엄청난 손실 탓에 매일 소주잔을 기울이고 있었을 거다. 손절매도 기회가 왔을 때 해야 한다.

어제까지 끝 모를 하락추세가 이어지던 종목이 오늘 30% 상한가가 나왔다. 주가가 단숨에 중기이평선 바로 위까지 올라가면서 상황이 완전히 달라졌다. 최근 2개월 하락한 주가를 오늘 한 번의 상한가로 만회한 모습이다.

어제까지는 아무도 관심을 가져주지 않은 죽은 종목이었다면 오늘은 살아나 생기가 넘치는 종목이 되었다. 거래량이 폭등하고 상승률 상위 맨 위에 이름을 올린다. 전국의 모든 투자자의 관심을 한 몸에 받는다. 이렇게 남들 눈에 띄는 종목을 먼저 찾으라는 것이다. 모두의 관심을 받는 종목이 되어야 매수할 수 있는 기회가 생긴다. 더군다나 바닥에서 나왔다. 이제 막 시작한 종목이기 때문에 어디까지 끌어올릴지 아무도 모른다. 그래서 더 강한 기회를 얻을 수 있는 것이다.

횡보하는 종목을 '언젠가 오르겠지'라는 생각으로 매수해서 무작정 기다려서는 안 된다. 언제 오를지 아무도 모르고 가장 중요한 건 투자금이 묶인다는 것이다. 올라간다는 보장도 없다. 하락하여 손실로 이어질 가능성도 크다.

아마 주식투자 입문자들은 횡보하는 종목을 매수한 경험이 있을 것이다. 이게 잘 맞았다면 전국에 주식투자로 부자가 된 사람들이 넘쳐나야 할 것이다. 그러나 현실은 정반대다. 그러니 횡보종목을 매수하지 말고 투자자들의 관심을 얻는 종목을 찾아야 한다.

이 종목은 3000원대의 주가가 2000원대까지 하락한다. 이후 주가가 더 이상 하락하지 않고 바닥을 다지고 있다. 추세는 만들지 못하고 바닥에서 주가가 꼼작도 못하고 있는 모습이다. 그런데 오늘 25%짜리 장대양봉이 나오면서 상황이 달라졌다. 지난 6개월 동안 하락하고 지지부진하던 주가를 단숨에 만회하고 있다. 이게 요즘 장대양봉의 힘이다. 예전에는 상한가 두 번이 나와야 할 수 있는 일을 하루 만에 해낸다.

이 종목은 차트 앞부분을 보면 주가가 상승하다 갑자기 급락한다. 1개월 정도 폭락하고 횡보 후 다시 하락한다. 그 사이 주가는 반토막이 난다. 최근 5개월 이상 이 종목을 매매했다면 손실이 더 컸을 것이다. 거래량도 없고 하락추세였으니 볼 필요가 없는 종목이었다. 그런데 이제 장대양봉이 나오면서 주목할 필요가 생겼다. 재료가 나왔든 단기 세력이 개입했든 주가를 변화시킬 만한 무언가가 생긴 것이다. 종목에 큰 변화가 생겼으니 이제 살펴보는 것이다.

장기간 하락추세였던 종목이다. 최근 들어 주가가 50% 정도 상승한다. 하지만 추세를 이어가거나 고점에서 새로운 주가를 만들어가지 못하고 추가 하락하고 있다. 그러다 오늘 갑자기 상한가가 나왔다. 주가가 하락한 최근 1개월 동안은 철저히 무시해야 하는 종목이었지만 오늘 상한가가 나옴으로써 관심을 가질 종목이 된 것이다. 장대양봉도 상한가다. 그냥 장대양봉보다 더 강한 종목이다. 우선적으로 관심을 가지고 지켜봐야 한다.

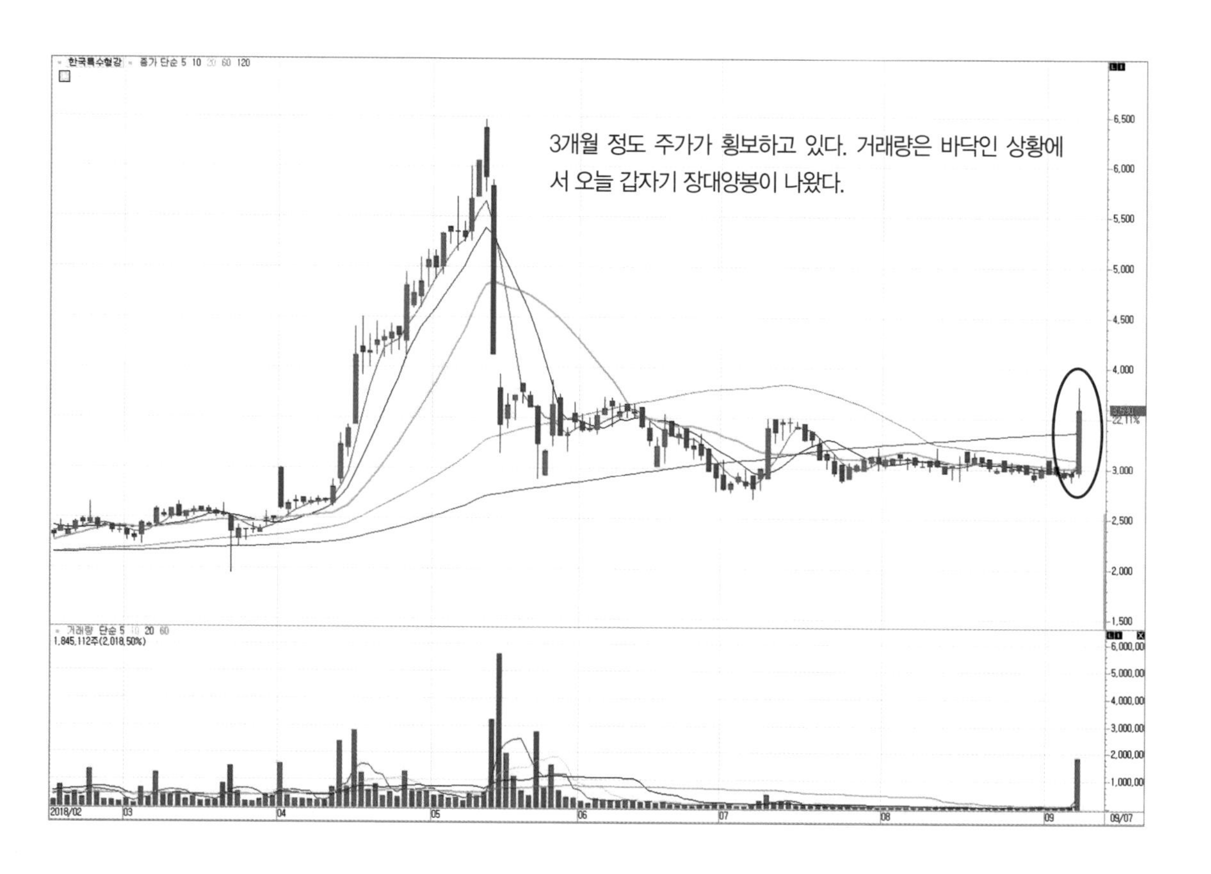

차트 앞부분을 보면 주가가 100% 정도 상승한다. 이후 주가가 하락 추세를 이어가는데 하락추세의 각도가 절벽이다. 추가 상승을 믿고 손절 대응하지 못한 투자자는 순식간에 엄청난 손실을 입었을 것이다. 주식투자는 이렇게 순간 대응을 잘못하면 큰 손실로 이어질 수 있다.

오랜 기간 횡보하면서 매물 소화 과정을 거친 종목에 오늘 장대양봉이 나왔으니 관심을 가져야 한다. 단기 세력이 진입했을 가능성이 높다. 이들은 장대양봉 하나로 주가를 끝내지 않는다. 추가로 주가가 상승할 가능성이 높은 것이다. 이제부터 이 종목을 살펴보면 된다.

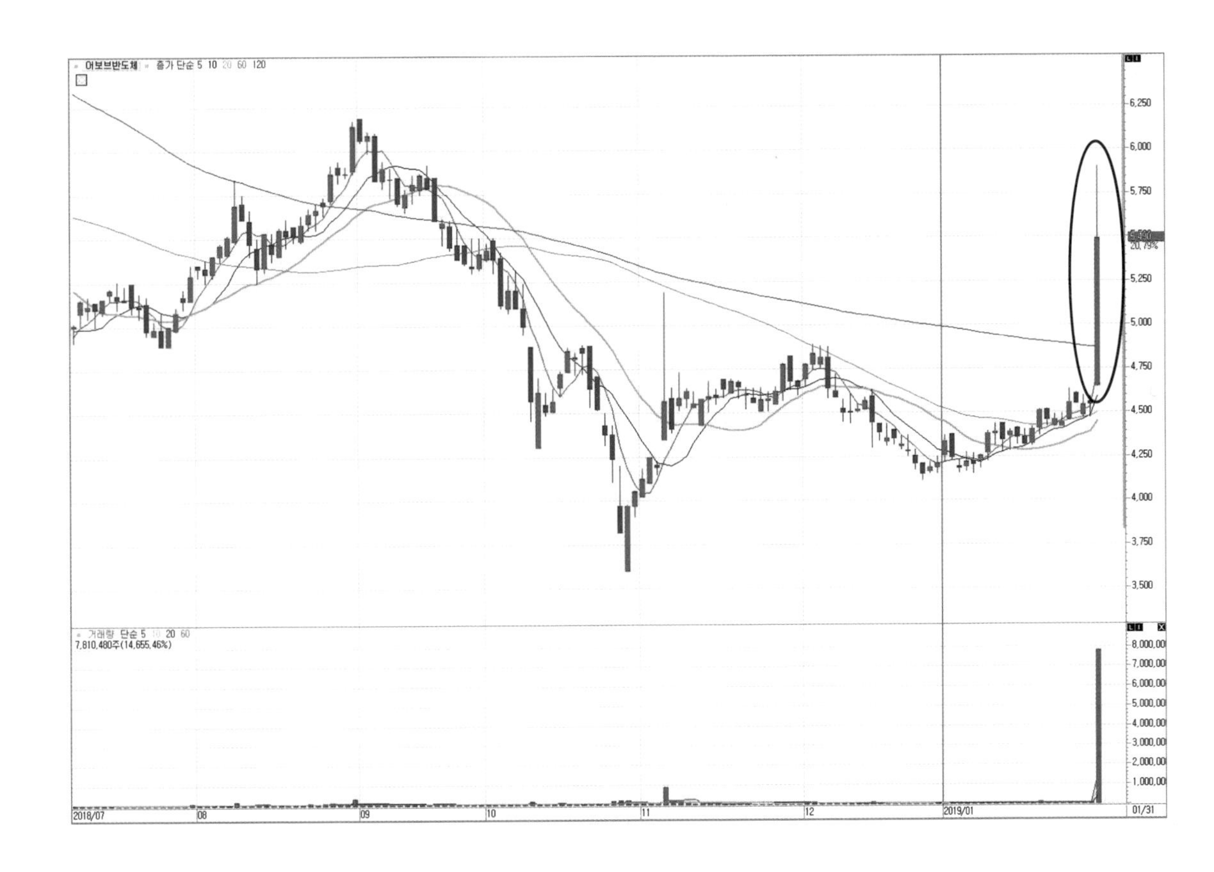

이 종목은 주가가 장기간 하락하고 약한 반등과 하락을 반복하던 종목이다. 최근에는 주가가 완만히 상승한다. 그러다 오늘 갑자기 장대양봉이 나온다. 오늘 양봉으로 차트가 완전히 바뀌었다. 오랜 기간 하락한 주가를 단숨에 만회하고 있다. 전고점까지 주가를 끌어 올릴지 관심이 가는 종목이다. 종목 찾을 때 우왕좌왕 하지 마시고 이런 식으로 바닥에서 장대양봉이 나온 종목을 먼저 찾아보라는 것이다. 이제 본격적으로 1000만 원 버는 법을 알아보자.

Chapter 03

갭상승 종목으로 1000만 원 벌 수 있다

갭이란 시가가 상승하며 출발하는 것을 말한다. 시가가 상승하며 시작했다는 것은 그만큼 강한 종목이란 뜻이다. 예를 들어 시가가 5% 상승했다고 해보자. 시작하자마자 5% 상승했으니 차익욕구가 강할 것이다. 일단 수익을 챙기고 보자는 심리로 매물이 쏟아질 수 있다. 또한 주가를 상승시킨 입장에서는 5% 비싼 가격에 매수하는 것이다. 저가부터 매집하면 되는 것을 굳이 비싼 가격에 매수해 줄 이유가 없다. 개인 투자자라면 한 호가라도 싸게 사려는 것이 심리인데 5%나 비싸게 사준다는 것은 그만큼 자금이 풍부한 강한 세력이 붙었다는 것을 의미한다.

물론 갭상승 후 무너지는 종목이 있다. 이는 전날 장 마감 후 재료에 의한 상승이기 때문에 얼마 버티다 무너지는 것이다. 하지만 세력이 붙고 강한 종목이라면 갭상승으로 출발해 장중 내내 버틸 것이다. 우리가 찾아야 할 종목은 장중 내내 갭상승을 유지하는 종목이다. 그만큼 강한 종목이니 매매 타이밍만 찾는다면 내 계좌에 1000만 원 벌어들이는 일은 그리 어렵지 않을 것이다. 어떤 종목이 갭상승 종목인지 찾아보자.

데이 바이 데이 분석 ❶ 넥슨지티

장기차트를 보니 8개월 이상 하락추세 종목이다. 최근 반등 시도가 나와줬지만 추세를 돌리지 못하고 다시 하락하고 있다. 종목 전체를 보면 하락추세를 벗어나지 못하고 있다. 하지만 최근 들어 주가가 하락추세를 멈추고 변화하려는 모습이다. 체크된 부분을 보면 반등 시도가 실패했지만 상승추세를 만드는 것에 실패했을 뿐 어느 정도 시세 움직임이 있었다.

최근 주가 하락 후 며칠 사이 다시 바닥을 잡아가려는 모습을 보이고 있다.

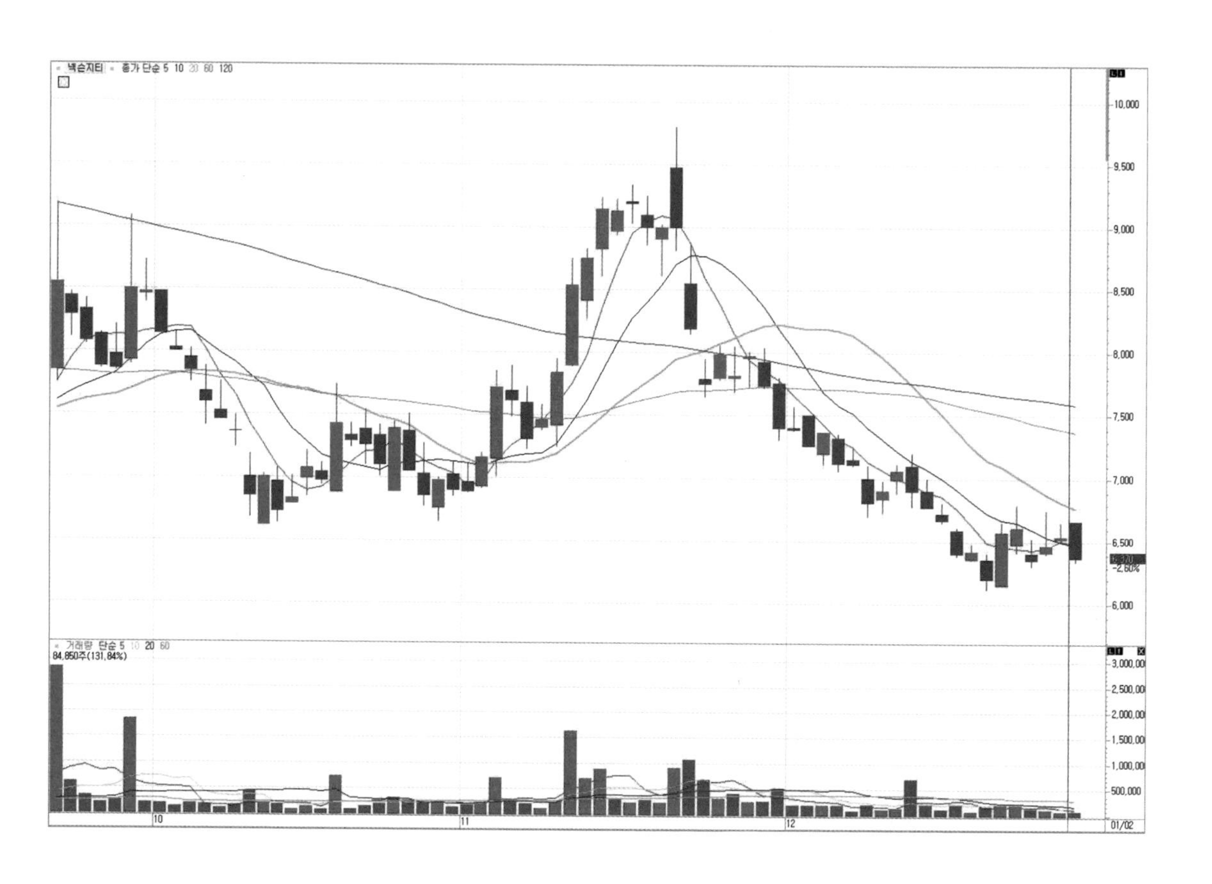

7000원대의 주가가 1만 원을 돌파하지 못했지만 언저리까지 올라갔다. 더 이상 올라가지 못하고 밀려 내려오고 있지만 바닥을 다지고 올라갔다는 점에서 하락추세를 멈추려는 시도로 봐야 한다. 보통 하락추세 종목에 이 정도 상승이 나오면 하락을 멈추는 경우가 많다. 이 종목은 다시 하락추세로 접어들어 실망스러운 모습이지만 이미 오랜 기간 하락한 종목의 반등 시도였다. 다음에 하락을 멈추고 지지되는 모습을 보이면 크지는 않더라도 상승 시도가 나올 가능성이 높다. 요 며칠 사이 바닥을 다지는 모습을 보이고 있는데 주목할 필요가 있다.

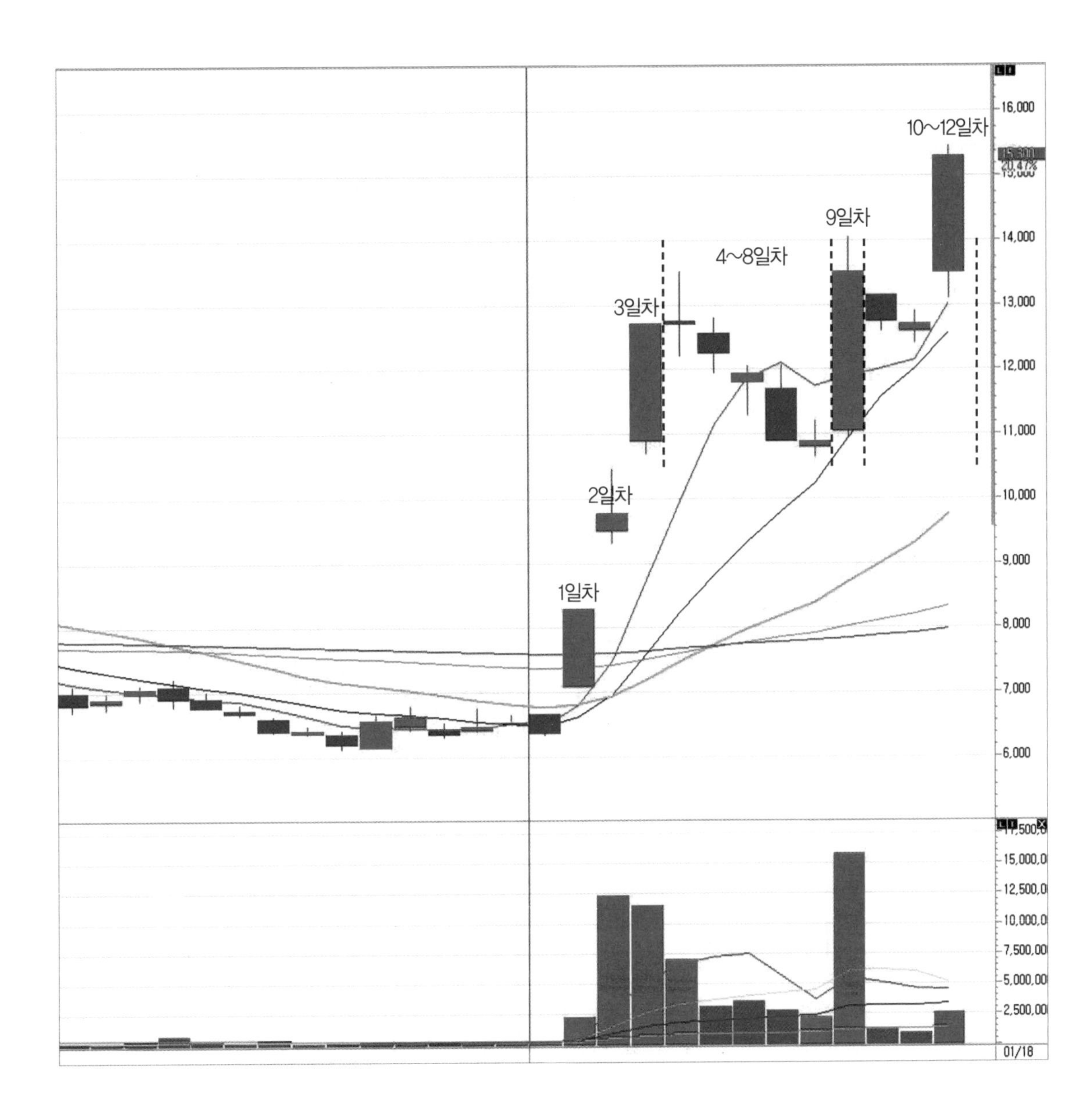

1일차
2일차
3일차
4~8일차
9일차
10~12일차
16,000
14,000
13,000
12,000
11,000
10,000
9,000
8,000
7,000
6,000
01/18

1일차 : 1개월 넘게 하락하던 주가가 거래량이 최저로 줄고 오늘 갭상승 상한가가 나왔다. 장기간 하락한 종목에 반등 시도가 나왔다면 하락추세가 멈추는 바닥으로 생각하고 대응할 필요가 있다.

추가 하락했지만 거래량이 최저로 줄어들면서 반등의 기미를 보였다. 거래량 최저 바닥에 횡보가 나오면 상승 시도가 나올 가능성이 높다는 것을 확인시켜 주고 있다. 투자자라면 이런 패턴의 종목이 나오면 실전에서 놓치지 말고 매매할 필요가 있다.

2일차 : 상한가 이후 갭상승 양봉이 나오고 있다. 바닥에서 추세를 돌리는 양봉이 상한가라면 대단히 의미가 있다. 이제 상한가가 15%가 아니라 30%이기 때문에 강력한 매수세가 유입되었을 가능성이 높다.

이런 종목은 이미 바닥에서 많이 오른 상태이지만 여기서 끝나지 않을 가능성이 매우 높다. 추가적으로 상승하여 시세를 줄 것이다. 첫 상한가에 공략하지 못한 투자자라면 다음 날 상승 시도를 공략할 필요가 있다.

3일차 : 오늘도 갭상승 출발하여 상한가에 안착했다. 엄청나게 강한 종목이다. 7000원대였던 주가가 3일 만에 1만2000원를 뚫고 올라갔다. 단 3일 만에 주당 5000원의 상승을 보여주었다. 스윙매매를 하는 투자자라면 첫 상한가가 나올 때 매수해서 수익을 올렸을 것이다. 놓쳤다 하더라도 오늘 상승할 것을 미리 예측해 갭상승 양봉이 나올 때 공략했으면 적지 않은 수익을 올렸을 것이다. 주가 상승 3일 동안 어느 구간이든 진입만 했으면 수익이 가능한 강한 상승이었다.

아마 많은 투자자들이 이 종목을 발굴했을 것이다. 그러나 수익을 올리는 투자자는 주가 상승에 진입한 투자자뿐이다. 대부분의 투자자들이 구경만 했을 것이다.

종목 발굴은 누구나 한다. 중요한 것은 그것을 매매해서 수익을 내는 것이다. 올라갈 가능성이 높은 종목을 발굴하여 상승할 때 매수하는 실력이 성공과 실패를 좌우한다. 주식투자로 성공하고 싶다면 발굴하고 진입하라.

4~8일차 : 3일간의 강력한 상승 이후 주가가 추가로 올라가지 못하고 밀려 내려오고 있다. 5일간 하락하고 있는데 거래량은 줄고 있다. 중간에 보면 지지양봉이 나오면서 반등 기회를 엿보고 있다.

이렇게 강력하게 상승한 종목이 조정을 받으면 그냥 무너지지 않고 반등 시도가 나오는 것이 일반적이다. 특히 많은 시세를 준 종목이 아니라 이제 막 시세를 시작한 종목이라는 점에서 언제든지 주가 반등 시도가 나올 가능성이 높다. 이번 상승 시도에 들어가지 못한 투자자들이 뒤늦게 몰려들어 반등 기회를 엿보기 때문이다. 그래서 거래량이 조금만 붙어줘도 전국의 투자자들이 붙어 강한 반등세가 나오는 경우가 일반적이다. 스윙투자자라면 놓치지 말고 매수 기회로 삼아야 한다.

9일차 : 어제 지지 캔들이 나오고 오늘 강한 매수세가 유입되면서 상한가 언저리까지 올라간 강한 장대양봉이 나왔다. 이 종목에서 주목할 점은 하락하는데 거래량이 터지지 않았다는 점이다 아직 때가 타지 않은 신선한 종목이라는 의미다. 밑에서 매수세가 붙어주니 전국의 꾼들이 달라붙기 시작하면서 강한 장대양봉을 만들어 냈다. 주식으로 돈을 벌고 싶다면 이때 같이 붙어야 한다. 누구나 한 입씩 먹고 나오려고 하는데 구경만 하고 있어서는 수익을 낼 수 없다.

10~12일차 : 추세를 돌리려는 강한 장대양봉 이후 다시 2일 조정이 나왔다. 이번에는 5일선을 깨지 않는 조정이 나온 후 다시 장대양봉이 나왔다.

이번에 상승한 구간을 보자. 3일 상승 이후 5일 조정, 그리고 장대양봉, 다시 2일 조정 후 장대양봉. 전형적인 초기 상승 패턴이다. 주식투자를 하다 보면 이런 상승 패턴을 자주 만나게 될 것이다.

주식으로 돈을 벌려면 이런 패턴을 연구해야 한다. 어느 지점이 공략 포인트인지, 빠져 나와야 하는 시기인지를 잘 연구하고 매매하다 보면 반드시 실력이 늘고 계좌에 돈이 들어오게 될 것이다. 지금처럼 구경만 해서는 절대로 아무 일도 일어나지 않는다. 패턴을 열심히 연구하고 연습해 보자. 나도 모르는 사이 수익을 내고 있는 자신을 발견하게 될 것이다.

데이 바이 데이 분석 ❷ 삼룡물산

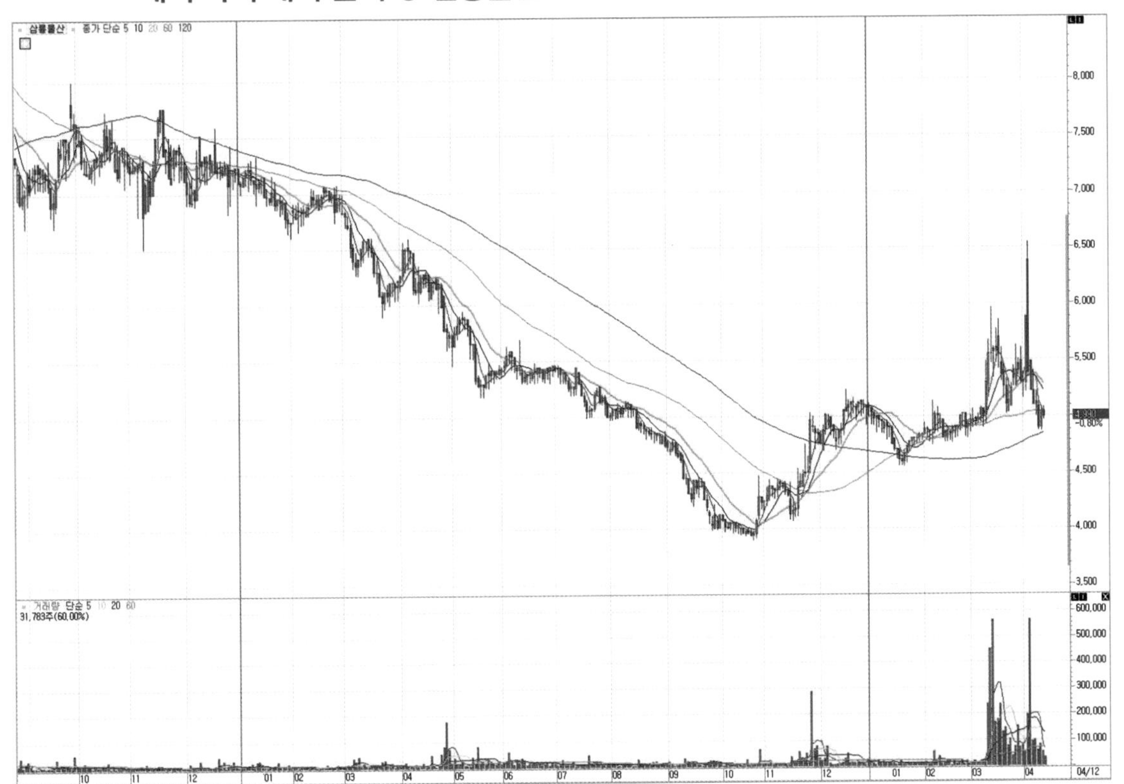

장기차트를 보니 무섭기만 하다. 10개월 이상 하락추세를 이어간 종목이다. 이 종목에 물려 있다고 생각해 보라. 8000원대에서 4000원대로 떨어졌으니 약 50% 손실이다. 손실도 손실이지만 무려 10개월 동안 언제 반등할지 속타는 마음으로 기다렸다고 생각해보자. 정말 끔찍하다. 50%의 손실을 만회하려면 100%를 벌어야 한다. 그래서 어떤 매매방법을 사용하든 반드시 손절가를 정하고 이를 지켜야 한다.

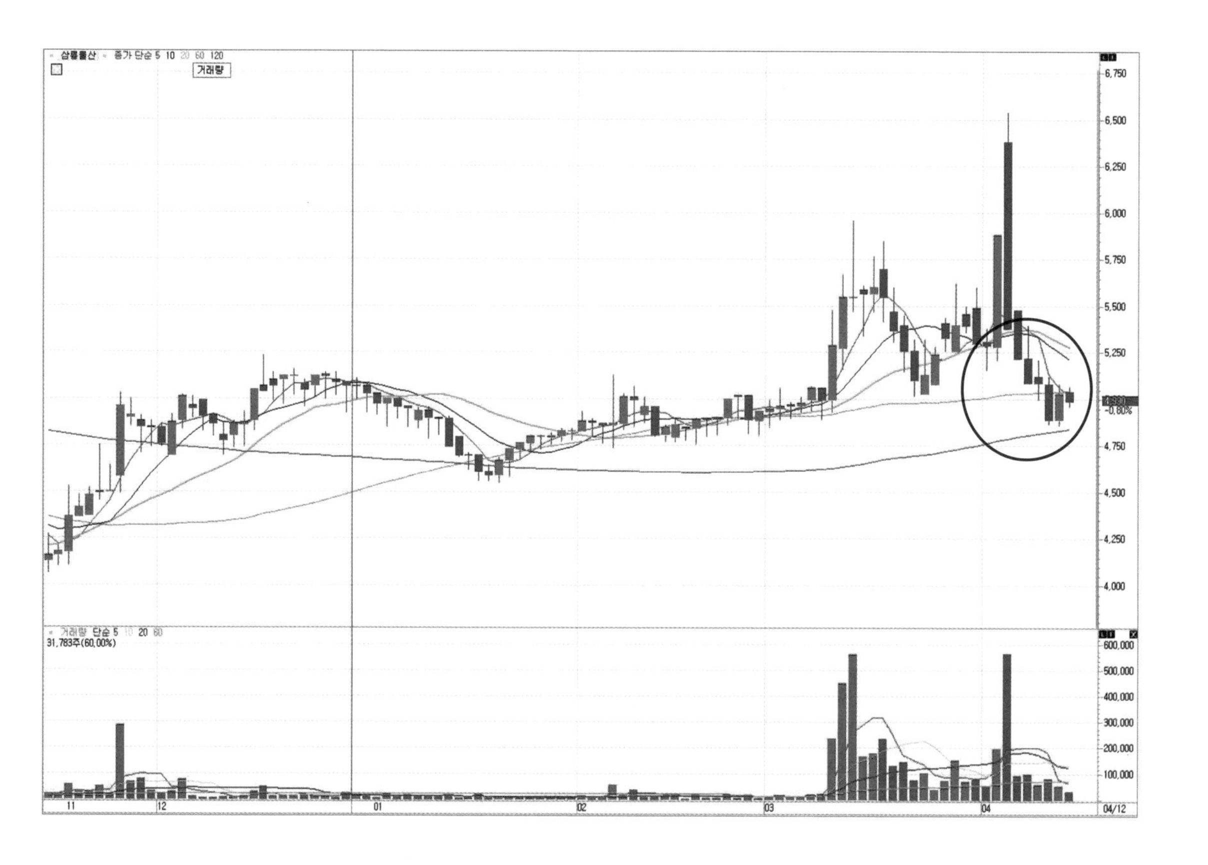

최근 들어 이 종목에서 보기 드문 장대양봉이 나오고 있다. 앞에서도 상승 시도가 있었지만 실패하고 요 며칠 중기이평선에 주가가 걸려 있다.

최근 거래량을 보자. 크게 늘어 있다. 장기간 하락한 종목은 단기 세력의 먹잇감이 되기 쉽다. 최근의 주가 흐름은 단기 세력이 접근한 모습으로 봐야 한다. 특히 봉의 길이가 길어지고 있다. 지지부진한 주가가 상승하지 못하고 있지만 장중 큰 변화를 주고 있는 것이다. 매집하려고 인위적으로 주가를 흔들고 있다고 봐야 한다. 이번 중기이평선에서 지지되는 모습을 의미 있게 볼 필요가 있다.

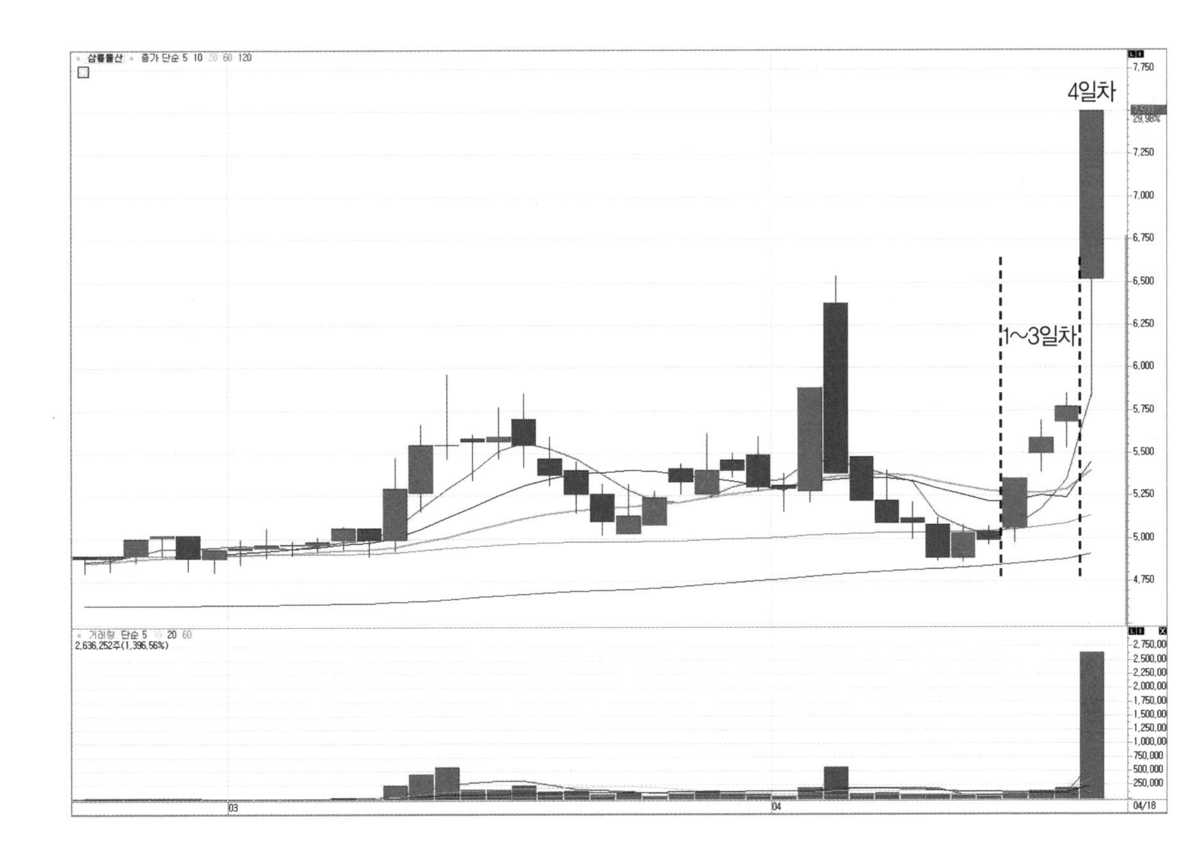

1~3일차 : 중기이평선 지지 이후 3일 연속으로 양봉이 나오고 있다. 앞에 쌍고점이 있다. 적지 않은 매물대를 형성하고 있는데 주가를 차트 매매자가 좋아하는 모습으로 만들어 놓고 있다. 이는 개인 투자자가 만들 수 없는 차트다. 앞의 고점을 돌파하겠다는 세력의 의지가 없는 이상 만들어지기 힘들다.

바보가 아닌 이상 앞의 장대음봉의 고점이 버티고 있는데 뭐가 좋다고 주가를 끌어올리겠는가. 매집 세력이 고점을 돌파시키기 위한 사전 매물 소화 작업으로 봐야 한다. 단기 투자자라면 더 없이 좋은 매수 급소다.

4일차 : 3일 연속 양봉 이후 상한가가 나왔다. 갭상승으로 출발해 5일선을 지지해 준 다음 상한가로 올리고 있다. 이미 상승을 예상한 바라 갭상승 순간부터 진입했어야 하고 5일선 찍고 재상승할 때 공략했으면 30%의 수익도 가능한 종목이었다. 1000만 원 매수했으면 바로 하루 만에 300만 원의 수익이었다. 300만 원이면 직장인 월급이다. 더군다나 원천징수하고 계좌에 들어온 돈이라 온전히 내 돈이다. 이 얼마나 좋은가.

전고점 돌파 시도를 예측하고 매매만 하면 된다. 간단하다. 투자자가 할 일은 이런 종목을 찾고 움직일 때 진입하는 것이다. 아마 실전에서는 진입하는 시점을 찾는 것이 제일 어려울 것이다. 그래서 연습하라고 하는 것이다. 초보자이거나 막상 실전에서 망설이다 매수를 못하는 투자자라면 먼저 모의투자를 통해 연습해라. 연습 없이 바로 실전에 들어가니 손실 날 걱정에 구경만 하는 것이다. 연습해서 이를 극복해야 돈을 벌 수 있다.

데이 바이 데이 분석 ❸ 아난티

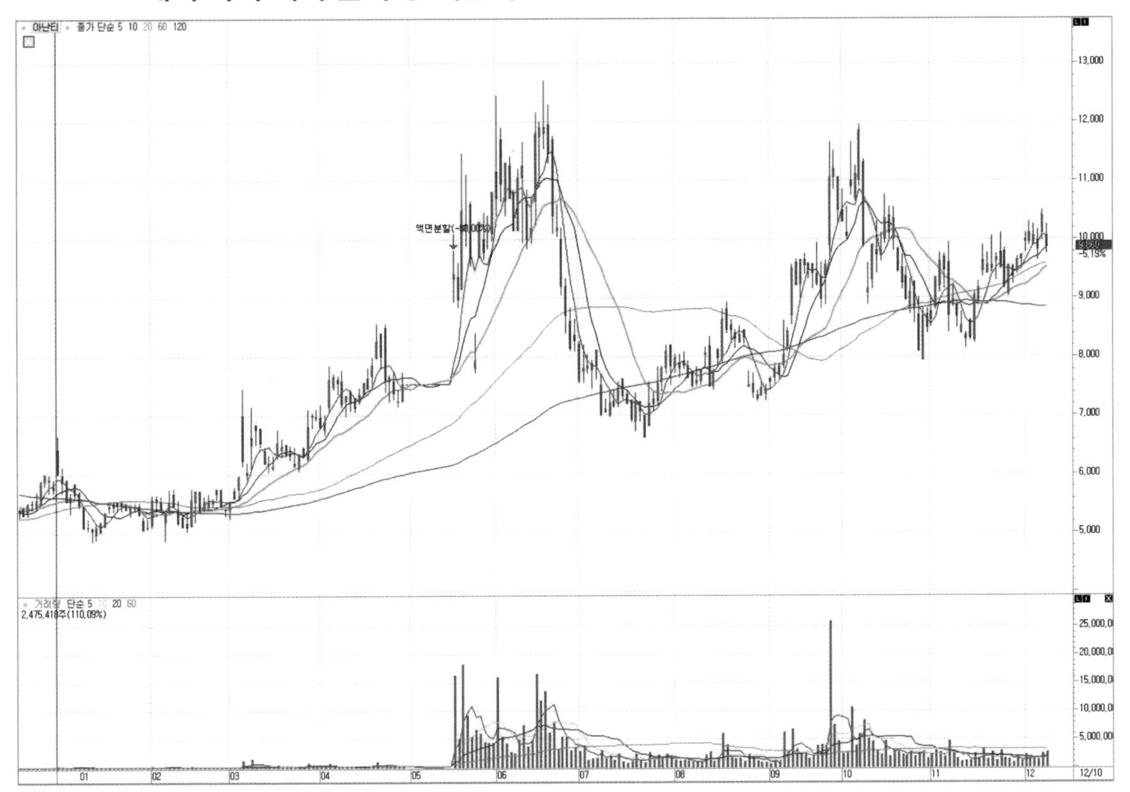

장기차트를 보면 앞에 큰 시세를 주고 있다. 시세가 끝난 후 차트 중반에 주가가 급락하고 바닥 형성 후 다시 상승하다가 전고점을 넘지 못하고 다시 하락했다. 최근 주가는 다시 반등 시도가 나오고 있다. 큰 그림으로 보면 저점이 높아지고 있는 모습이다. 첫 번째 하락보다 두 번째 바닥이 높다.

차트를 보면 앞에 고점이 두 개나 있다. 그런데 주가가 다시 반등한다는 것은 앞의 고점 돌파 시도를 다시 해보겠다는 의지로 읽어야 한다. 그러면 이 가격에 공략 지점을 잡아도 최소 전고점까지 수익을 챙길 수 있다.

저점에 높아진 바닥과 고점을 향한 주가 상승을 봤는데 오늘 강한 갭상승이 있었다. 앞의 전고점을 뚫고 주가가 올라간 모습이다. 보통의 돌파 패턴은 전고점 부근까지 주가를 올린 다음에 한 번에 치고 올라가는데 이 경우는 저점 가격에서 주가를 상승시키고 있다. 오늘 시가를 어제 종가 부근에서 시작하지 않고 갭상승시킨 모습은 저점에서 개인 투자자가 따라 붙지 못하게 하려는 것이다. 미리 선취매를 하지 않았다면 장중 저점에서 따라 붙는 것이 좋다. 전고점 돌파를 보고 매수하기에는 이미 높은 가격을 형성했기 때문에 부담스러울 것이다.

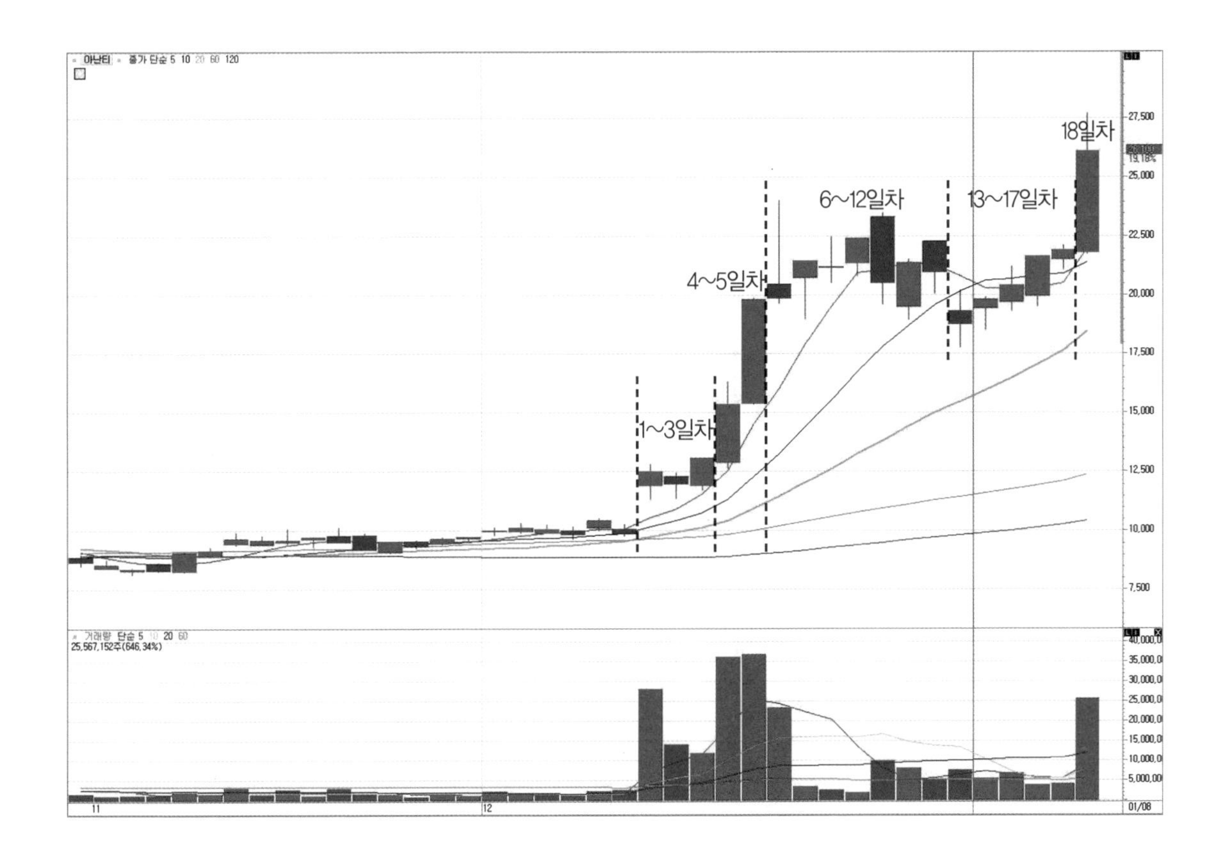

1~3일차 : 주가가 갭상승 출발해서 동작이 느리거나 한눈 판 투자자는 잡지 못하고 놓쳤을 가능성이 높다. 다음 날 보니 단숨에 전고점을 돌파한 부담감으로 장중에 밀리고 음봉 마감을 했지만 잘 버텨주고 있다. 갭상승시킨 세력이 아직 존재하고 있는 것이다. 접근하지 못한 투자자는 다음 날 공략했어야 했다.

3일간의 차트를 보자. 갭상승 양봉 자체는 부담스러웠지만 3일 차트를 모아보니 이건 지지캔들이다. 전고점에서 주가가 이렇게 버티는 것은 세력이 없으면 불가능하다. 그러면 왜 고점에서 버티고 있을까? 당연히 주가를 추가로 끌어올리기 위해서다. 아직 시세가 끝나지 않은 것이다. 이제 시작일 가능성이 높다. 전고점을 돌파하면 매물도 없다. 주가를 쉽게 끌어올릴 가능성이 매우 높다. 3일간 매수하지 못한 투자자라도 거래량 증가와 함께 추가 상승이 나오면 바로 공략해야 한다. 어떤 매매이건 거래량 증가와 상승 시도가 나온다면 공략해야 한다.

4~5일차 : 1일차의 갭상승 양봉만으로는 매우 부담스러웠다. 그러나 이렇게 오르고 보니 3일간이 지지캔들 역할이었다. 첫 차트에서 봤듯이 전고점 돌파를 예측하고 미리 선취매 한 투자자라면 큰돈을 벌었을 것이고 3일 지지 구간에서 추가 상승을 예측하고 매수에 가담한 투자자도 역시 적지 않은 돈을 벌었을 것이다.

세력이 개입했을 때도 차트 해석 능력만 있다면 돈을 버는 것은 어렵지 않다. 경험상, 보조지표를 잔뜩 달아 놓는 것보다 이렇게 세력이 개입한 차트를 찾는 법을 배우는 쪽이 훨씬 도움이 되었다.

6~12일차 : 저점에서 100% 이상 상승을 보여준 후 추가 상승이 나왔지만 장중에 밀리고 고점에서 지지가 나오고 있다. 워낙 강한 종목이었기에 추가 상승을 기대할 수 있다.

13~17일차 : 하지만 주가가 갭하락과 동시에 하락하고 있다. 이 종목을 보고 있던 투자자라면 이제 하락추세로 접어들었다고 판단할 수 있다.

그런데 다음 날 반등 지지가 나오더니 4일 연속 상승 지지가 나와 주고 있다. 그것도 전부 양봉이다. 하락갭을 양봉으로 서서히 메우고 있는 것이다. 고점에서 이런 모습이 왜 나올까? 아직 세력이 나가지 않았다는 뜻이다. 주가를 끌어올렸는데 거래량이 없다. 세력이 이탈하지 않은 것이다. 거래량을 일으켜야 나가는데 그런 흔적이 없다. 주가가 하락하니 갭을 메워 주는 것이다. 자신들이 팔고 나가려면 다시 시선을 끌어야 한다. 그러니 다시 강한 장대양봉이 나올 가능성이 높다. 단기투자자라면 다시 접근 준비를 해야 한다.

18일차 : 거래량 증가와 함께 고점을 돌파하고 올라간 모습이다. 미리 준비한 투자자는 오늘 양봉의 수익을 챙겼을 것이다. 주가가 고점이기 때문에 짧게 먹고 나온다는 마음으로 부담 없이 들어가서 오늘의 수익을 챙기고 나오면 된다.

세력의 진입과 이탈만 잘 연구해도 주식시장에서 살아남는 데 큰 도움이 된다. 세력의 마음을 읽으라는 얘기가 있다. 우리가 세력이 아니기 때문에 마음을 읽는 수밖에 없다. 물론 다 성공할 수는 없다. 그러나 예측대로 주가가 움직여 수익을 올릴 수 있다면 그보다 짜릿한 것이 어디 있겠는가.

데이 바이 데이 분석 ❹ 이건산업

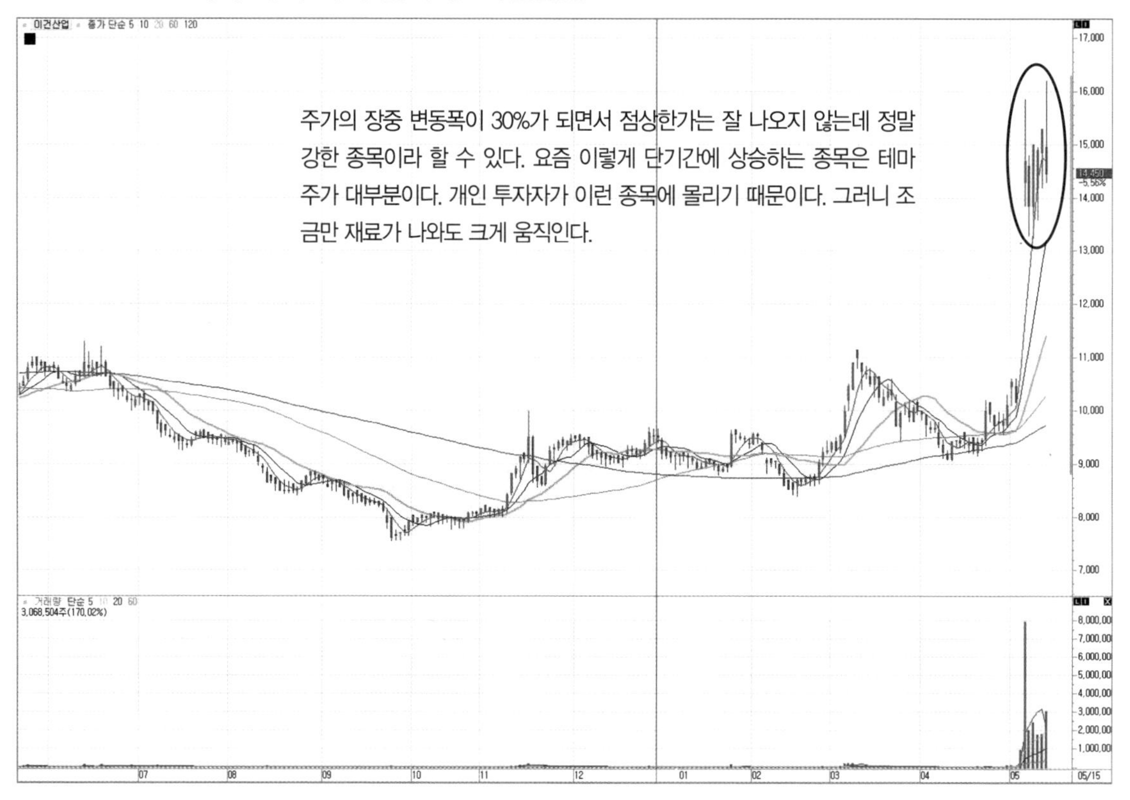

장기차트를 보면 전반기에 하락추세를 이어가다 점점 주가가 변화하면서 상승 시도가 나오고 있다. 차트 중반에는 하락추세를 멈추고 상승 반전하지만 이어가지 못하고 횡보한다. 이후 다시 저점을 높이는 상승 시도 후 하락한 다음 다시 반등 시도가 나오는데 갑자기 점상한가로 급등한 모습이다.

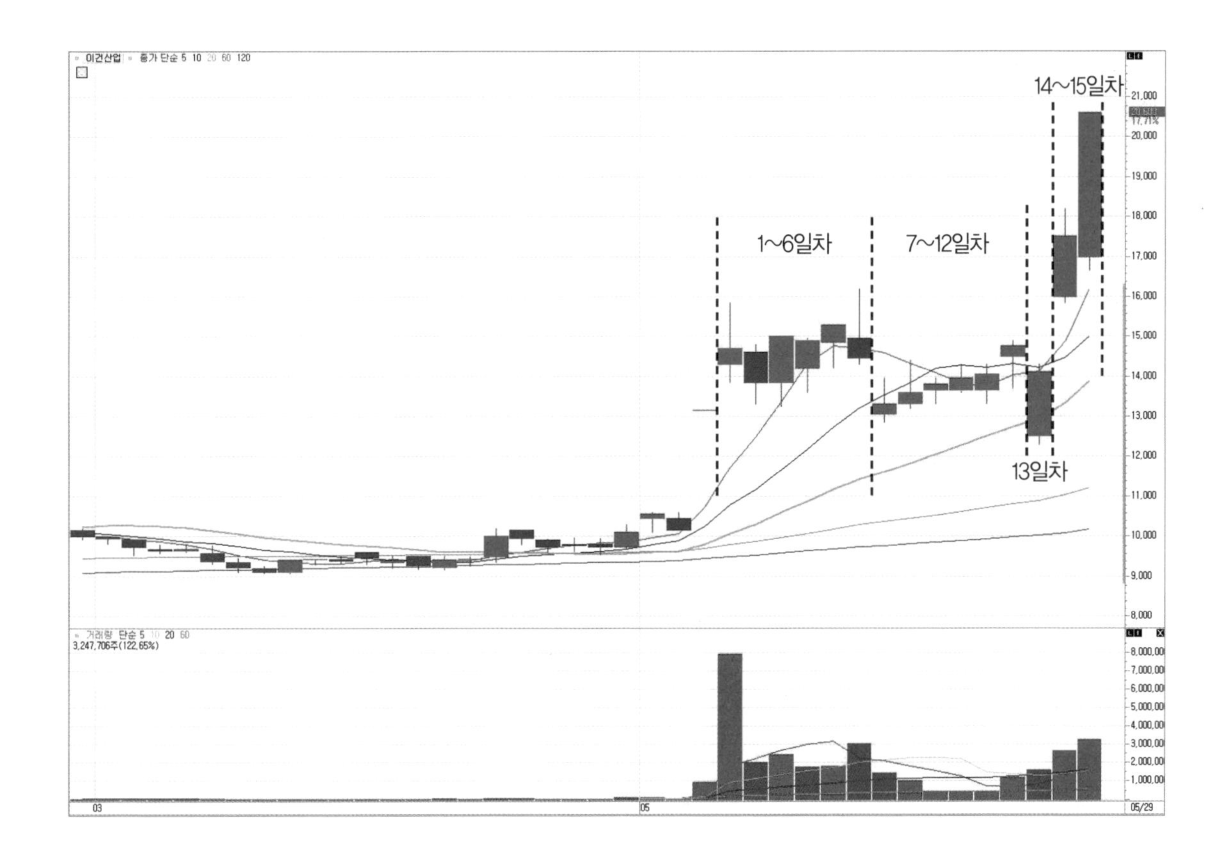

1~6일차 : 점상한가 이후 다시 갭상승 해서 주가를 크게 끌어올려 놓았다. 이렇게 급등한 종목이라면 차익매물이 나오기 마련이다. 그런데 급등한 종목이 고점에서 지지캔들이 나오고 있다. 그것도 주가가 밀리면 매수세가 붙어 양봉이 나온다. 단기간에 급등한 종목임에도 불구하고 대기매수세가 엄청나다.

7~12일차 : 주가 급등 후 5일간의 고점지지가 나왔었다. 재료가 나오기만 한다면 다시 폭발한 준비를 하고 있는 것이다. 그런데 기대감이 떨어졌는지 5일 지지 후 갭하락이 나왔다. 기대감이 높지만 그만큼 불안한 것이 이런 종

목이다. 약간의 소문만으로도 급락할 수 있다.

그런데 밀리지 않고 단봉 형태의 지지가 나온다. 그 다음이 더 중요하다. 연속 지지가 나오는데 전부 양봉이다. 밀리면 받아 올리고 밀리면 받아 올리고가 반복되는 것이다. 약간의 불안감에 갭하락이 나왔지만 대기 매수세의 기대감은 그대로라는 의미다.

13일차 : 오늘은 불안감이 컸는지 시가에 갭하락이 나왔다. 그런데 장중에 주가를 끌어 올려 장대양봉을 만들어냈다. 대기 매수세가 정말 강하다는 것을 알 수 있다. 그렇다면 최악의 경우만 빼고는 상승은 예고된 것이다. 고점을 돌파하는 강한 상승이 나와 줘야 끝나는 종목이다. 당연히 단기매매자라면 이 종목을 놓치지 말고 매수 대기해야 한다. 하지만 일말의 불안감을 안고 있는 종목이기에 선취매를 하지 말고 주가를 끌어올릴 때 동참했다가 수익을 올리며 빠져나오는 전략이 좋다. 큰 수익 말고 흐름대로 움직이는 것이 최상의 전략이다.

14~15일차 : 역시 상승이 나왔다. 갭상승 출발해 강한 시세를 주고 다음 날 또 위꼬리 없는 장대양봉을 만들어냈다. 점상한가는 잡을 수 없다. 갑자기 나온 상한가를 무슨 수로 잡나. 더군다나 매수 기회 없는 점상한가다. 하지만 그 다음은 노릴 수 있다. 바닥에서 수익은 올릴 수 없지만 추가 상승은 잡을 수 있는 것이다.

최고의 타이밍에서 매수해 수익을 올릴 수 있다면 좋다. 하지만 수익 극대화의 자리가 아니더라도 흐름상 수익을 올릴 수 있는 자리라면 공략해야 한다. 적더라도 꾸준히 쌓이는 수익이 나중에 큰돈이 된다.

데이 바이 데이 분석 ❺ 일신석재

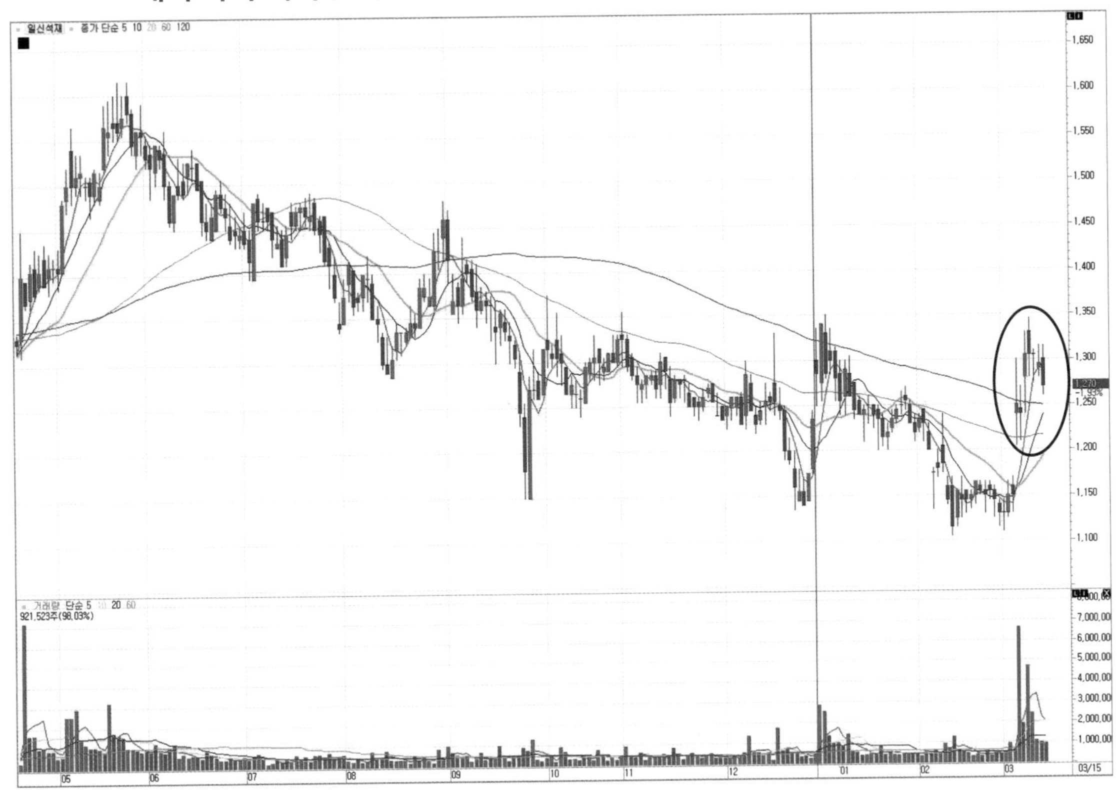

장기차트를 살펴보자. 오랜 기간 하락추세를 이어가던 종목이다. 중간에 반등 시도가 나오기는 하지만 추세를 돌리지는 못했다. 잠깐 단기 상승이 나온 후 다시 하락했는데 따져보니 거의 10개월 하락이다.

최근 들어 짧은 바닥 형성 이후 주가가 갭상승하고 있는 것을 볼 수 있다. 이 정도 하락에 갭상승이면 상당히 의미가 있다. 자세히 살펴보자.

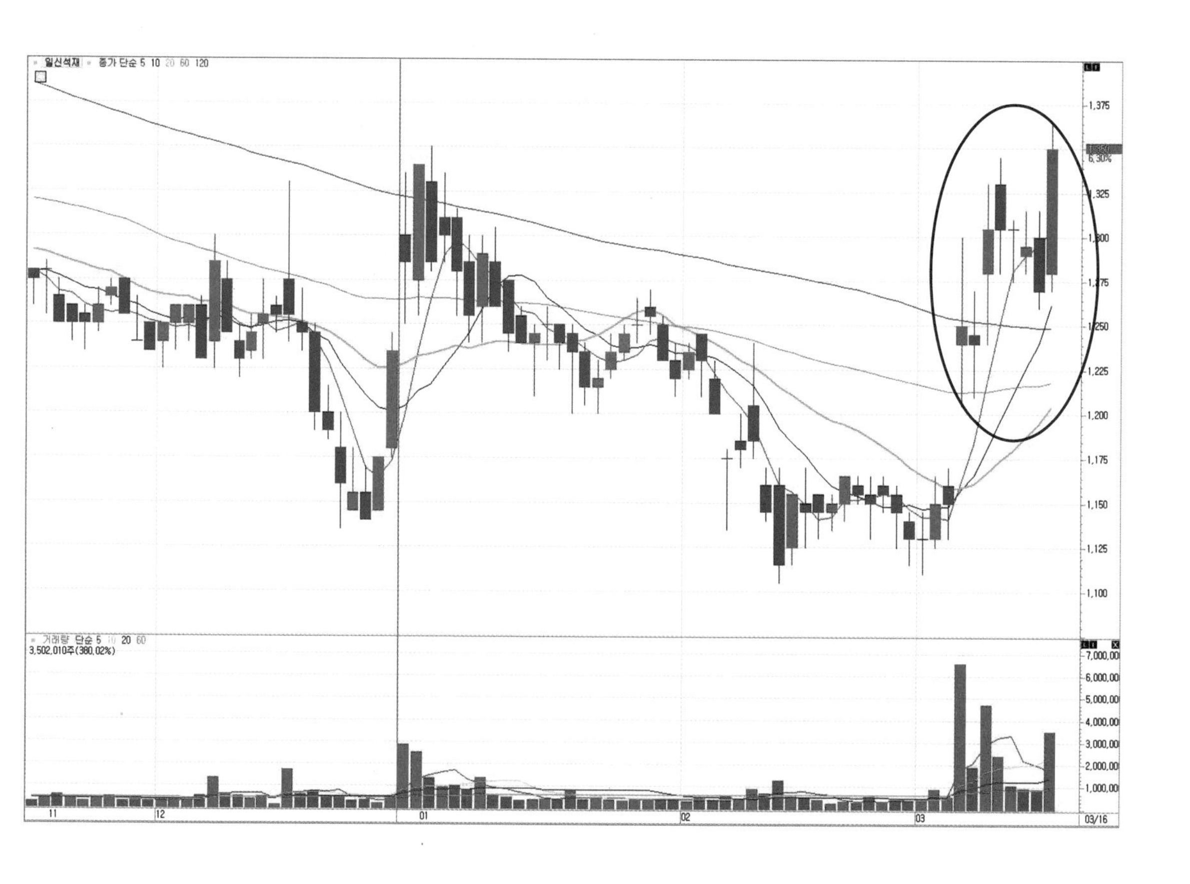

연말에 주가가 일시적으로 하락하지만 바로 반등에 성공한다. 하지만 거기서 끝이다. 바로 하락 추세를 이어가면서 동전주 일보직전까지 주가가 떨어진다. 하지만 1000원 미만으로 떨어지지 않고 지지되는 모습이다.

1000원 미만으로 주가를 이탈하지 않으려는 시도인데 이게 성공할지 아니면 동전주로 전락할지는 알 수 없다. 워낙 오랜 기간 하락 추세에 있던 종목이기에 함부로 바닥을 예측하기 어렵다.

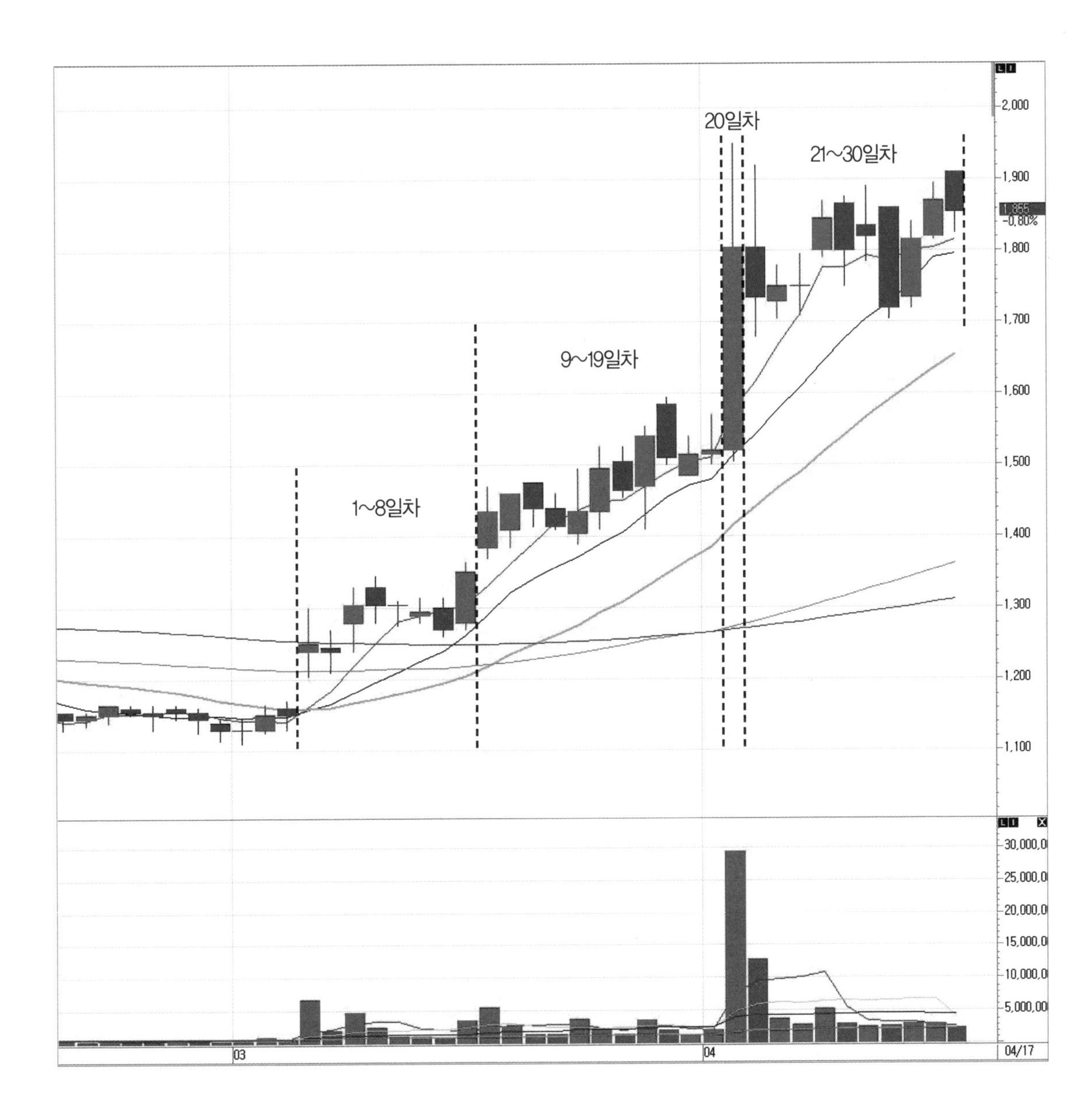

20일차
21~30일차
9~19일차
1~8일차
2,000
1,900
1,855
-0.80%
1,800
1,700
1,600
1,500
1,400
1,300
1,200
1,100
30,000,0
25,000,0
20,000,0
15,000,0
10,000,0
5,000,00
03
04
04/17

1~8일차 : 의미 있는 반등이 나와 줘야 1000원은 지킨다는 확신을 가질 수 있다. 그러던 중 반등이 나오고 있는데 갭상승이다. 이건 확실히 바닥을 확인하는 신호다. 이후 주가가 앞의 전고점까지 올라간다. 8일차 양봉으로 전고점 부근까지 주가가 올라간 것을 보면 추가 상승의 의지를 읽을 수 있다.

9~19일차 : 전고점까지 올라간 주가가 다시 갭상승으로 상승하고 다음부터는 5일선을 지지하면서 올라가고 있다. 바닥을 확인하고 전고점을 갭상승으로 돌파하려는 모습을 봤다면 공략 종목으로 삼아야 한다. 바닥에서 나온 갭상승은 잡을 수 없지만 이후 5일선을 타고 상승한 구간은 공략 가능하다.

20일차 : 오늘 강한 장대양봉이 나오고 있다. 5일선 지지를 믿고 스윙매매로 물량을 보유한 투자자라면 오늘 양봉을 잡을 수 있었을 것이다. 만약 물량이 없는 투자자라면 오늘 거래량이 터질 때 데이트레이딩 관점으로 매수에 가담했으면 수익을 올렸을 것이다.

급등하지 않고 추세를 살려가는 종목이 주가를 업그레이드하고 싶을 때 갑작스럽게 장대양봉이 나오는 경우가 많다. 추세를 살리는 종목에 올라타지 못했다면 관찰하고 있다가 거래량이 터지면서 주가가 급등할 때 단기매매로 접근한다.

21~30일차 : 장대양봉 이후에 주가가 추가로 상승하지 못하고 있다. 단기로 접근한 투자자는 일단 매도한다. 저점에서 스윙으로 매수한 투자자는 자신이 정한 손절 가격을 이탈하지 않는 이상 보유하고 있는 것이 좋다. 물론 여기서 끊고 다음 타이밍을 노리는 것도 좋은 선택이다.

장대양봉 이후 주가를 살펴보니 횡보 지지를 하고 있다. 주가가 하락해도 특정 가격대를 이탈하지 않았다. 바닥에서 주가를 끌어 올린 세력이 아직 주가를 관리하고 있는 것이다. 특히 장대양봉의 몸통을 훼손하지 않는 선에서 주가가 관리되고 있기 때문에 추가 상승 가능성이 높다. 아직 아무런 수익을 얻지 못한 투자자라도 관심종목에 세팅해 놓고 거래량이 터지기를 기다리는 것이 좋다. 지지구간에서 거래량이 줄어들고 있기 때문에 거래가 터지면서 강한 상승이 나올 가능성이 높다.

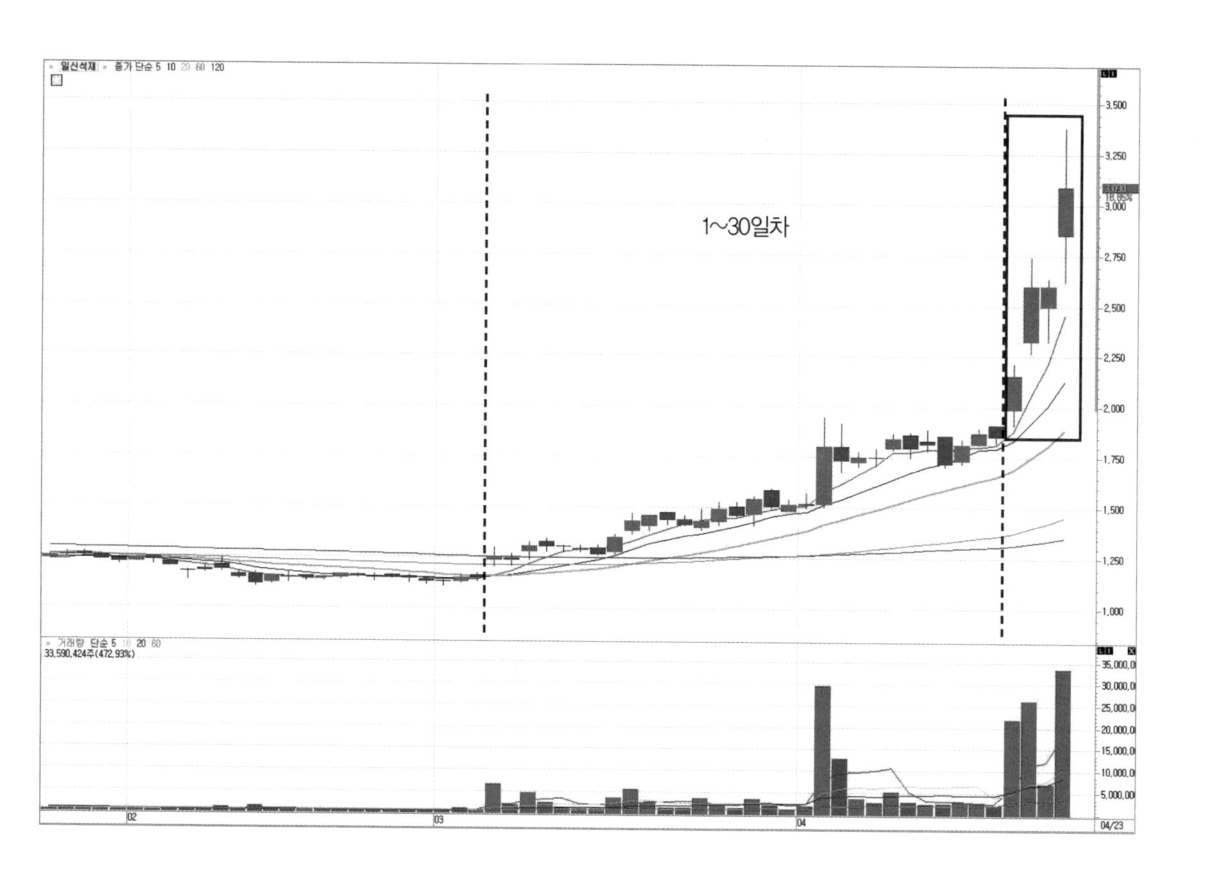

10일 지지캔들이 나온 후 주가가 상승하고 있다. 이번에는 제대로 시세를 내고 있다. 지지캔들은 5일 단위가 중요하다. 10일은 정확히 2주 조정 받고 상승하는 것이기 때문에 주가 관리 세력이 이를 계산하고 주가를 끌어올린 것이다. 앞으로 이렇게 지지캔들이 몇 개 나오는지 확인하고 매매 대응하면 상승할 날을 맞힐 수도 있다. 예상한 날에 주가가 올라주면 확신을 가지고 매매에 나서자.

5일만 기다리면 1000만 원 번다

01

주가는 일반적으로 1차 상승 이후 조정을 받는다. 그래야 손바뀜(주식의 주요 보유 주체가 바뀌는 것)이 일어나고 추가 상승이 쉬워진다. 바닥에서 매수하지 못했다면 조정 구간을 매수 타이밍으로 삼으면 된다. 손바뀜 과정 속에 들어가 수익을 올리고 나오는 것이다.

그런데 중요한 것은 '조정이 어떻게 진행되는가'다. 기본은 하루나 이틀 쉬어가는 경우다. 그러나 실전에서는 얼마나 쉬어갈지 알기 힘들다. 이번 시간에는 하루나 이틀이 아니라 며칠씩 쉬어가는 종목에 대해 배워보자. 여기까지 배우면 기본형은 마스터한 것이다.

데이 바이 데이 분석 ❶ 포비스티앤씨

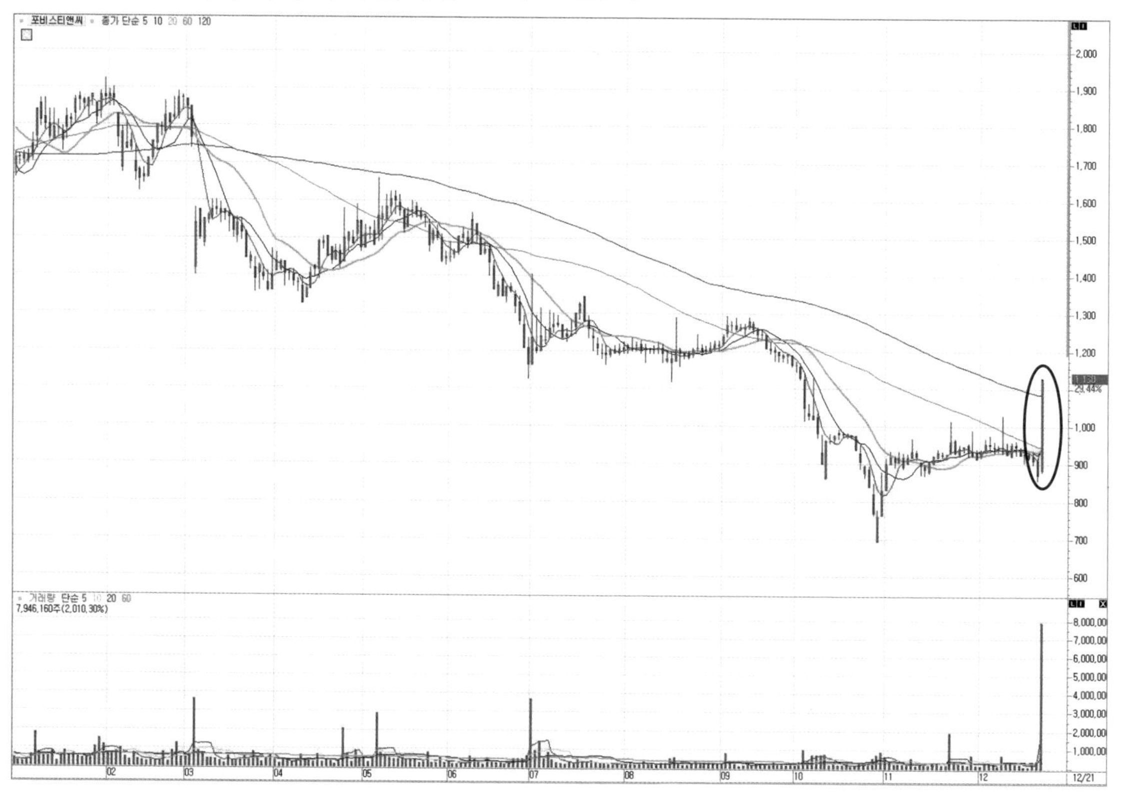

거의 1년 동안 주가가 하락하고 있다. 중간에 상승 시도가 있지만 하락추세를 멈출 수는 없었다. 1000원대의 주가도 지키지 못하고 동전주로 전락한 모습이다. 최근에 바닥을 형성하고 있는데 워낙 하락추세가 강한 종목이기 때문에 신뢰성이 약하다. 최근 갭하락 이후 반등하며 지지하고 있는 모습을 보면 단기 세력이 들어와 작업하기 딱 좋은 환경이라 할 수 있다. 그리고 오늘 장대양봉이 나왔다. 자세히 살펴보자.

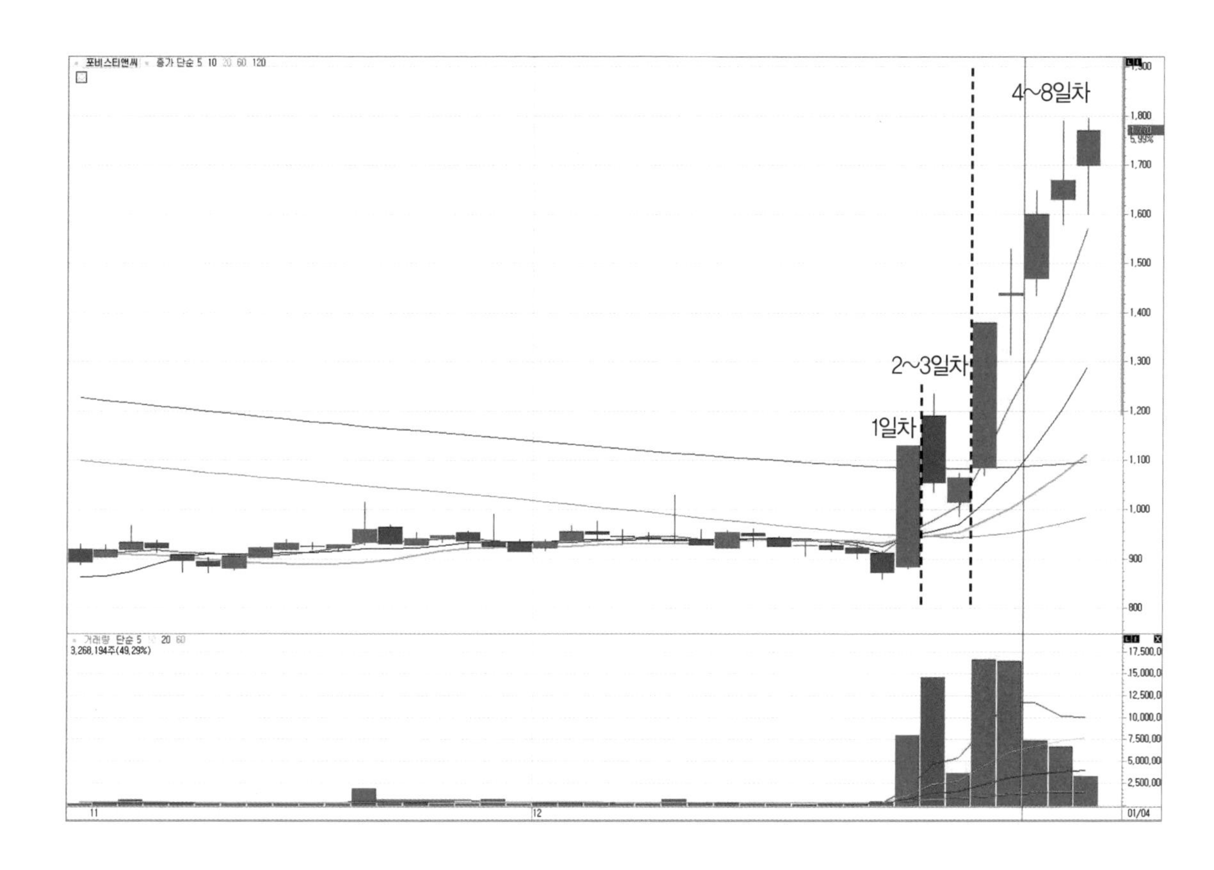

1일차 : 최근 주가가 급락하더니 갭하락 양봉이 나온 이후 반등에 성공하고 있다. 이 종목을 작업할 세력이 마지막으로 주가를 끌어내리고 개인들이 가지고 있던 물량을 다 쏟아내게 한 모습이다. 이후 900원대에서 거의 2개월 이상 지지되고 있다. 충분히 반등할 만한 모습이 만들어져 있다. 그러다 오늘 갑자기 상한가가 나왔다. 미리 준비하고 있지 않았다면 잡을 수 없는 갑작스러운 상한가였다.

만약 이 상한가를 잡았으면 성공이고 잡지 못했다면 이 종목의 흐름을 지켜보자. 이 정도 하락한 종목에 세력이 개입했다면 이번 상승으로 끝나지 않을 것이다. 오히려 상승 신호 캔들이라 볼 수 있다.

2~3일차 : 상한가 다음 날 갭상승 출발하더니 올라가는 척 하다가 바로 매물 받고 음봉으로 떨어진 모습이다. 추가 상승을 노리던 투자자는 실망했을 것이다. 하지만 상한가의 몸통을 깨지 않는 모습에서 양음양을 생각하고 노릴 수 있다.

예상과 달리 다음 날 주가를 끌어 올리지 못하고 갭하락 출발했는데 양봉이 나왔다. 전체적인 차트 모습은 양음양이 이어진 것이다. 아직 상한가의 몸통을 훼손하지 않은 점에 주목할 필요가 있다. 상한가를 만든 세력이 아직 있다는 의미다. 주가를 추가로 끌어올릴 가능성이 있고 조정을 제대로 받았다는 점에서 매수 준비를 하는 것이 좋다.

4~8일차 : 다시 상한가로 주가를 끌어올려주고 있다. 이후 주가 흐름은 5일선을 타고 올라가면서 강한 상승세를 보이고 있다. 첫 상한가 이후 조정은 상한가에 따라 들어온 개인 물량을 정리하는 조정이었다. 이렇게 바닥에서 들어온 세력은 한 번에 빠지지 않는다. 왜냐하면 이익을 얻으려고 들어왔으니, 주가를 올려야 자신의 물량을 정리하고 수익을 얻을 것 아닌가. 바닥에서 강한 움직임이 있는 종목을 주시하면 좋은 결과를 얻을 수 있을 것이다.

데이 바이 데이 분석 ❷ 희림

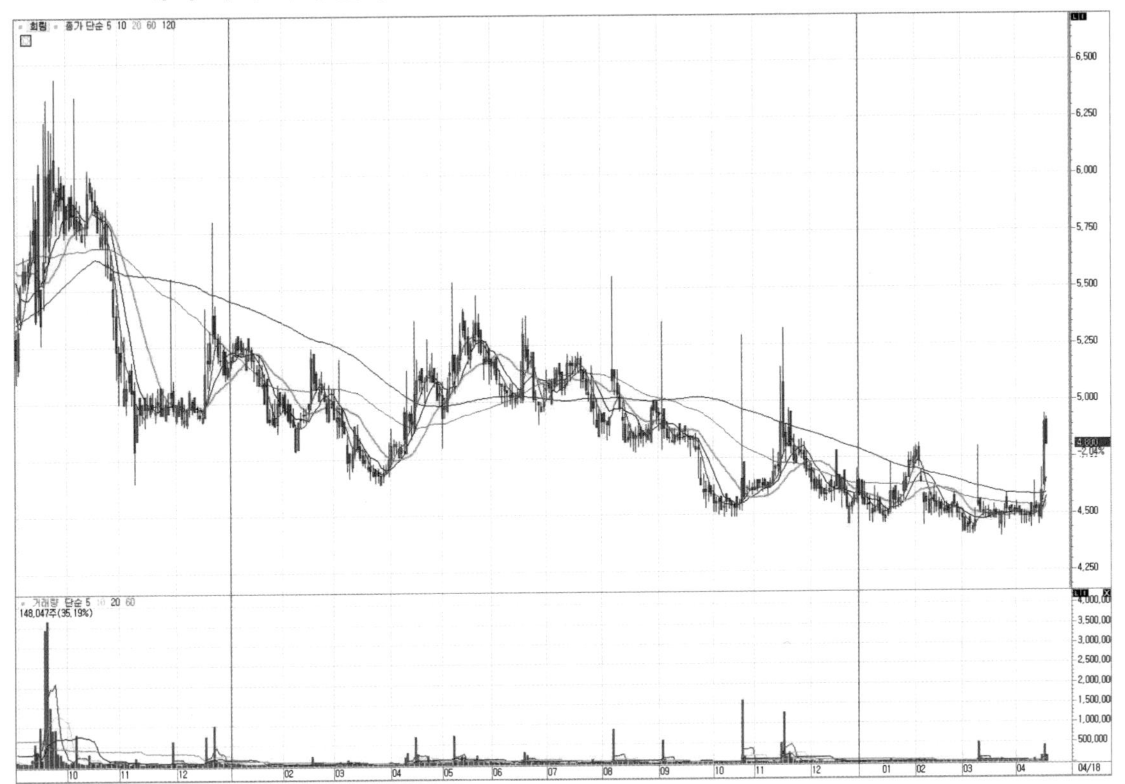

장기차트를 보면 상당히 지저분하다. 하락추세 종목이다. 3월에 반등 시도가 나오지만 성공하지 못하고 하락추세로 접어들었으며 하루짜리 반등 시도가 자주 나오고 있다. 장중에 장대양봉으로 큰 반등 시도가 나오지만 그날 위꼬리를 달면서 상승 시도가 끝나버리는 일이 자주 벌어지고 있다.

최근에는 주가가 더 이상 떨어지지 않고 바닥을 다지는 모습인데 데이 바이 데이로 살펴보자.

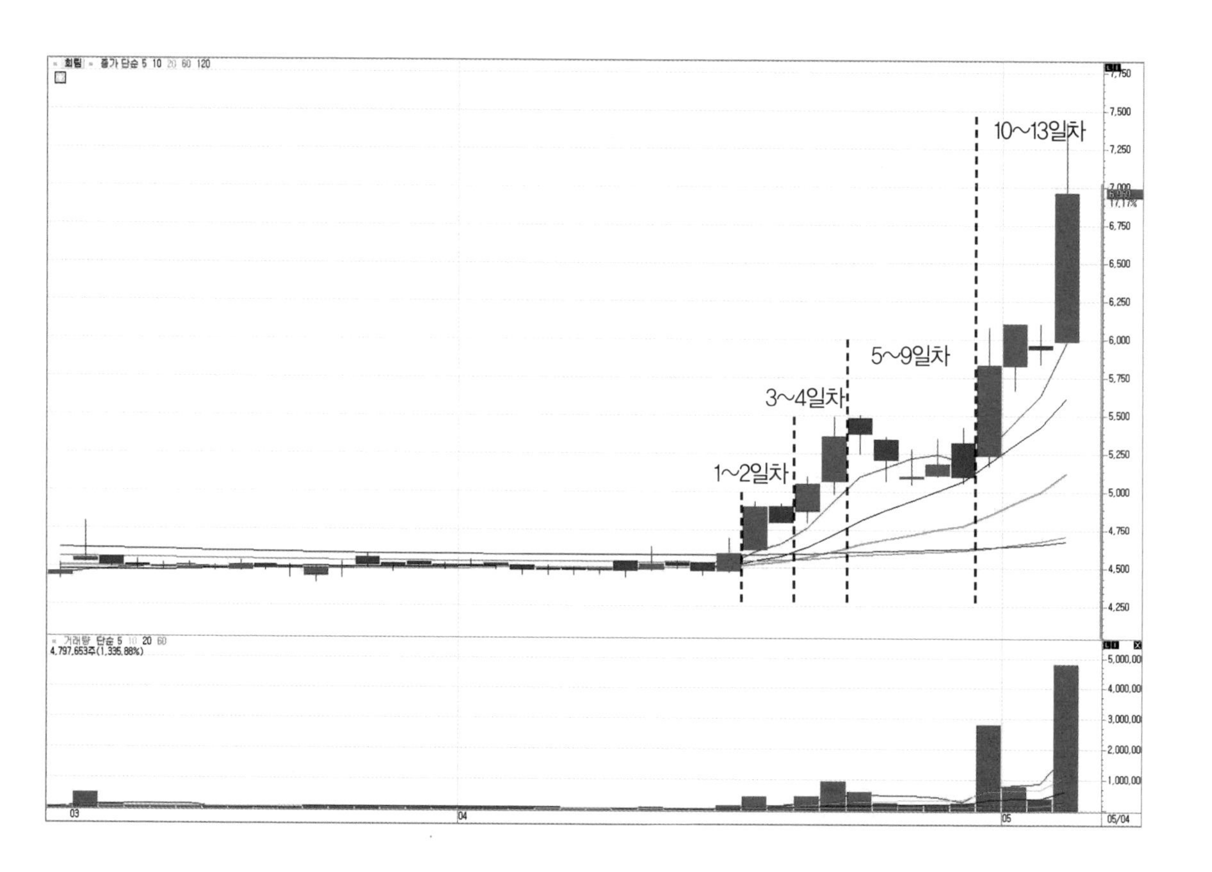

1~2일차 : 주가가 4000원대 중반에서 지지되고 있음을 확인할 수 있다. 앞을 보면 위꼬리가 길게 달린 반등 시도가 있지만 장중에 상승 시도가 끝나버리고 만다. 그런데 1일차에 다시 반등 시도가 나왔다. 이번에는 전에 나온 반등 시도와는 다른 모습이다. 위꼬리가 달리지 않고 장대양봉으로 끝났다. 밀리지 않고 버티고 있는 것이다. 주가 바닥에서 밀리지 않는 장대양봉이라면 매우 의미가 있다. 1년간 장기간 하락 종목에서 의미 있는 장대양봉은 단기

반등 가능성이 높다. 2일차에 음봉이 나오는데 장대양봉의 몸통 중간을 훼손하지 않고 있다. 소위 양음패턴이 나온 것이다. 주가 최저 바닥에서 양음패턴은 빠르면 다음 날 상승할 수 있다는 신호다.

3~4일차 : 양음패턴 다음 날 주가가 상승하면서 반등에 성공했다. 양음양패턴 완성이다. 그리고 4일차도 상승하면서 주가가 상승추세로 접어든 모습이다. 전체적으로 보면 조정캔들 하나 빼고 3일간 주가 상승하며 5일선을 살려 놓고 있다. 단기 매매자는 양음양 패턴이 나올 것을 예상하고 공략했어야 한다. 매매 가능한 급소를 제공한 종목이다.

그런데 상승폭이 크지 않다. 주가가 상승 전환했지만 양봉의 힘이 약하다. 보통 개인을 끌어들이려고 강하게 끌어올리는 것이 일반적인데 이 종목은 추세 전환 시도만 하고 있다. 이 경우 추가적인 주가 흐름을 살펴봐야 한다.

5~9일차 : 주가가 5일선을 살려 놓더니 더 이상 올라가지 못하고 조정을 받고 있다. 주가가 하락하면서 특정 가격대를 지지하고 있다. 마지막 상승 양봉까지만 떨어지고 10일선을 찍고 버티고 있다.

이런 차트는 개인이 만들 수 없다. 주가를 끌어올린 세력이 인위적으로 관리하고 있는 것이다. 바닥에서 들어온 세력은 아직 수익이 없다. 주가 상승을 보고 들어온 개인 투자자의 물량을 소화하고 특정 가격대를 지지해줌으로써 추가 상승 기대감도 만들고 있다. 전형적인 지지패턴으로 이평선을 살리면서 상승하거나 강한 장대양봉이 나올 가능성이 매우 높다.

10~13일차 : 주가가 추가로 상승하고 있다. 1차 상승 이후 조정을 받고 다시 주가가 상승하는데 이번에는 5일선을 살리면서 주가가 올라가고 있다. 지

지 가격이 매수포인트였다. 인위적으로 지지되는 가격대를 잘 살폈다면 2차 상승할 때 수익을 얻었을 것이다.

물론 이런 지지패턴이 나온다고 주가가 다 상승하는 것은 아니다. 그러나 1년간 장기 하락했다는 점, 전과 달리 바닥에서 장대양봉으로 세력의 개입을 확인할 수 있었다는 점에서 상승 신뢰도가 높은 종목이었다. 앞으로 바닥에서 이런 종목이 나온다면 놓치지 말고 매매해 보기 바란다. 미리 종목을 발굴하고, 거래량이 터지면서 주가가 상승할 때 진입하면 의외의 성과를 얻을 수 있을 것이다.

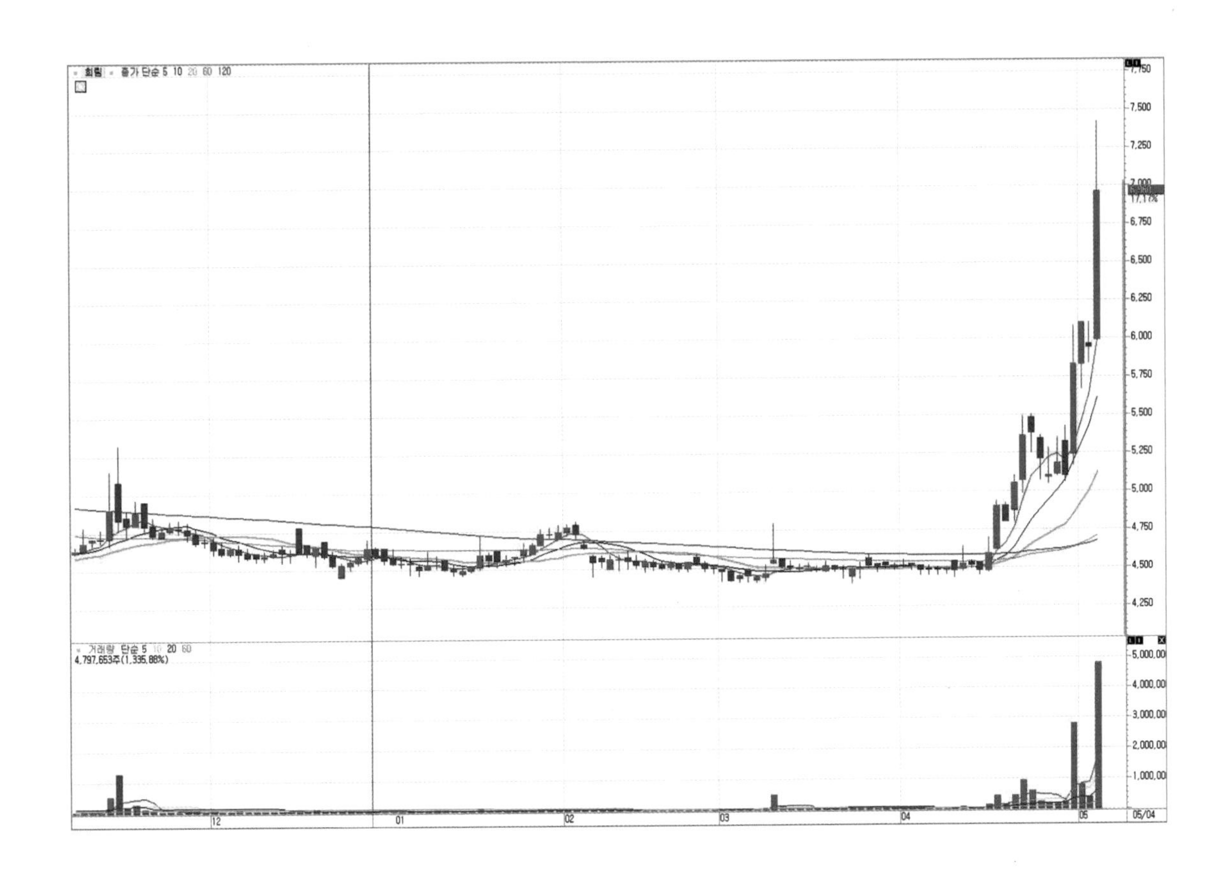

차트를 전체적으로 보니 어떤가. 주가 바닥에서 1차 상승 후 조정받고 2차 상승하는 전형적인 상승 패턴이다. 차트를 공부할 때 그냥 눈으로만 봐서는 절대 실력이 늘지 않는다. 이렇게 자세히 분석하는 연습을 해야 진짜 차트를 분석하는 실력이 는다.

데이 바이 데이 분석 ❸ 선도전기

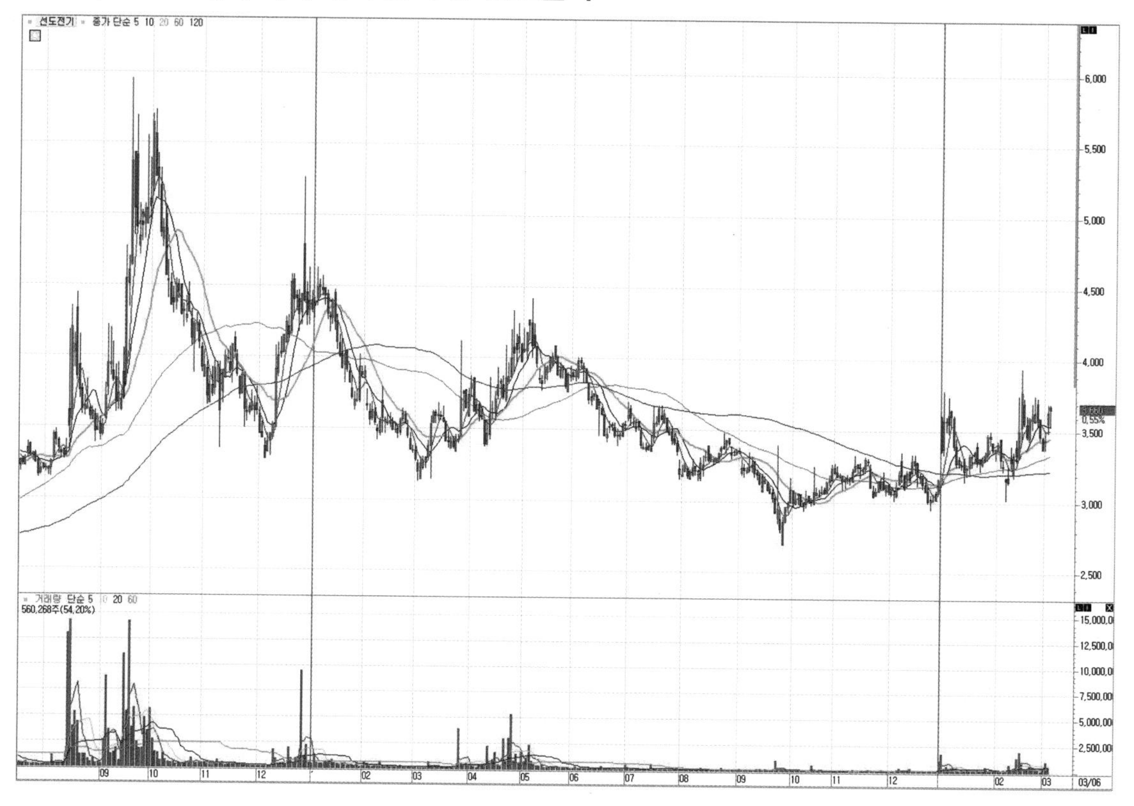

장기차트를 보니 전반부에 치열한 시세전쟁이 벌어진 것을 확인할 수 있다. 상승파동이 세 번이나 나오면서 흐름을 잘 이용한 투자자에게 큰 수익을 안겨주었을 것이다. 그러나 시간이 지날수록 상승파동이 점점 작아지면서 시세의 끝물을 예고했다. 파동이 끝난 후에는 약 5개월 정도 하락추세에 들어섰고 이후 주가 흐름은 바닥 다지기와 함께 저점을 약간씩 높여갔다. 최근에 상승 시도가 나오면서 주가가 다시 움직이고 있다. 자세히 살펴보자.

1월 들어 주가가 급상승 하는데 얼마 가지 못하고 바로 상승 시세를 반납하고 있다. 이후 주가가 크게 밀리지 않고 바닥을 형성했다. 1개월 정도 주가 바닥을 형성하다 2월에 다시 반등 시도가 나왔는데 이때는 전고점도 돌파하면서 추가 상승 기대감을 주고 있다.

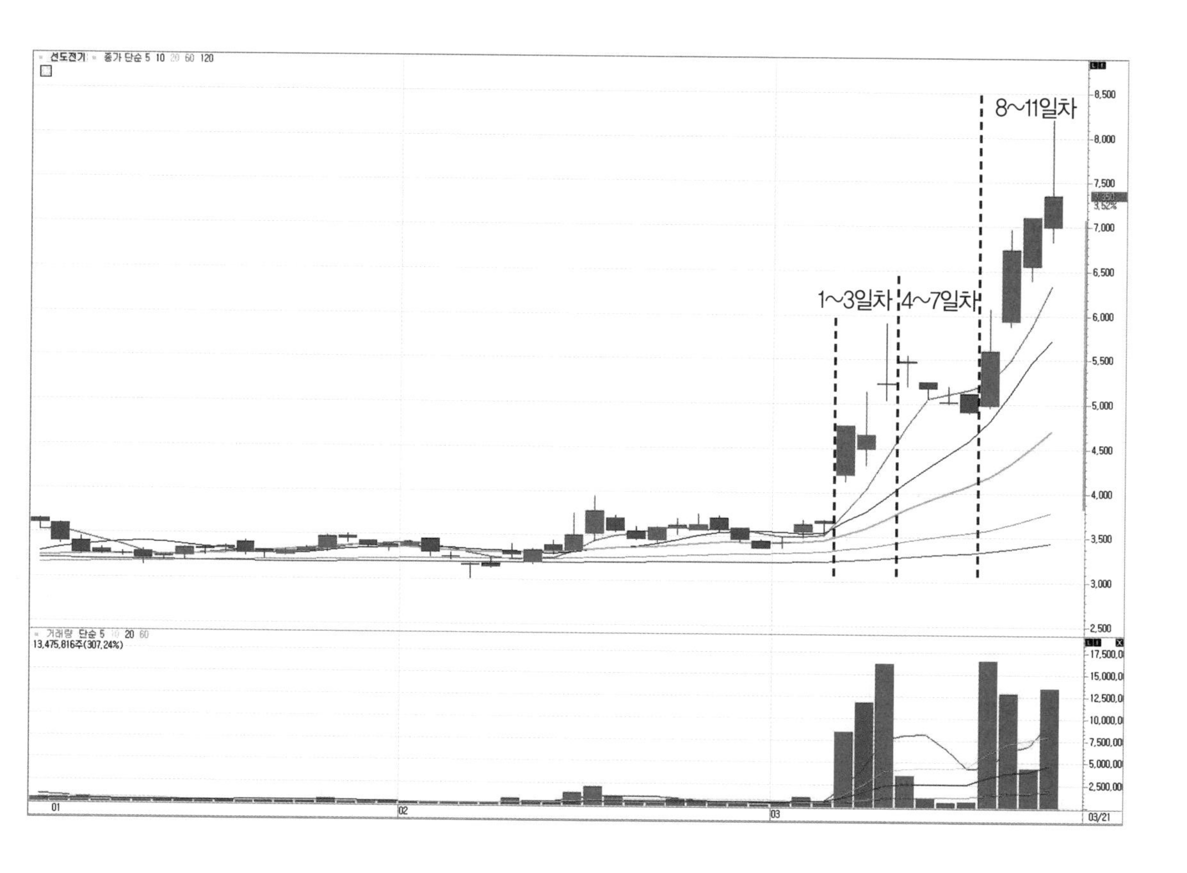

1~3일차 : 전고점에서 단숨에 상한가로 올려 버렸다. 개인 투자자들이 따라오지 못하도록 갭상승시켜 주가를 상한가까지 끌어올린 것이다. 미리 준비하지 않은 투자자는 접근하지 못했을 것이다. 과감하게 매수에 가담한 투자자는 상한가라는 큰 수익을 얻었을 것이다. 3일차도 주가를 크게 끌어올리면서 시세를 주고 있다. 하지만 위꼬리가 길고 거래량이 너무 많이 터져 있기 때문에 보유자는 일단 매도하고 추가로 올라가면 장중에 대응하는 것이 좋다.

4~7일차 : 주가가 추가로 올라가지 못하고 밀려 내려오고 있다. 4일 연속

조정이 나왔다. 보통 차트 분석에서는 이평선까지 내려올 것이라고 예상하는데 그건 세력의 마음이다. 사실 개인 투자자 입장에서는 어디서 주가 방향을 정할지 알 수 없기 때문에 선취매로 대응하기는 위험한 구간이다.

여기서 대응하려면 거래량 증가와 함께 방향을 돌리는 양봉이 나오는 것을 확인하고 들어가야 한다. 매매자는 관심종목에 집어넣고 거래량이 터지는지를 감시하고 있다가 급소가 나오면 공략하면 된다.

8~11일차 : 대량 거래가 터지면서 주가를 반등시켰다. 4일 연속 주가를 끌어 올리면서 큰 시세를 주고 있다. 지나고 보니 전형적인 상승 패턴으로 주가가 올라가는 것이 보인다. 1차 상승 후 조정, 그리고 2차 상승으로 이어진 교과서적인 상승 패턴이다.

기존에 차트 공부를 한 투자자라면 잘 알고 있을 것이다. 알면서도 수익을 올리지 못한 경우가 대부분이다. 그 이유는 올라가기 전 차트를 분석하지 않고 늘 올라간 후 차트를 분석했기 때문이다. 주가가 올라가기 전 차트와 올라가고 난 차트는 완전히 다르다. 그러니 이미 상승한 차트만 연구하지 말고 상승 전 차트를 같이 보면서 연구해야 세력의 움직임을 파악할 수 있다.

데이 바이 데이 분석 ❹ 이랜텍

장기차트를 보자. 전형적인 하락추세 종목이다. 자비란 없다. 거의 10개월간 하락추세를 이어가고 있다. "언젠가 오르겠지"라는 말은 사전에서 지워버려야 한다. 이 말을 실천하는 순간 주식투자에서 무조건 망한다. 이 말은 실패의 주문이다. 절대로 말해서도 생각해서도 안 된다.

하락추세를 이어가던 주가는 최근 바닥을 다지다가 강한 상한가가 나왔다. 살펴보자.

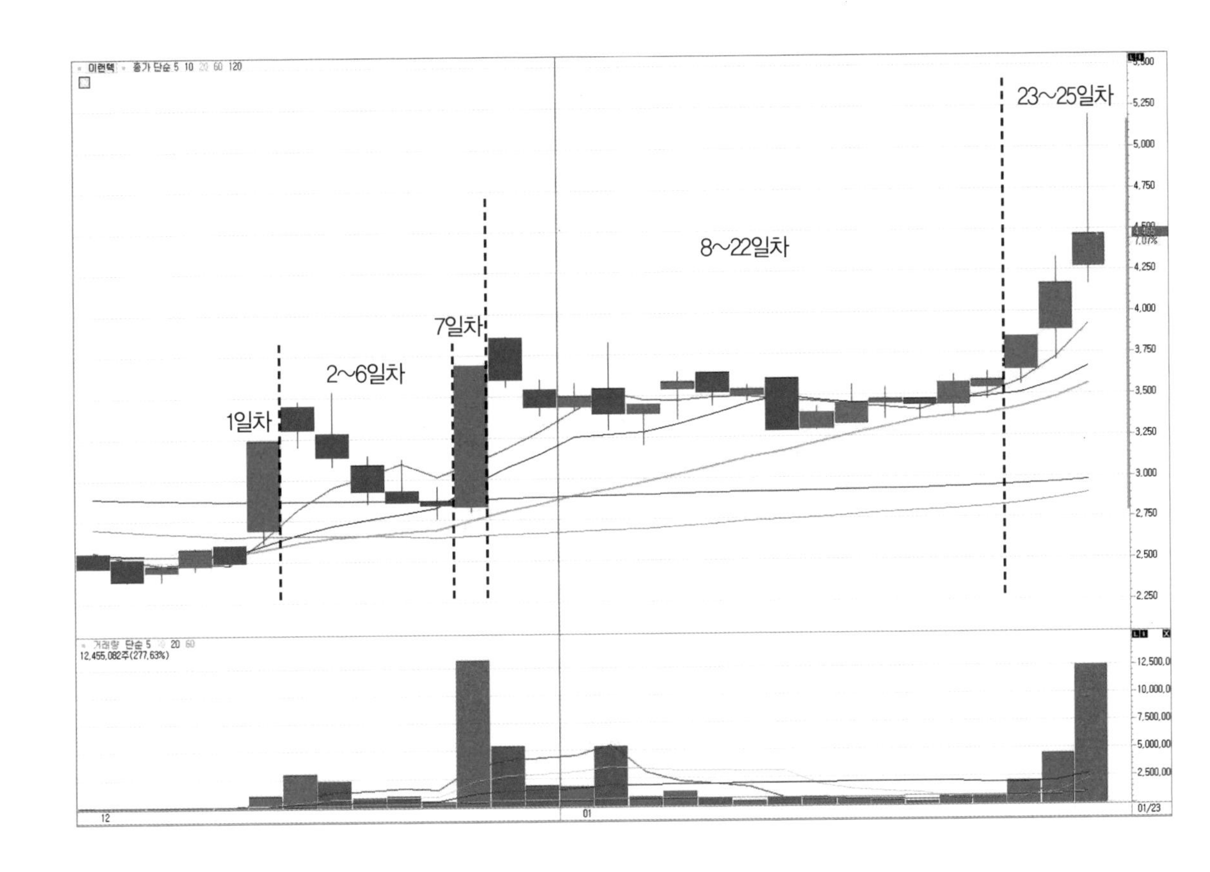

1일차 : 하락하던 주가가 더 이상 떨어지지 않고 2000원대에서 바닥을 형성했었다. 그러다 오늘 상한가가 나왔다. 갑자기 나왔기 때문에 동작 빠른 매매자가 아니라면 대응하지 못했을 것이다. 아쉬워할 것 없다. 놓쳤으면 그만이다. 다음 매수 기회가 있는지 살펴보면 된다.

이렇게 긴 장기 하락 종목은 상한가 한 번으로 끝나지 않는다. 추가 상승이 나오는 것이 일반적이다. 그걸 노리고 다음 주가 움직임을 지켜보면 된다.

2~6일차 : 시가에 기분 좋게 갭상승 출발하지만 거기까지다. 더 이상 올라

가지 못하고 음봉으로 마감한다. 그래도 봉이 짧은 것으로 보아 아직 상승 기대감이 남아 있었다. 하지만 그 다음 날도 하락하면서 기대감을 꺾어버렸다.

이후에는 조정을 받는데 하락 음봉 다섯 개가 나오고 있다. 음봉 다섯 개가 나오는 동안 눈에 띄는 것이 있다. 일단 거래량이 줄어든다. 그리고 이평선 지지가 됐다. 여기까지 발견했으면 기본적인 차트 분석은 하는 것이다. 거기에 하나 더, 음봉이 점점 짧아지고 있다. 주가가 하락하면 할수록 음봉의 길이가 짧아지고 이평선에 맞추고 있는 모양새다. 주가를 끌어 올린 세력이 인위적으로 하락폭을 조정하고 있는 것이다. 상한가를 만든 세력은 아무것도 먹지 못했다. 돈을 벌기는커녕 손실이 나 있는 상태다. 당연히 주가를 관리한다. 그렇다면 주가를 다시 올리려는 시도가 나올 확률이 매우 높다. 단기매매자라면 당연히 노려야 한다.

7일차 : 상승 예측을 했는데 정확히 맞아 떨어졌다. 상한가가 나왔다. 더욱 좋은 것은 주가가 종가 부근에서 시작했다는 점이다. 올라갈 것을 예상하고 매수를 준비했는데 기회가 왔다. 저점부터 매수 기회를 주었으니 30%의 수익도 가능한 종목이었다. 1000만 원만 들어가도 300만 원 벌고 나오는 셈이다. 직장인의 한 달 월급을 단 하루 만에 벌 수 있는 곳이 바로 주식시장이다. 어렵지도 않다. 세력의 움직임만 예측한다면 누구나 가능하다.

물론 예측대로 안 움직일 수도 있다. 예상대로 안 움직이면 매매를 안 하면 그만이다. 만약 매수했는데 실패했다 하더라도 손절 대응으로 2% 안팎으로 끊고 나오면 된다. 먹으면 30%, 손실이면 2%라면 도전해볼 만하지 않은가. 최소 50% 이상의 확률만 확보한다면 주식투자로 돈을 버는 것은 당연한 상식이 된다. 실력이 좋으면 70% 이상 상승 확률을 끌어올릴 수 있기 때문에 계좌에 돈이 쌓이는 것은 시간 문제다. 단 그 단계까지 노력해야 한다.

8~22일차 : 상한가 이후 다시 주가가 올라가지 못하고 있다. 앞의 고점은 일단 돌파한 상태다. 이후 15일 지지캔들이 나왔다. 주가 지지는 5일 단위가 중요하다. 1주일 거래일 수가 5일이기 때문이다.

이 종목은 지지캔들이 나오는 동안 상한가 몸통 절반 이하는 훼손하지 않고 있다. 상한가 몸통에서 주가 관리를 하고 있는 것이다. 추가 상승 가능성이 높다. 그리고 점점 지지캔들은 양봉으로 간다. 20일 이평선을 지지하면서 양봉으로 받쳐주고 있다. 추가 상승 가능성이 매우 높다. 단숨에 주가를 끌어올리는 장대양봉이 나올 가능성도 높지만 이평선을 타고 올라갈 가능성도 있다. 그럴 경우 스윙매매 전략이 좋다.

23~25일차 : 15일 지지캔들(8~22일차) 이후 주가가 5일선을 타고 상승하고 있다. 특히 25일차는 거래량이 터지면서 장중에 주가를 크게 끌어올리고 있다. 장중에 매물을 받고 밀리면 고점에서 매도하고 다음 기회를 노리는 것이 좋다. 추가적으로 강한 상승을 보여주면 그때 데이트레이딩으로 접근했다가, 추세가 살면 스윙으로 전환하면 된다.

Chapter 05

1000만 원 쉽게 버는 다중지지 매매법

주가가 상승할 때 쉬지 않고 바로 올라가는 경우도 있고, 어느 정도 상승 후 하락전환하는 종목도 있다.

그런데 주가가 상승 후 더 이상 상승하지도 않고, 하락하지 않고 옆으로 횡보하는 종목이 있다. 바로 '고가놀이 패턴'이다. 주가가 상승할 때 따라 들어온 개인의 물량을 소화하고 추가 상승하기 위한 에너지 비축 구간이다. 실전에서 이런 종목들이 많이 나오는데 이것 하나만 잘 배워도 실전에서 큰 수익을 얻을 수 있으니 집중해서 잘 배워보자.

데이 바이 데이 분석 ❶ 금호산업

장기차트를 살펴보니 주가 움직임이 크지 않다. 변동성이 크지 않고 무엇보다 수익을 낼 자리를 찾기가 어렵다.

최근 들어 주가가 상승추세였다 밀리고 있었는데 오늘 6%대의 상승이 나왔다. 앞에 위꼬리가 긴 음봉이 있는데 이를 돌파할 수 있을지 볼 필요가 있다.

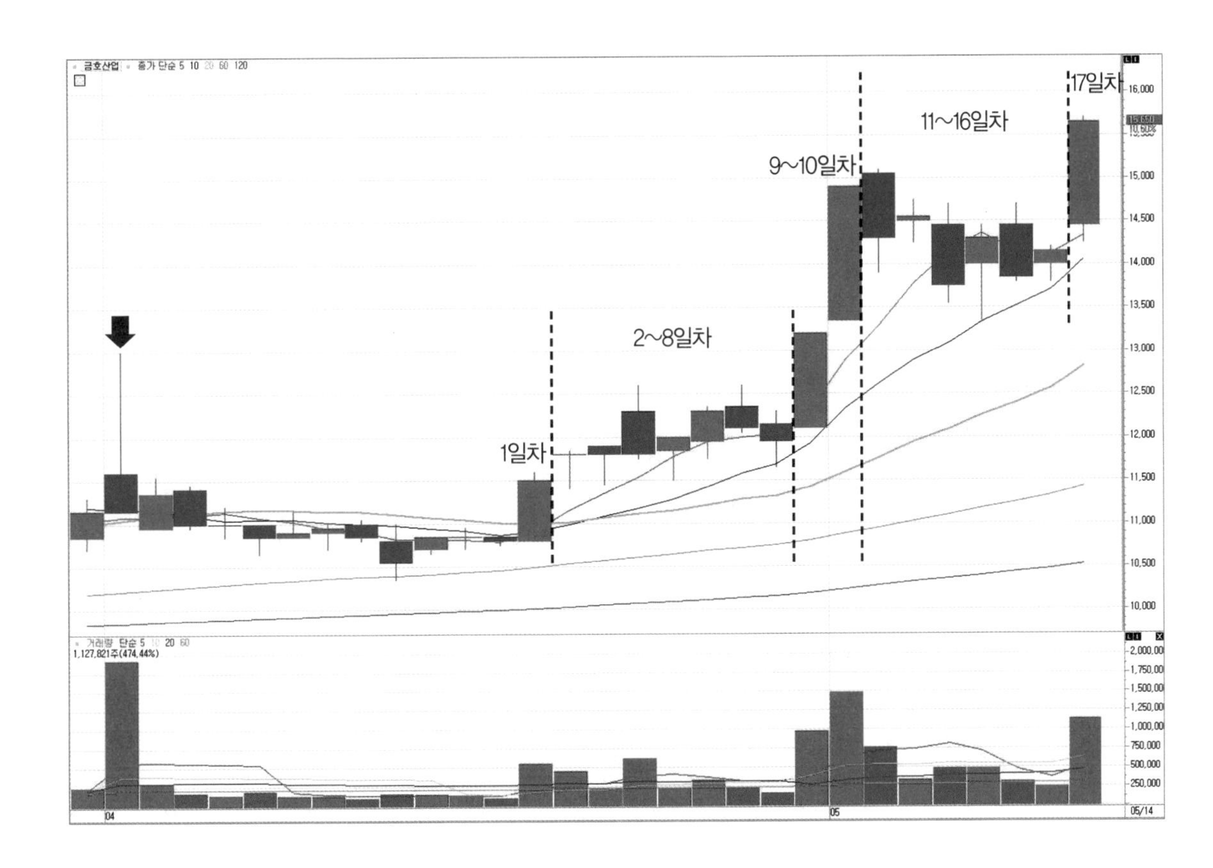

1일차 : 최근 상승추세가 꺾이고 20일선까지 주가가 밀리자 강한 반등 시도가 나왔었다. 완만한 상승추세를 넘어 강한 시세를 주려고 상승 시도를 하지만 장중에 매물을 받고 제자리로 돌아왔다. 이후 주가가 계속 밀렸는데 60일선을 찍은 다음은 밀리지 않고 있다. 그리고 오늘 6%대의 상승이 나왔다.

이런 종목은 강한 장대양봉이 잘 나오지 않는데 앞에 있는 큰 고점을 어떻게 넘을지 걱정이 된다. 앞에 있는 고점 돌파 시도를 해서 주가가 고점까지만 올라가더라도 적지 않은 수익을 올릴 수 있다. 도전해볼 만한 종목인지 계속 관찰해보자.

2~8일차 : 6%대의 상승이 나오고 전고점까지 치고 올라가지 못하고 있다. 역시 이런 종목은 바로 치고 올라갈 만한 강한 힘을 보여주진 않는다. 그런데 연속 지지캔들이 나왔다.

지지캔들을 잘 살펴보자. 1일차 양봉의 고점 부근에서 움직인다. 그리고 밀리면 밑에 꼬리가 달리면서 주가를 지지해 주고 있다. 앞의 고점과 함께 보면 위꼬리에 달린 매물을 소화해주고 있다.

양봉으로 추세를 돌려주고 전고점 위꼬리 매물을 소화시켜 주는 지지가 나와 준다면 상승할 가능성이 매우 높다. 거래량도 전보다 늘어나 있다. 앞에서 물린 투자자의 매물을 소화하면서 늘어나고 있는 것이다. 주가를 끌어올리려는 의사가 없다면 이런 차트를 만들 필요가 없다. 이런 차트는 올라갈 확률이 70% 이상이라고 보고 1순위로 대응 준비를 하자. 양봉이 나오고 지지캔들이 나오는 순간부터 관심종목에 집어넣고 매매 준비를 하면 된다.

9~10일차 : 양봉 이후 7일 지지캔들이 나오고 나서 연속 장대양봉이 나와주고 있다. 앞에 큰 매물을 쉽게 극복하면서 올라갔다. 연속 양봉을 보면 위에 꼬리가 없다. 그만큼 지지캔들에서 매집이 잘됐다는 거고 전고점을 뚫고 추가로 올라갈 가능성도 높았던 것이다. 첫 번째 매수 포인트는 지지캔들 이후 거래량이 증가하면서 첫 번째 양봉이 나올 때이고, 놓쳤다면 전고점을 돌파할 때다. 장중에 거래량을 체크하면서 매수에 진입하면 충분히 수익을 올릴 수 있는 종목이었다.

11~16일차 : 연속 양봉 후 추가 상승을 못하고 있다. 수익을 얻었으면 일단

매도하고 쉬는 것이 좋다. 이후 주가 흐름을 보니 거래량이 줄어들면서 상승하지 못하고 서서히 밀려 내려온다. 하지만 캔들이 이평선에 부딪치면 밑꼬리를 만들면서 지지해주고 있는 모습이다. 아직 끝나지 않은 것이다. 거래량이 점점 줄면서 고점에 들어온 물량을 소화해 주는 조정 구간이라 할 수 있다. 거래량이 증가하면서 다시 주가를 끌어올릴 때를 기다려야 한다.

17일차 : 주가가 갭상승 출발하고, 거래량이 유입되면서 다시 상승하고 있다. 미리 매수하지 말고 아침에 거래량이 유입될 때 진입하여 수익을 챙기고 나오는 전략이 좋다. 보통 강한 장대양봉으로 올라가는 경우가 많은데 이 종목은 10%의 상승으로 끝났다. 높은 수익은 아니지만 그래도 적지 않은 수익을 올릴 수 있는 양봉이었다. 짧게 수익을 올리고 나온다는 기분으로 접근하는 것이 좋다.

데이 바이 데이 분석 ❷ 성신양회

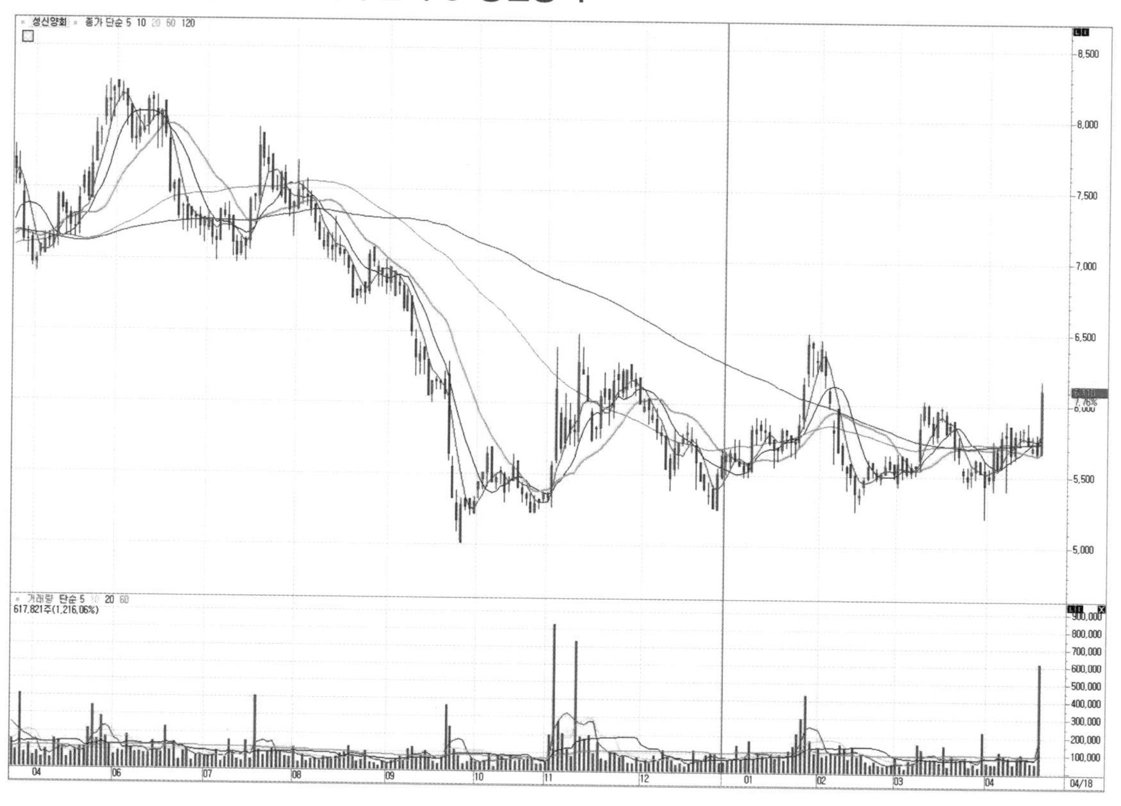

장기차트를 보면 전반기에는 하락추세다. 이후 7개월 정도 박스권이다. 주가가 상승하기 위한 시세를 주곤 하지만 연속성이 없다. 하지만 주가 바닥권을 보면 7개월 동안 주가가 특정 가격대를 깨지 않는 모습을 발견할 수 있다. 상승추세를 만들지는 못하지만 더 이상 주가가 하락하지 않게 관리되고 있는 것이다. 충분한 조정 기간을 거치면 크게 반등이 나올 가능성이 높은 종목인 것이다.

최근 주가가 바닥 지지를 받고 상승하려는 모습인데 한 번 자세히 살펴보자.

자세히 보니 확실히 주가가 바닥을 확인하고 있다. 쌍바닥을 넘어 삼중바닥으로 이 종목의 저점을 확인해 주고 있다. 바닥은 확인됐으니 올라가기만 하면 된다.

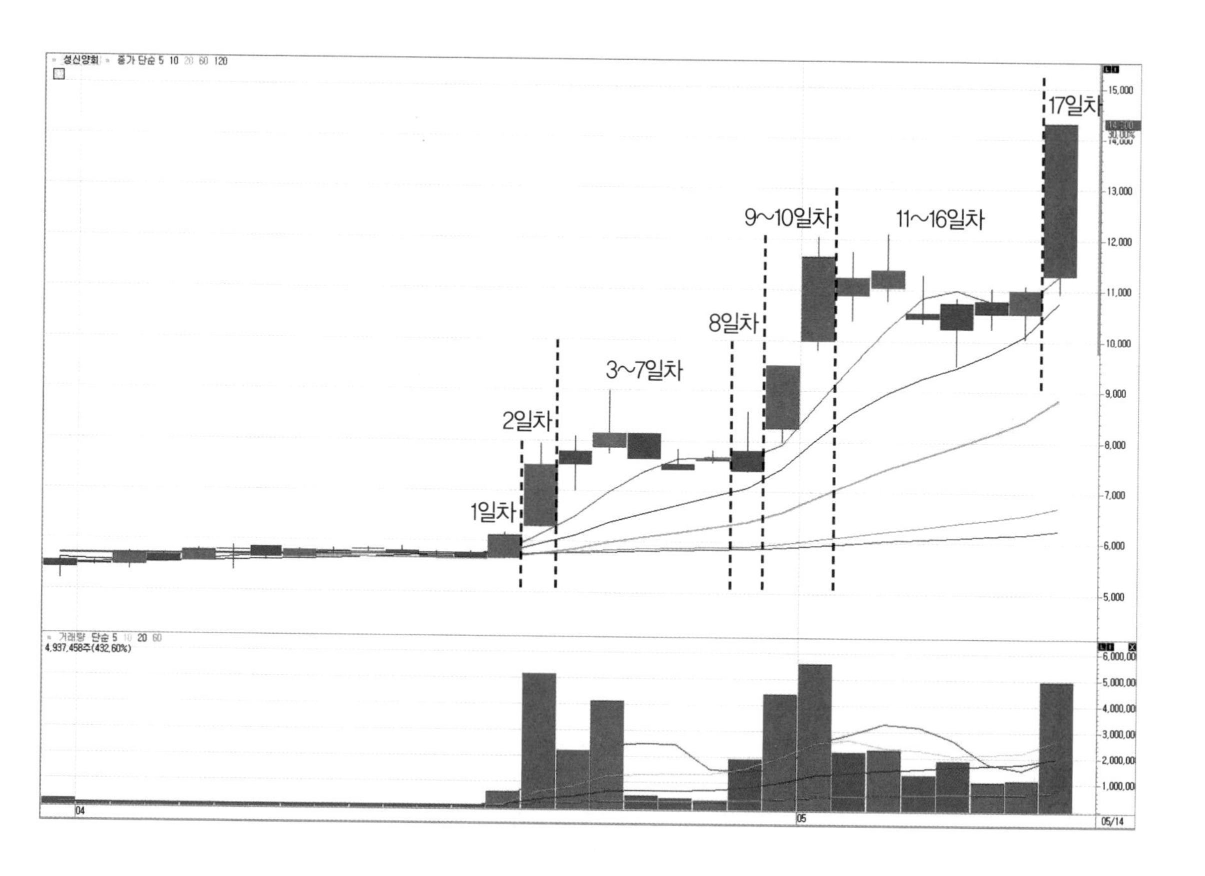

1일차 : 최근 밑꼬리를 달고 주가 바닥을 확인했는데 오늘 7%대의 상승이 나왔다. 바로 앞의 고점을 돌파한 모양새고 조그만 힘을 더 내주면 바닥권 고점까지 뚫고 올라갈 만한 에너지를 보여주고 있다. 문제는 바로 치고 올라갈 것인지, 아니면 조정을 받고 올라갈 것인지다. 보통 전고점까지는 물량 소화를 위해 천천히 올라가는데 바로 올릴 가능성도 있으므로 미리 매매 준비를 하고 거래량이 터지면서 주가가 올라가면 공략한다.

2일차 : 갭상승 출발하여 상한가 언저리까지 주가가 올라간 모습이다. 장중에 조금 밀리기는 했지만 장대양봉을 제대로 만들어 놓았다. 지금 보니 조정받고 올라가기에는 7%의 양봉은 너무 약했다. 이렇게 강한 장대양봉이 나온 후 조정을 받는 것이 일반적이다.

3~7일차 : 보통은 전고점 부근까지 주가가 올라간 후 조정이 나오는데 이 종목은 전고점을 뚫고 올라간 다음 조정이 나오고 있다. 지지캔들을 보면 장대양봉의 몸통을 훼손하지 않고 양봉 고점에서 지지되고 있다. 음봉이 많기는 해도 고가에서 주가를 이탈하지 않는 모습을 보면 매우 강한 지지라 할 수 있다.

8일차 : 5일 지지캔들이라 오늘 상승 시도가 나올 수 있었는데 장중에 강하게 끌어올리지 못하고 밀렸다. 이 경우 추가 지지를 예상할 수 있지만 오늘 거래량이 늘면서 상승 시도가 나왔다는 점을 보면 내일 바로 반등이 나올 수도 있다. 일단 언제 치고 올라갈지 모르기 때문에 관심을 계속 두고 거래량이 터져주면서 매수세가 강하게 유입되면 공략하는 것이 좋다.

9~10일차 : 조정 이후 장대양봉 두 개가 연속으로 나오면서 주가를 크게 끌어올리고 있다. 말이 장대양봉 두 개이지 올라간 주가를 보라. 7000원대이던 주가가 1만2000원을 찍었다. 단 2일 만에 주당 5000원이 올라간 것이다. 지지캔들 나오는 것을 보고 준비하고 있다가 거래량이 터질 때 진입했으면 단 이틀 만에 주당 5000원을 벌었다.

엄청나지 않은가. 발굴하기 어려운 종목이었나? 아니다. 바닥에서 올라가는 것 분석하고 체크만 했으면 됐다. 주식투자는 어렵게 하려면 얼마든지 어렵게 할 수 있다. 하지만 그게 돈을 벌어주지 않는다. 쉽게 하면서도 돈을 벌어야 제대로 된 주식투자다.

11~16일차 : 주당 5000원 벌고 기분 좋아 하고 있는데 주가가 추가로 올라가지 못하고 다시 지지가 나왔다. 이번에도 6일 지지캔들이다. 보통은 5일 단위로 지지되는 경우가 많지만 앞에서 6일이 선택됐기에 이 종목에 들어온 세력이 6일 단위로 작업한다고 판단할 수 있다. 이번에는 지지캔들이 이평선을 지지하고 있다. 이미 바닥에서 많이 올라온 상태이지지만 추가 상승 가능성이 열려 있는 것이다. 옆에 있는 동료만 돈을 벌어 배 아파 하고 있었다면 이번 기회를 노리자.

17일차 : 다시 상한가가 나왔다. 이번에는 확실히 수익을 올려 바닥에서 매수 못 해 쓰리던 속을 조금이나마 달랠 수 있었을 것이다. 이렇게 주가가 올라가는 것은 바닥에서 매수한 세력이 자신들이 가지고 있는 많은 물량을 수익을 올리고 정리하려고 하기 때문이다. 우리는 이를 이용해 급소마다 매수 진입하여 수익을 올리고 나오면 된다. 개인 투자자는 스스로 세력이 되지 않는 이상 세력의 움직임을 잘 파악해야 한다. 그렇게 한다면 부자는 아니더라도 주식으로 먹고살 수 있을 것이다. 그때까지 부지런히 노력하고 공부하자.

데이 바이 데이 분석 ❸ 이엑스티

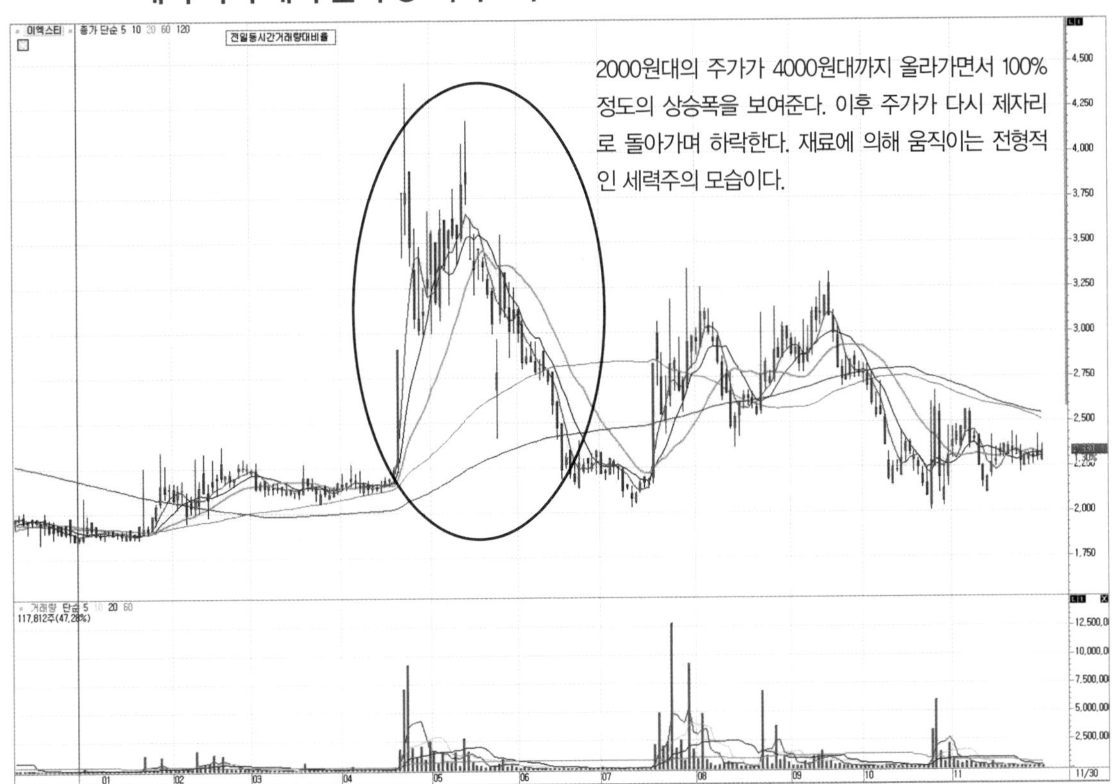

장기차트를 보면 4월에 주가가 갑자기 급등한다. 주가가 제자리로 돌아간 후에는 바로 반등이 나와 주는데 전고점까지는 올라가지 못했지만 그래도 50% 정도의 상승폭을 보여 주었다. 이후 고점에서 지지되는가 싶더니 이내 주가는 제자리로 돌아간다. 전체적으로 보면 2000원대에서 주가 지지력이 확인된다. 앞에 상승 파동이 나온 종목이기 때문에 다시 재료가 발생하거나 충분한 조정이 나오면 세력이 붙을 가능성이 매우 높다.

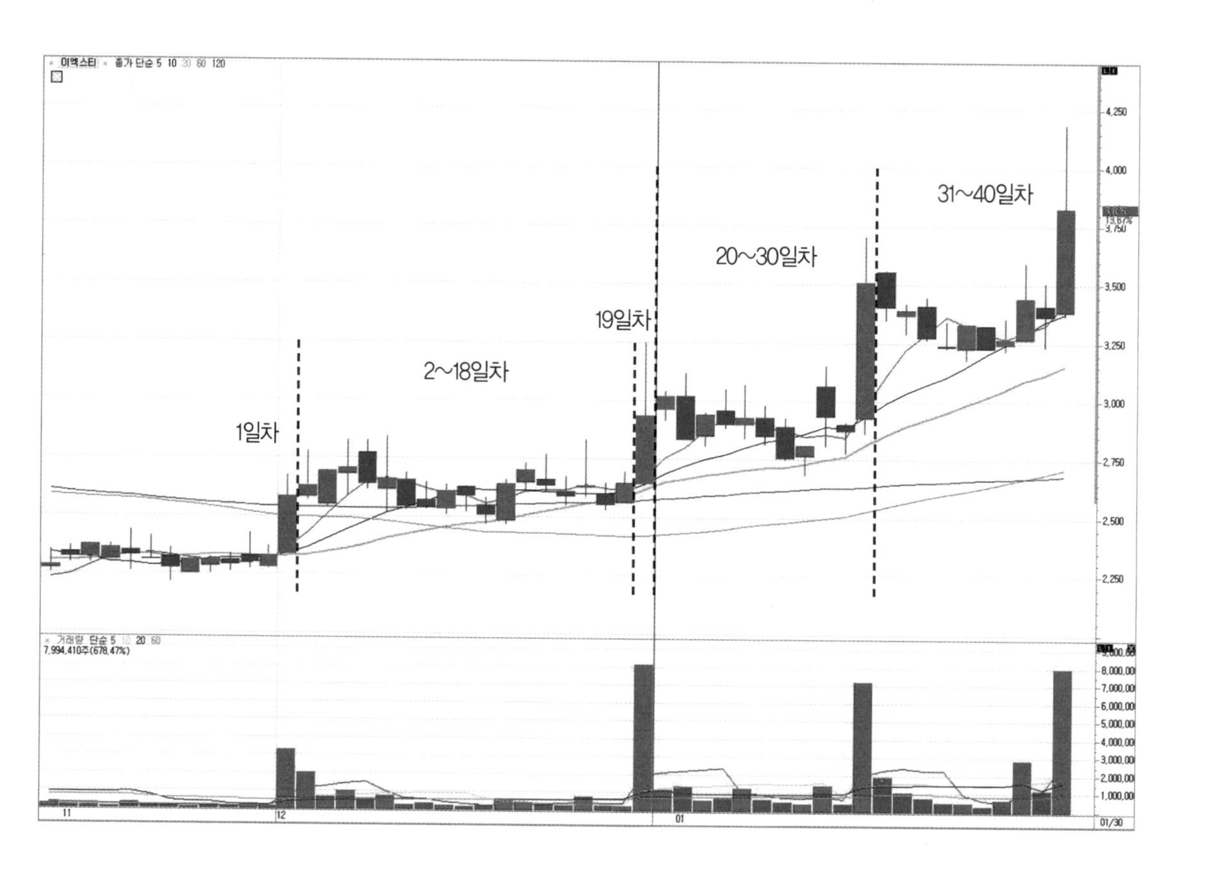

1일차 : 주가가 2000원대 바닥을 확인하고 횡보 조정을 받다가 오늘 10%대의 상승이 나왔다. 이평선을 돌파했지만 오늘 하루로 상승이 끝날지 확인이 안 된다. 하지만 최근 바닥 조정이 충분했다는 점과 세력주라는 점에서 추가적인 움직임을 체크하는 것이 좋다.

2~18일차 : 10% 상승 이후 주가가 올라가지 못하고 횡보하고 있다. 양봉의 힘이 강하지 않았기 때문에 바로 치고 올라가지 못한 것 같다. 주가를 일단

한 단계 올려놓기는 했지만 아직 물량 소화 기간이라고 생각할 필요가 있다. 이 정도 조정이면 세력주가 한 번 치고 올라갈 수 있기 때문에 지속적인 관심이 필요하다.

19일차 : 장대양봉 이후 주가가 횡보 조정을 받더니 오늘 강한 장대양봉이 나왔다. 장중에 매물이 쏟아지면서 밀리기는 했지만 앞의 고점의 매물을 소화해 주었다는 점에서 긍정적이다. 미리 관심을 가지고 있었다면 스윙매매는 어렵지만 장중매매는 충분히 가능한 상승폭을 가진 양봉이다.

20~30일차 : 이후 다시 횡보 조정을 받는다. 그리고 30일차에 다시 장대양봉이 나왔다. 그러고 보니 이 종목은 장대양봉 이후 짧은 조정을 받고 올라가는 것이 아니고 긴 시간 지지캔들이 나온 후 계단식으로 주가를 끌어올리고 있다.

기간을 예측할 수 없는 지지캔들 이후 장대양봉이 나오기 때문에 스윙매매보다 장중 거래량이 터질 때 단기매매로 접근하는 것이 좋아 보인다. 다음도 일정 기간 횡보 조정을 받다가 장대양봉이 나올 것이다.

31~40일차 : 역시 예측대로다. 2주 정도 횡보 조정을 받고 다시 장대양봉이 나왔다. 일단 매수하고 기다리는 스윙매매보다 관심종목에 넣어 두고 거래량이 터질 때 데이트레이딩하는 하는 것이 좋아 보인다. 짧게 들어갔다 나오면서 수익을 챙기는 방법이 어울리는 종목이다. 이렇게 계단식으로 올라가는 종목을 종종 발견할 수 있는데 전형적인 상승패턴이니 잘 연구하면 큰 수익으로 연결할 수 있다.

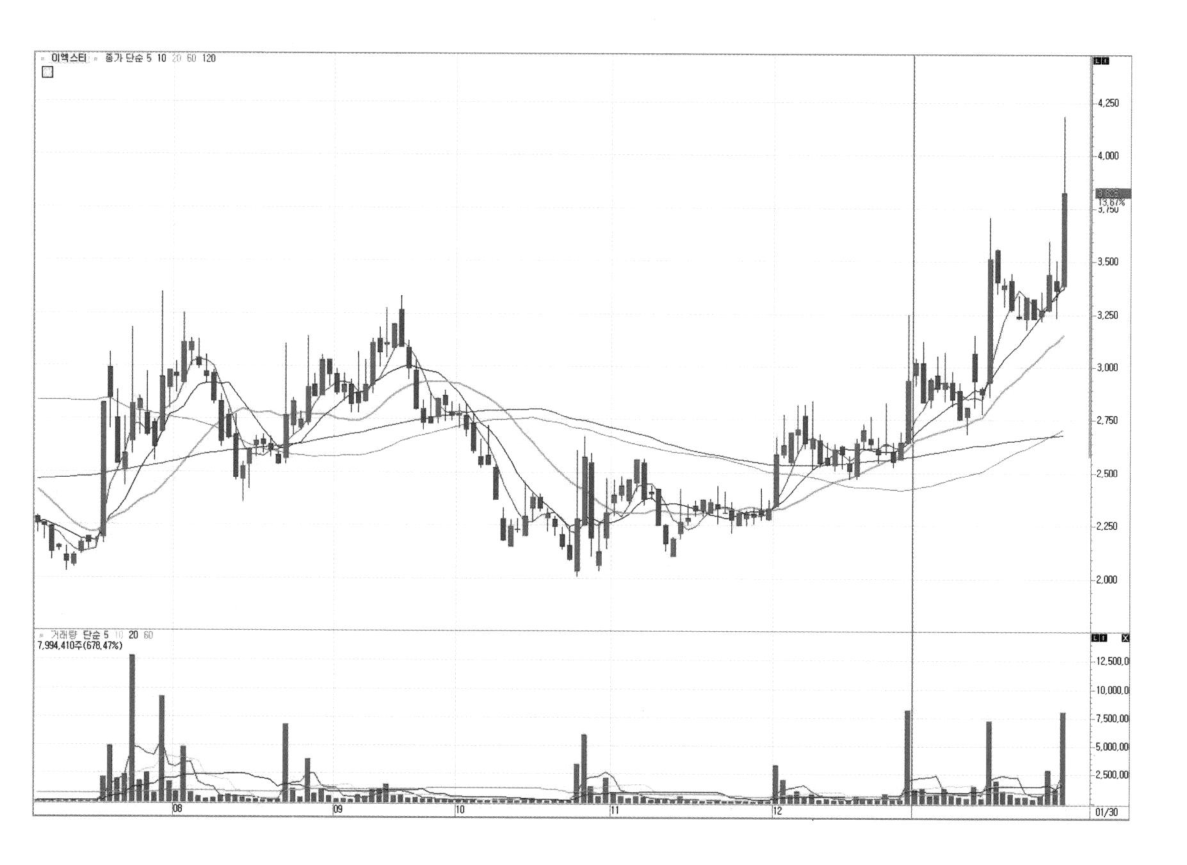

차트를 장기적으로 보니 앞의 고점을 계단식으로 극복하는 것을 확실히 알 수 있다. 이런 상승이라면 주가를 끌어올리는 장대양봉만 공략하고 남는 시간은 다른 종목을 매매하는 것이 효율적이다. 돈이 많다면 일부 이 종목에 묻어둘 수도 있겠지만 여유가 없다면 먼저 기회가 오는 다른 종목을 매매하는 것이 자금 관리에 유리하다.

데이 바이 데이 분석 ❹ 태양금속

장기 하락추세에 있는 종목으로 중간에 반등 시도가 나왔지만 성공하지 못하고 다시 하락추세를 이어가고 있다. 중간에 상승 시도를 꾀했던 단기 세력도 성공하지 못하고 나간 모습이다. 이후 2개월 넘게 하락하다 바닥을 찍고 다시 2개월 동안 주가가 횡보하고 있다. 주목할 시점이기는 하나 여기서 3단 하락할 가능성도 있다. 주가가 횡보만 하고 있을 뿐이지 어떤 상승 신호도 나오지 않고 있다. 이후에 주가가 어떻게 변하는지 살펴보자.

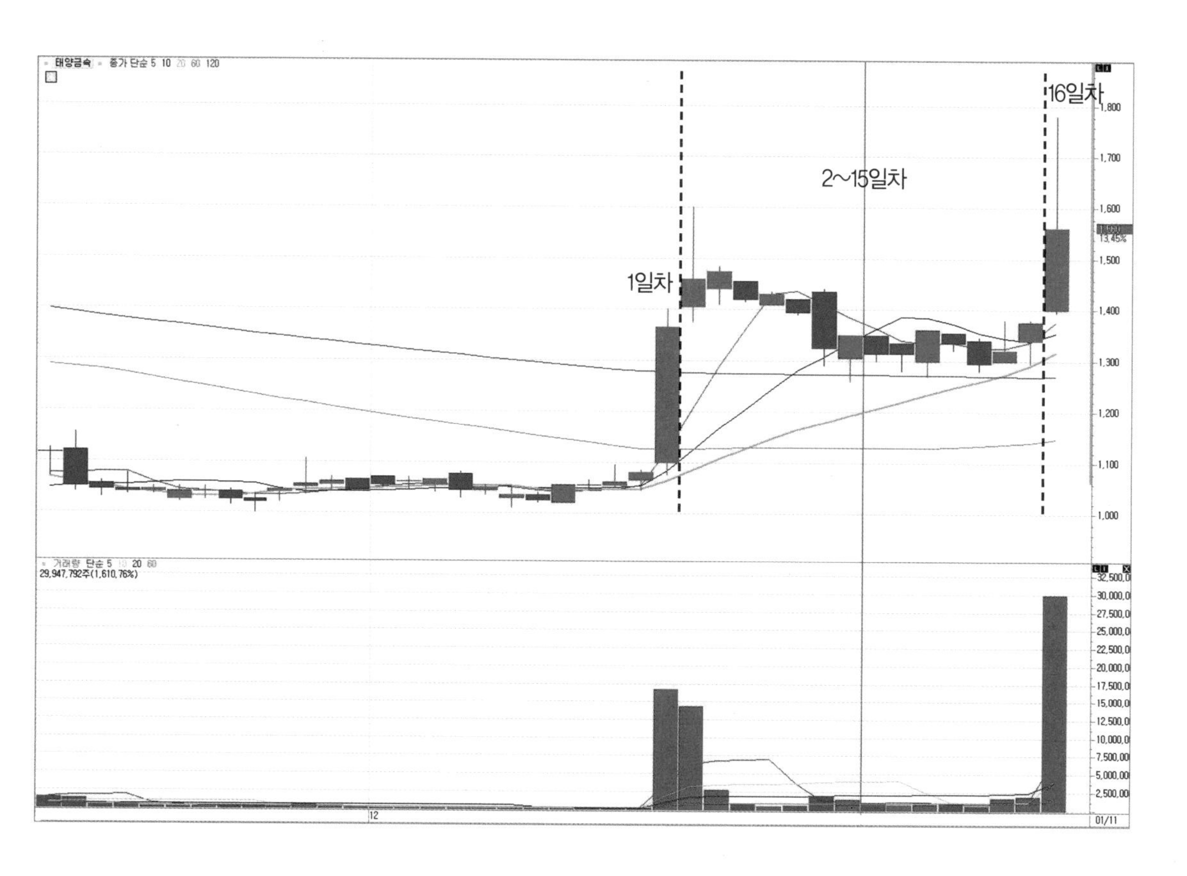

1일차 : 26%로 상승한 강한 장대양봉이 나왔다. 전에 볼 수 없던 엄청난 거래량이 터졌다. 횡보하는 종목은 에너지 응집 과정에 있는 종목이다. 그래서 상승 가능성이 높다고 보고 미리 선취매 하는 경우가 많다. 하지만 에너지 응집만 되는 것이지 그게 상승으로 이어지는 것은 아니다. 횡보하는 종목은 거래량이 터지는지 확인하고 매수해야 한다.

일단 횡보하던 종목이 강한 장대양봉으로 상승 마감하였다. 장대 양봉을 먹었으면 좋았겠지만 수익을 얻지 못했다 하더라도 실망할 것 없다. 다음 주가 흐름이 어떻게 되는지 살펴보자.

2~15일차 : 강한 장대양봉이 나온 다음 상승 시도가 나왔지만 더 이상 상승하지 못하고 밀리고 있다. 일단 상승 시도가 실패한 모습이다. 장기차트를 보면 하락추세 중간에 상승 시도를 했는데 실패했다. 지금도 유사한 패턴이 만들어졌다. 그런데 전과 다른 점은 주가가 다시 하락추세로 들어서지 않고 앞의 장대양봉의 중간을 깨지 않고 지지되고 있다는 것이다.

그리고 이틀 동안 거래량이 증가하고 있다. 만약에 단기 세력이 실패하고 나갔다면 주가를 지지해줄 필요가 없다. 그냥 털고 나가면서 차트가 망가져야 했다. 하지만 오히려 차트가 만들어지고 있다. 장대양봉을 만든 세력이 아직 남아 있다는 의미다. 그렇다면 추가 상승이 가능하다. 관심종목에 세팅해 놓고 기다려 보자.

16일차 : 상승 파동이 나오고 있다. 앞에 장대양봉에 들어온 세력이 주가 상승을 이끌어 냈다. 비록 13%에서 상승을 마감했지만 장중에 상한가 직전까지 주가를 끌어 올리면서 이 종목을 노리던 투자자에게 큰 수익을 안겨 주었다.

종목을 찾는 건 어렵지 않다. 눈으로 보면 그냥 지나칠 수 있지만 차트를 자세히 들여다보고 주가가 왜 올라갈 자리인지를 찾아보면 수익을 올릴 수 있는 종목은 언제나 나온다.

하지만 전문가가 아닌 이상 매일 이런 종목을 잡을 수 없고 매일 수익을 얻을 수 없다. 그러나 아주 보수적으로 일주일에 한 종목만, 아니 한 달에 한 종목만 잡을 수 있다고 해보자. 한 달에 10~20%의 수익이 가능하다는 뜻이다.

어디 가서 이런 수익을 올릴 수 있을까? 주식밖에 없다.

물론 고액을 가지고 있는 부자들이라면 이런 매매를 할 필요가 없다. 고액에 어울리는 투자 방법도 아니고 그런 부자들은 이런 투자 방법에 관심을 가지지 않는다.

그러나 투자 금액이 몇 천만 원 정도라면 아니, 몇 백만 원이라면 부자들의 투자 방법을 따라 할 수도 없고 어울리지도 않는다. 그럴 때 이 매매방법을 당신이 실행한다면 가계에 정말 도움이 되는 돈을 벌 수 있다. 투자 금액이 크지 않기 때문에 큰 부자는 될 수 없더라도 유용하게 쓸 만한 돈을 벌 수 있다. 잘되면 그 이상도 가능하다. 이 정도면 노력할 만하지 않은가.

데이 바이 데이 분석 ❺ 푸른기술

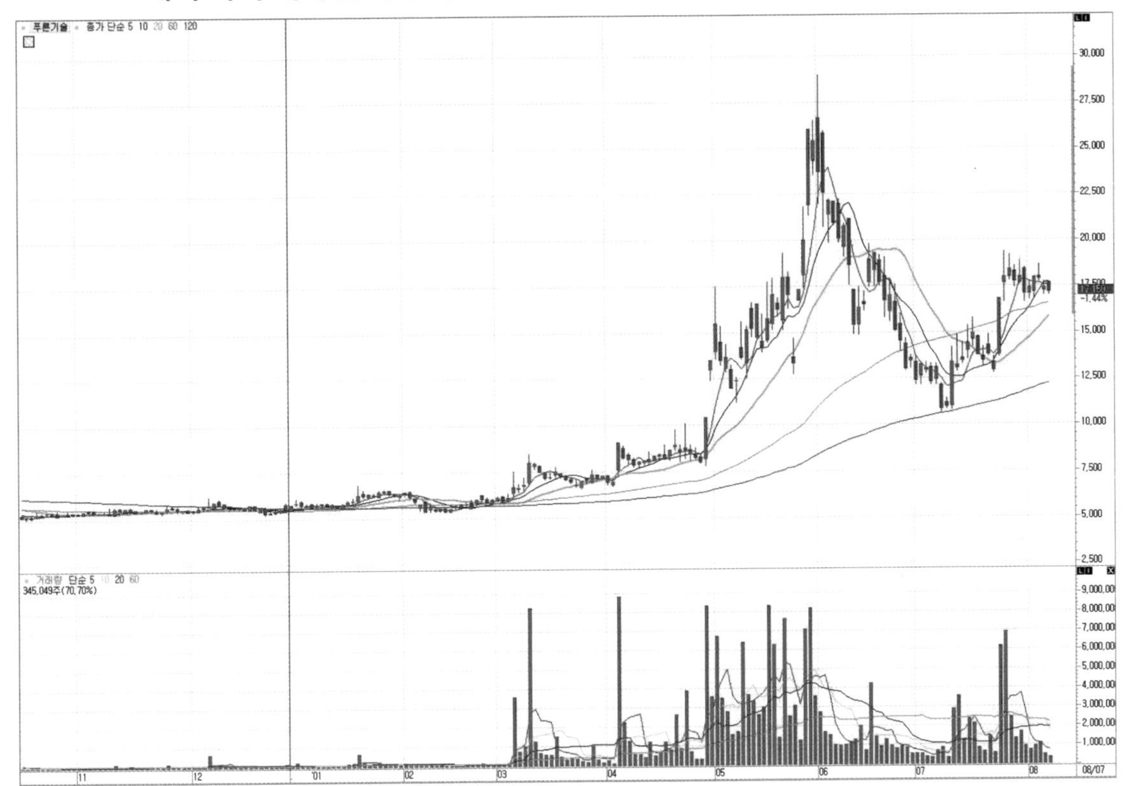

이 종목은 주가가 횡보하다 차트 중반부터 시세를 주기 시작한다. 6000원대의 주가가 3만 원 언저리까지 올라간 대시세 종목이다. 차트분석 요령과 약간의 운만 있었다면 이 종목의 상승 시세에 동참할 수 있었을 것이다. 발만 담가도 수익을 얻을 수 있는 종목이었다. 이후 주가가 급락하는데 거의 반토막이 난다. 그 다음 중기이평선의 지지를 받고 주가가 어느 정도 반등에 성공하고 있다.

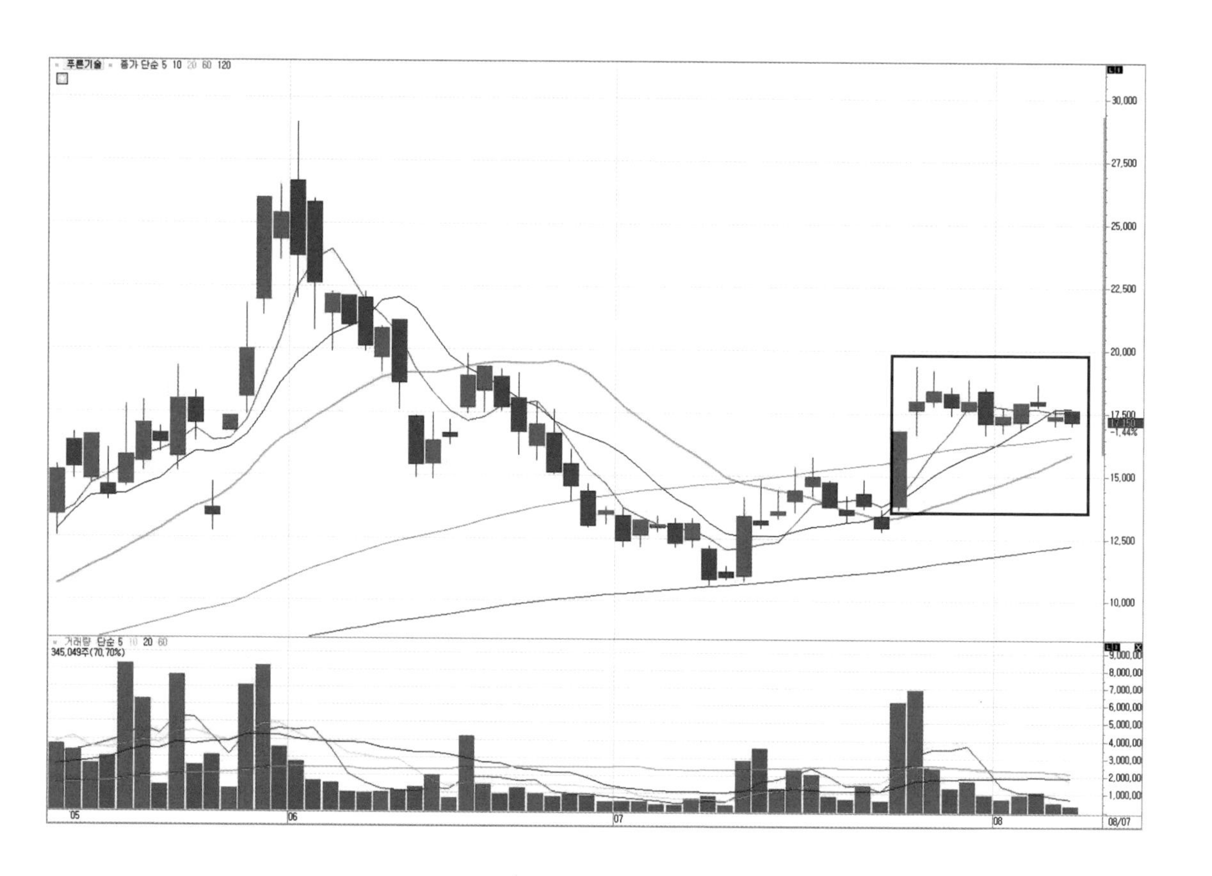

차트를 확대해 보니 주가가 120일선의 지지를 받고 상승하고 다시 장대양봉 이후 딱 10일 지지캔들이 나왔다. 이 지지캔들은 서서히 하락하고 있지만 장대양봉을 훼손하지 않고 있다. 장대양봉 위에서 주가가 놀고 있는 것이다. 앞에 대시세가 있는 종목의 반등 시도는 적지 않은 상승폭을 보이기 때문에 단기 투자자라면 놓치지 말고 공략해야 된다.

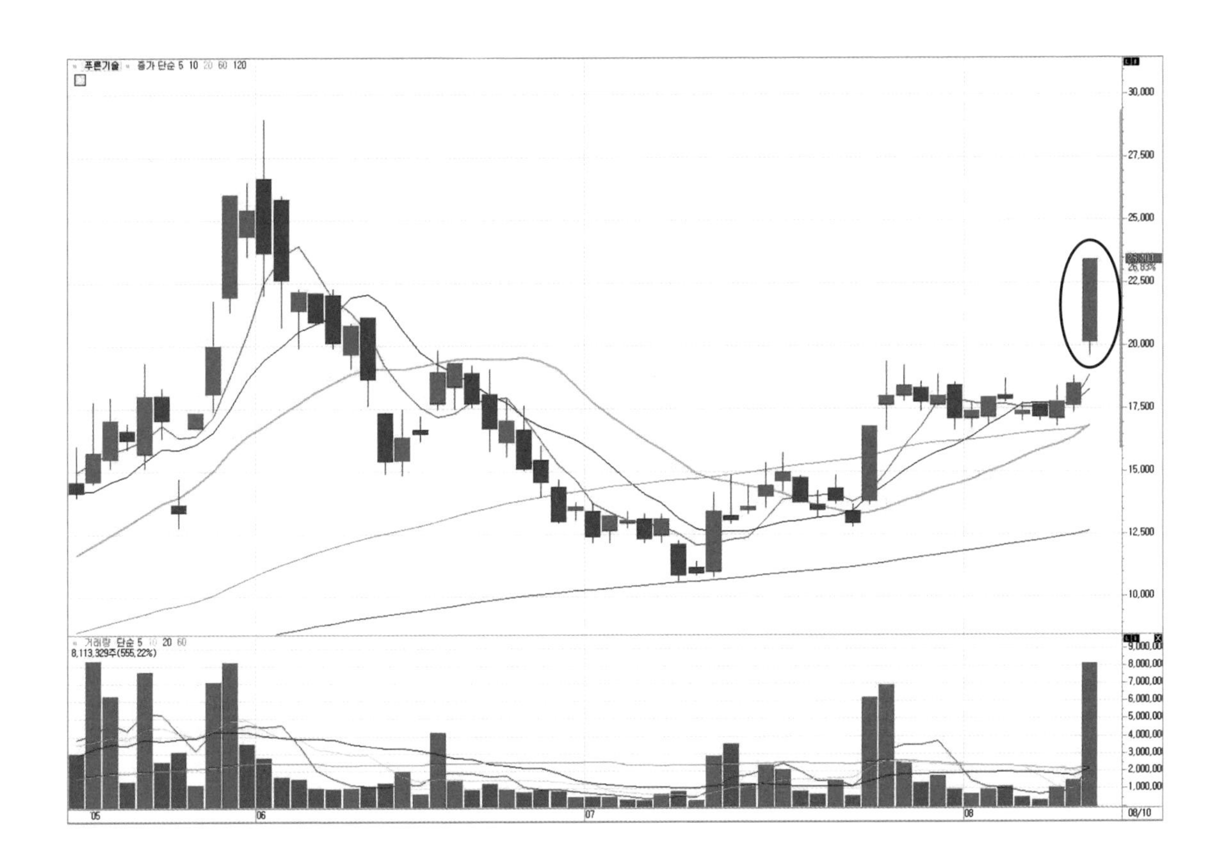

오늘 갭상승 장대양봉이 나왔다. 이 종목을 분석하여 매매 준비를 한 투자자라면 오늘 장대양봉을 놓치지 않고 공략했을 것이다. 10일 지지캔들 후 거래량이 늘어난 양봉 지지캔들이 두 개 더 나온 다음 갭상승 상한가가 나왔다. 지지부진하던 종목이었는데 상한가 다음 고가놀이 패턴이 나왔다. 충분히 상승을 예측할 수 있었고 대응이 가능했을 것이다. 실전에서 이런 패턴이 나오면 놓치지 말자.

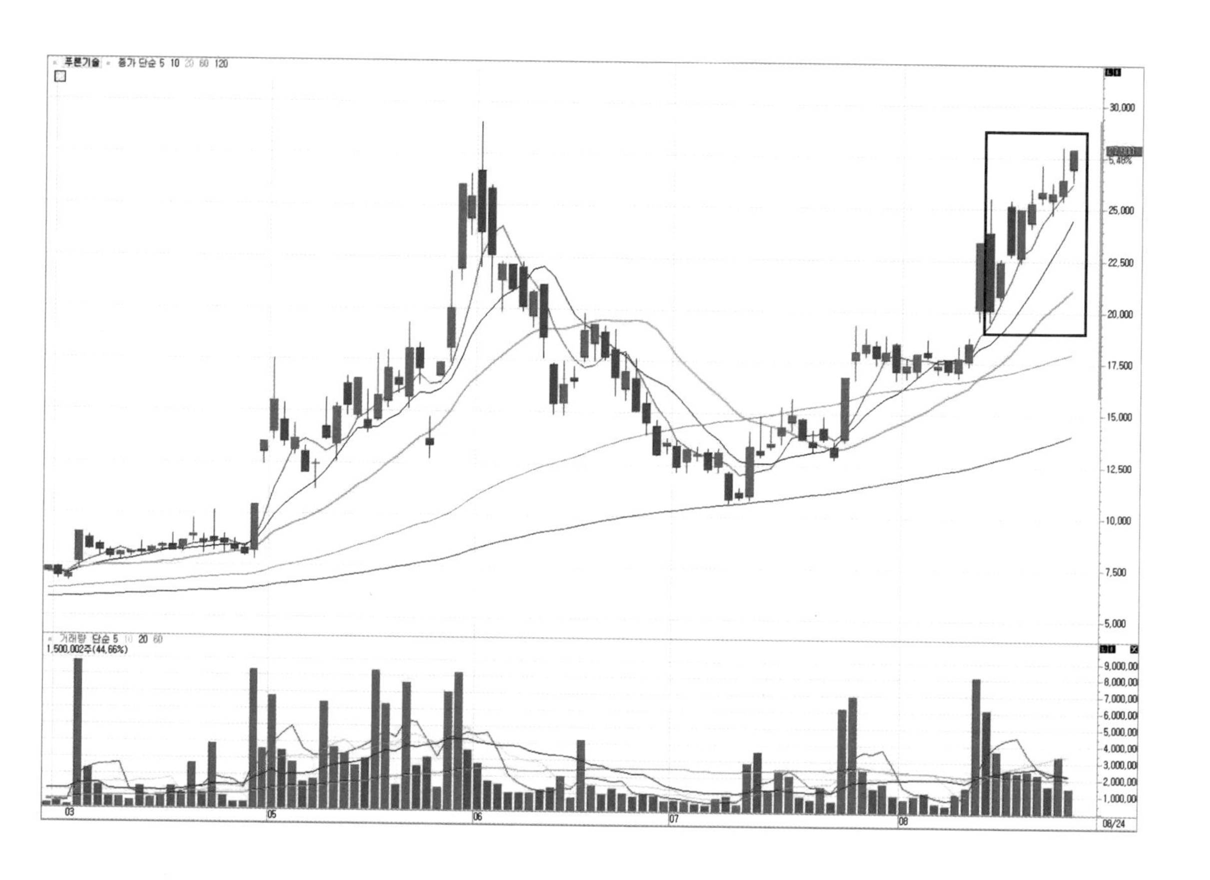

다음 날 장중 상승 시도가 실패하고 밀려 내려오는데 5일선을 이탈하지 않았다. 추가 상승이 있을 경우 양음양 패턴이 될 가능성이 높다. 음봉 다음 날 상승을 예상할 수 있는 것이다. 다음 날 역시 양음양이 나오고 주가는 전고점까지 올라갔다. 5일선 지지를 예측하고 매매 대응했다면 적지 않은 수익이 가능했을 것이다. 주가가 움직일 것을 예측했는데 그대로 움직이면 거기에 맞는 매매 대응을 하면 된다. 막연히 차트만 봐서는 절대 돈을 벌 수 없다.

Chapter 06

위꼬리 종목으로 1000만 원 수익 올리기

장중에 주가가 상승하면 장대양봉이 만들어진다. 하지만 매물이 쏟아져 밀리면 위꼬리가 달리게 된다. 매물이 많을수록 위꼬리는 길어진다. 캔들의 아래 꼬리는 매수세이지만 위꼬리는 매물이다. 길면 길수록 물린 투자자가 많다는 의미다. 위꼬리에 물려 있는 투자자는 손실이므로 본전만 찾기를 바란다. 그래서 주가가 올라오면 일단 매도하기 바쁘다.

그런데 이 위꼬리의 매물을 소화해 주는 경우가 있다. 매물이 있는 것을 알면서도 매수해 준다면 주가를 추가로 상승시킬 가능성이 매우 높다. 그렇지 않고서야 물린 투자자의 물량을 받아줄 이유가 없다. 이번에는 위꼬리 물량을 소화하는 종목을 찾아 수익을 올리는 방법을 배워보자.

데이 바이 데이 분석 ❶ 광림

장기차트로 주가 흐름을 살펴보자. 거의 9개월간 주가가 하락한다. 장기 하락추세 종목이다. 중간에 단기매매로 접근하는 투자자도 있을지 모르지만 장기 이평선의 저항을 받고 하락하는 모습이 이익을 줄 수 있는 종목이 아니다.

한번 벌어 보겠다고 덤볐다가는 손실을 입기 십상이다. 그런데 최근 주가 흐름이 반등 기미가 보인다. 우리가 접근할 수 있는 구석이 있는지 살펴보자.

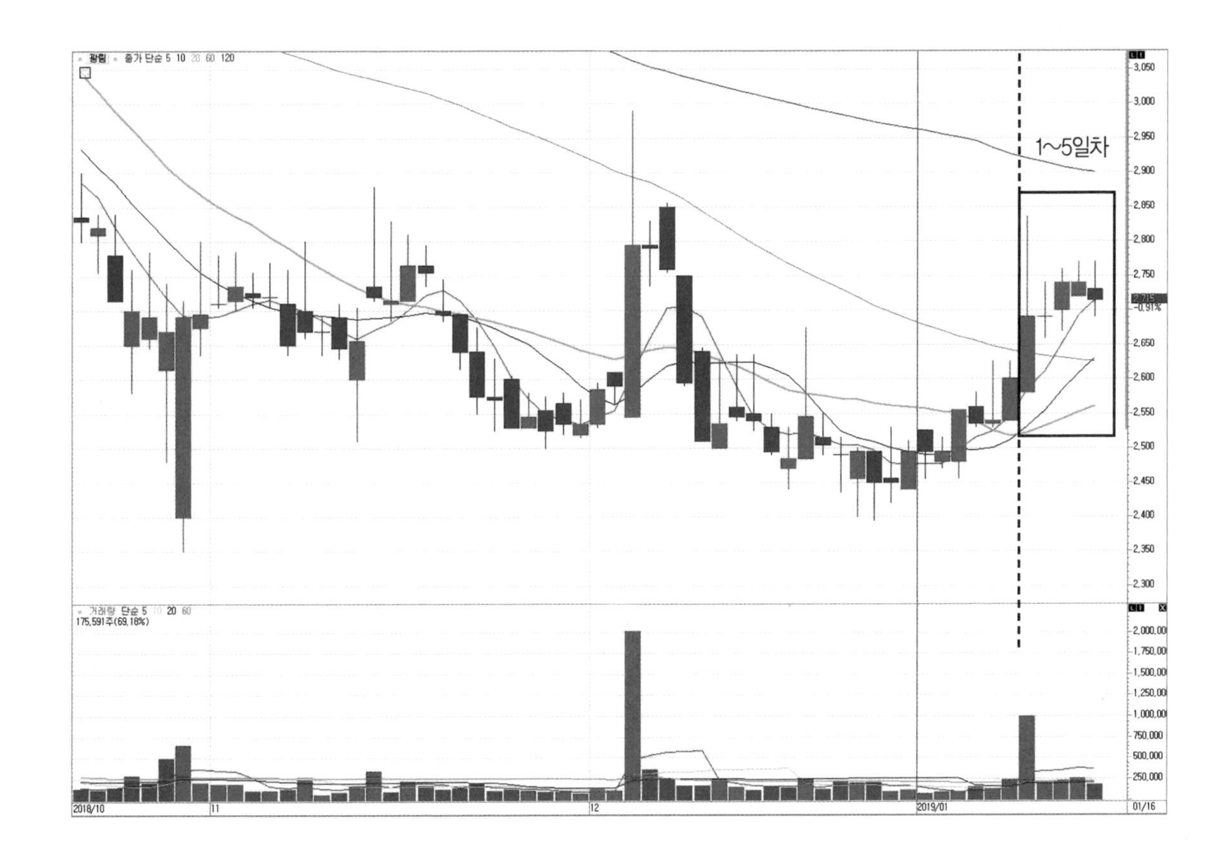

1~5일차 : 최근 위꼬리가 달린 장대양봉이 나온 후 4일 연속 지지 캔들이 나오고 있다. 앞에서도 장대양봉이 나왔다가 2일 지지캔들 이후 주가 반등에 실패했다. 차트는 만들어졌는데 왜 상승에 실패했을까? 거래량이 없기 때문이다.

하지만 상승 실패에도 불구하고 다시 주가를 끌어 올리고 있다는 점을 주목할 필요가 있고, 반등 시기에 도달한 장기 하락 종목이라는 점에서 관심을 가질 필요가 있다. 한마디로 지금 반등의 기미가 있다는 것이다.

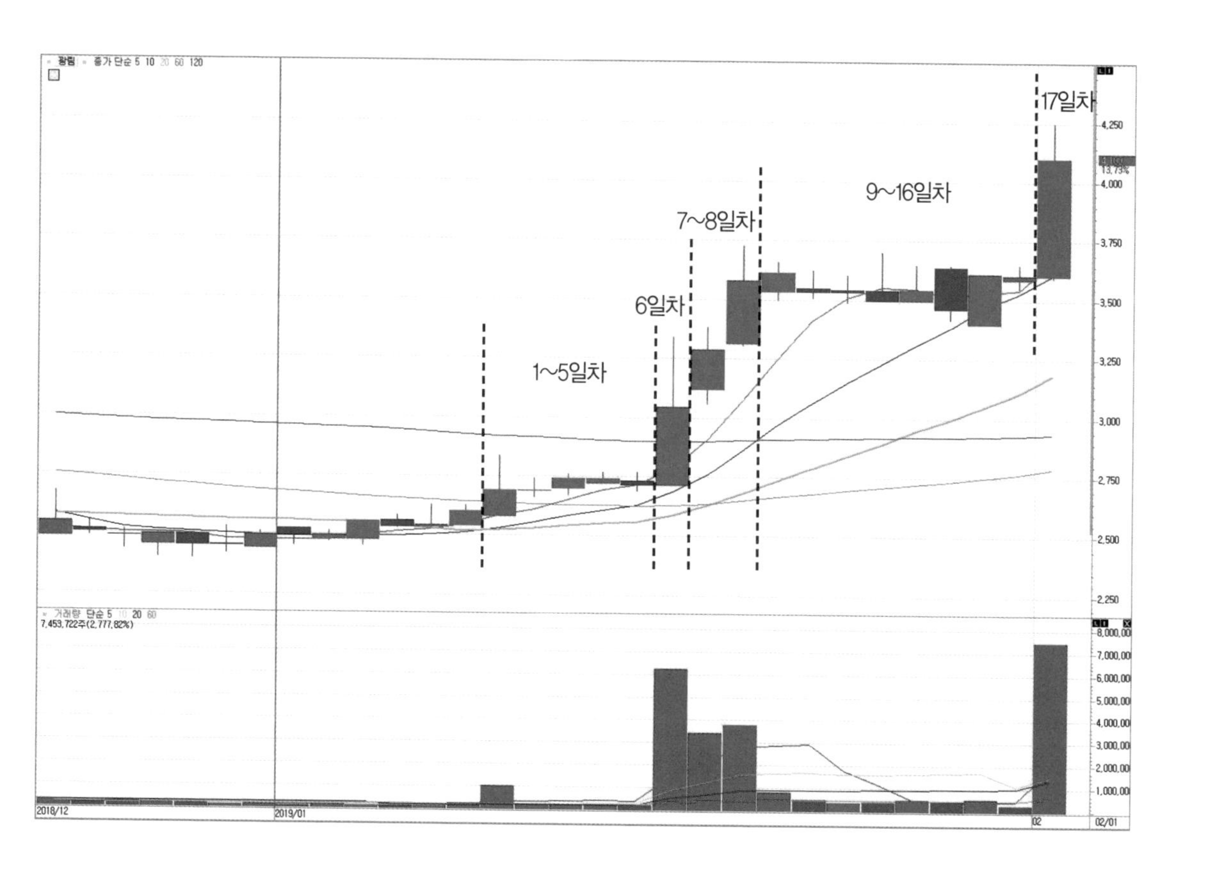

6일차 : 반등에 성공했다. 전에 볼 수 없었던 엄청난 거래량과 함께 주가 상승을 이끌어 냈다. 12% 상승으로 마감했지만 장중에 3300원까지 찍고 내려왔다. 장기 하락 종목에 상승 패턴이 나와 주목했는데 예측에 성공한 것이다. 수익을 챙기고 나오면 된다.

수익률은 개인 투자자의 진입 시기와 매도 시기에 따라 다르지만 일단 이 종목을 노린 투자자 누구나 수익을 거둘 수 있었다. 수익을 낼 수 있는 종목을 찾을 수 있다면 그 다음은 매매 타이밍만 찾으면 되는 것이다.

7~8일차 : 위꼬리 달린 양봉이 나온 이후 위꼬리를 극복하는 양봉이 나왔다. 이 캔들도 공략 가능하고, 거래량이 계속 터져주고 있기 때문에 다음 날 상승 캔들을 노려 들어가도 좋다. 이런 종목은 스윙으로 계속 끌고 가는 것이 좋은데 어렵다면 끊어 매매해도 좋다. 중요한 것은 이 종목을 놓치지 말고 수익을 내는 것이다. 이런 종목을 잡아 꾸준히 수익을 낼 수 있다면 부자까지는 아니더라도 월급만큼은 벌 수 있다.

9~16일차 : 추가적으로 상승하지 못하고 지지캔들이 나왔다. 만약 시세가 다한 종목이라면 어느 정도는 하락하는 것이 정상이다. 이 종목은 하락하지 않고 오히려 주가가 횡보했다.

바닥에서 1차 상승한 종목이 떨어지지 않고 지지캔들이 나오는 것은 아직 세력이 잔존해 있다는 것을 뜻한다. 세력이 아직 만족할 만한 수익을 얻지 못했거나 자신들의 물량을 처분하지 못한 경우다. 어느 경우이건 물량을 정리하기 위해 주가를 다시 끌어올릴 가능성이 매우 높다. 관심종목에서 빼지 말고 거래량이 터지기를 기다리면 된다.

17일차 : 8일 지지캔들이 나온 이후 거래량이 터지면서 주가가 상승하고 있다. 13% 올라가면서 수익을 올릴 수 있는 기회를 주었다. 바닥에서 상승하는 종목이 움직이면 적지 않게 상승하는 경우가 많다. 주가가 어느 정도 반등이 나올 때까지 관심을 버리지 말고 끝까지 추적하여 최대한 수익을 올려야 한다.

데이 바이 데이 분석 ❷ 엔에스엔

이 종목의 장기 추세를 살펴보자. 4개월 연속 주가가 하락하고 있는 것을 확인할 수 있다. 이번 달 들어 주가가 겨우 반등에 성공한 모습이다.

그런데 반등에 성공한 다음 우리가 눈여겨볼 만한 차트를 만들었다. 확대해서 어떻게 주가가 움직이고 있는지, 개인 투자자가 매매할 수 있는 모양새인지 살펴보자.

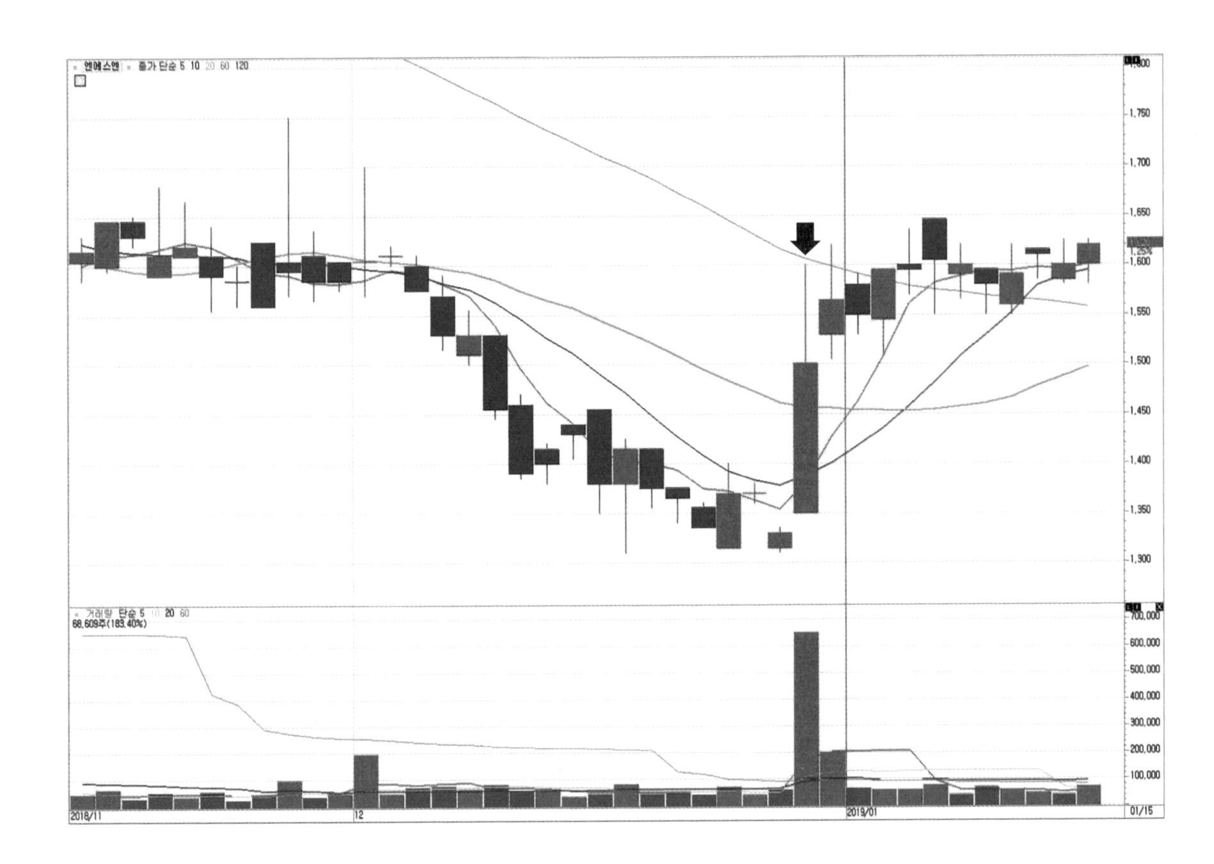

최근의 주가 흐름을 확대해 보았다. 주가를 상승 전환시킨 강한 장대양봉이 나온 이후 10일 동안 장대양봉의 위꼬리 부근에 지지캔들이 형성되었다. 위꼬리는 매물이다. 장대양봉 다음 날 매물을 소화해주는 양봉이 나왔을 뿐만 아니라 연속적으로 지지캔들이 나왔다. 눈여겨볼 만한 종목인 것이다. 특히 주가 하락을 마무리하고 바닥에서 지지캔들이 연속적으로 나왔다는 점에서 상승 에너지가 응집돼 있다고 판단할 수 있다.

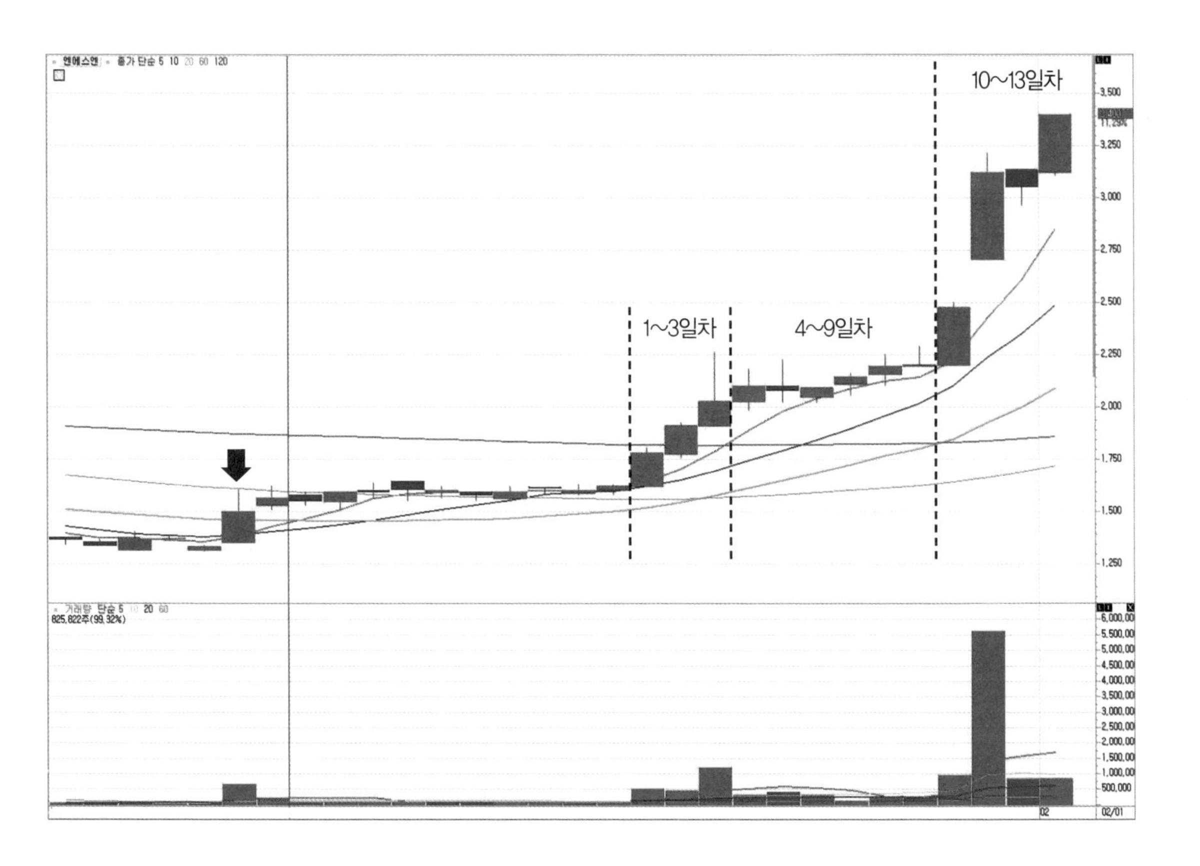

1~3일차 : 기대대로 거래량이 터지면서 상승하고 있다. 준비하고 있었다면 당연히 수익을 올릴 수 있었을 것이다.

복기하면 하락 전환을 시켜주는 장대양봉이 나왔고 여기서 밀리기는 했지만 다음 날 위꼬리 매물을 소화해주는 지지캔들이 나왔다. 여기서부터 주목해야 한다. 바로 다음 날 올라갈 수도 있기 때문이다. 하지만 10일 지지캔들을 만들면서 충분한 물량 소화 기간을 가졌다. 보통은 5일, 10일 단위로 지지캔들이 형성되는 경우가 많은데 이 경우는 10일짜리 지지캔들이다. 이제는 상승 에너지가 응집됐으니 오전장부터 거래량이 터지기를 기다리며 대응하면 된다.

초기 매수에 성공했다면 매도하지 말고 홀딩으로 대응하는 것이 좋다. 만약 1600만 원을 매수했다면 홀딩했을 경우 3일 만에 600만 원 이상 수익이 가능했을 것이다. 한 달에 이런 종목 하나 잡으면 억대 연봉자 부럽지 않다. 하루가 아니고 한 달이다. 스나이퍼가 한 번 저격하려고 기다리듯이 한 달에 한 종목 잡는다는 마음으로 진중히 매매하면 하나는 잡을 수 있다. 이리저리 왔다 갔다 하니까 수익을 전혀 내지 못하고 오히려 손실을 입는 것이다.

4~9일차 : 우리가 600만 원을 벌었건 일찍 매도해서 100만 원을 벌었건 중요한 건 수익을 올렸다는 것이다. 운이 좋아 3일차 양봉 후 위꼬리에서 매도했다고 치자. 이후 연속으로 지지캔들이 나왔다.

⬇부분에서는 주가 바닥에서 지지캔들이 나왔는데 이번에는 1차 상승 파동이 나온 이후 지지캔들이 나오고 있다. 다시 위꼬리를 극복하고 있다. 횡보 지지가 아니라 위꼬리의 매물을 천천히 극복해주고 있다. 처음에는 매물이 얼마 없기 때문에 횡보도 가능하지만 이번에는 상승한 상태이기 때문에 조심히 매물을 소화해주고 있는 모습이다. 둘 다 원리는 똑같다. 처음에 들어온 세력이 아직 상존해 있다는 것을 확인해주는 것이다. 세력이 아직 수익에 만족을 못하고 있다! 자신들도 수익을 올려야 보람이 있지 않겠는가. 이들이 물량을 털기 전에 주가를 다시 끌어올릴 것을 예측하고 기다리다가 거래량이 터질 때 다시 들어가면 된다. 처음 상승 파동에 100만 원 번 투자자도 다시 도전해서 수익을 올릴 수 있다.

10~13일차 : 다시 상승 파동이 나오고 있다. 거래량이 터지는 것을 보고 진입했으면 다시 수익을 올릴 수 있었다. 처음에 큰 수익을 얻은 투자자라면 스윙으로 계속 보유하는 전략도 가능하다. 처음부터 스윙으로 대응할지 수익을 챙기고 다시 매수 진입할지는 각 개인마다 실전에서 익힌 감과 실력에 달려 있다.

우리가 접근할 수 있었던 가격인 1600원대부터 시작하여 3400원까지 주가가 올라갔다. 100%의 상승이다. 100% 수익은 개인 투자자가 실전에서 정말 얻기 힘든 결과다. 초기부터 최상의 대응을 했다면 이 수익을 다 가져갈 수 있었던 것이고 중간에 짧은 이익에 만족하고 매도했다 하더라도 적지 않은 수익을 얻었을 것이다.

이런 수익은 쉽지 않다. 물론 돈이 많아 큰물에서 논다면 다른 얘기겠지만 우리에게는 그런 돈이 없다. 그럼 여기서 놓치지 말고 수익을 내야 한다.

중요한 것은 이게 어렵지 않다는 것이다. 차트에 보조지표 10개씩 달아 놓는다고 돈을 버는 것이 아니다. 내가 확실히 할 수 있는 것 하나만 있어도 돈을 벌 수 있다.

내가 돈을 벌 수 있는 방법 하나만 확실히 알자. 그러면 주식시장에서 살아남고 밥을 먹을 수 있다.

데이 바이 데이 분석 ❸ 유아이엘

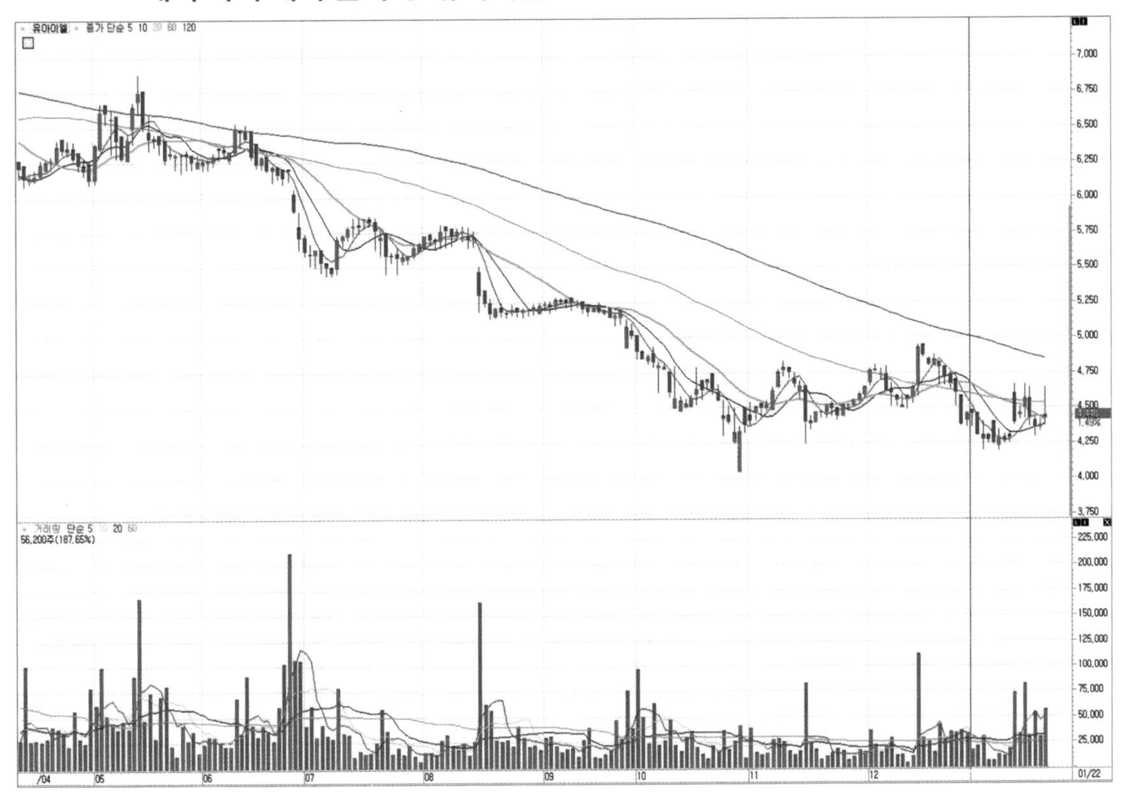

긴 하락 추세의 종목이다. 차트만 봐도 거의 9개월 동안 하락을 멈추지 않았다. 거의 7000원에 가깝던 주가가 4000원 초반까지 떨어졌다.

이 종목을 장기투자 한다고 들고 있었다면 투자 실패로 이어졌을 것이다. 물론 이렇게 하락하는 종목은 기업가치가 나빠지는 것이기 때문에 기업공시나 게시판에서도 알 수 있었을 것이다. 그런데 한 번 매수하면 알면서도 못 파는 것이 투자자의 심리다.

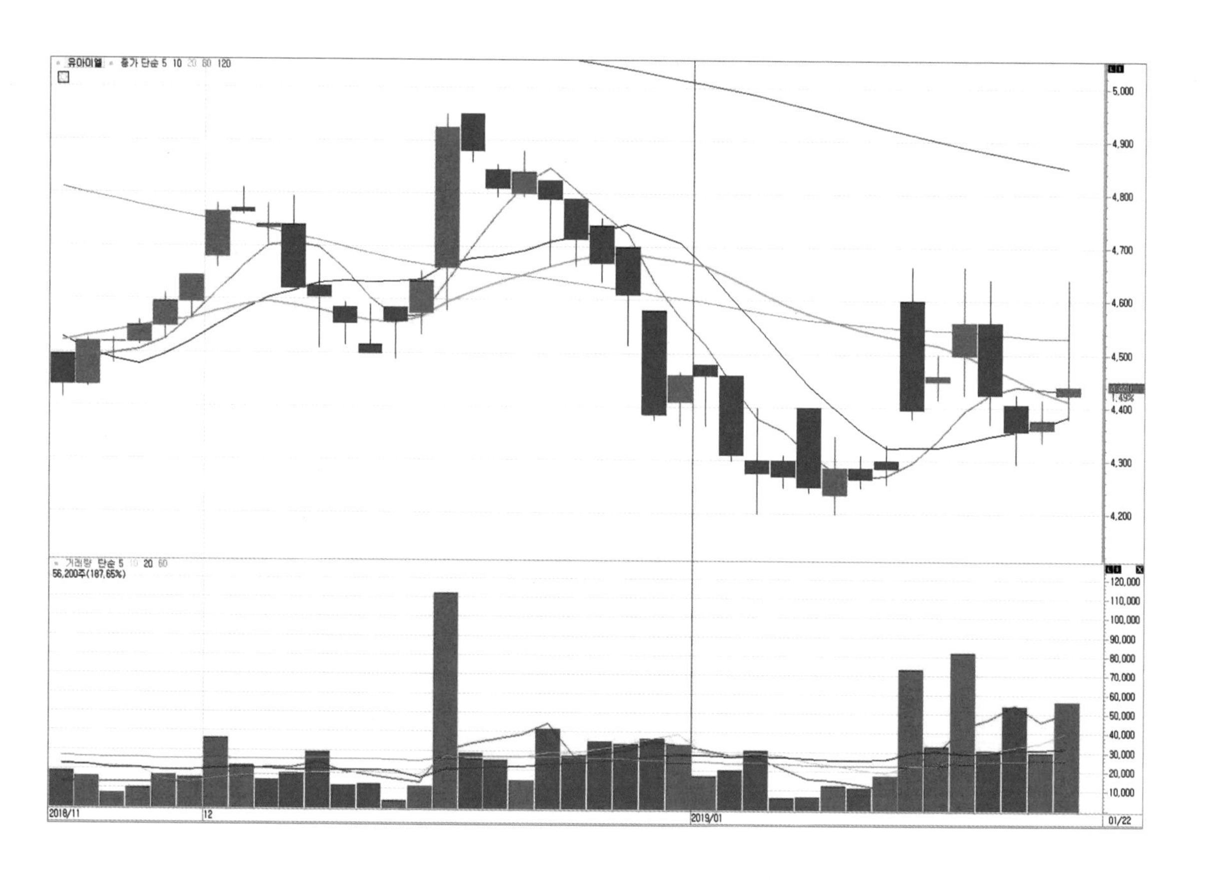

최근 주가 모습을 확대했다. 주가가 하락을 멈추었다. 상승은 나왔지만 아직 상승 파동이라고 말할 수 없다. 장기 하락한 종목은 상승 파동이 나올 수 있다. 단기 세력이 노리기 좋기 때문이다.

최근 거래량도 늘어나는 것을 보면 의미 있는 차트가 만들어질 가능성이 있다. 아직 우리가 원하는 차트가 만들어진 것은 아니기 때문에 접근하지는 않는다. 조금 더 흐름을 살펴보자.

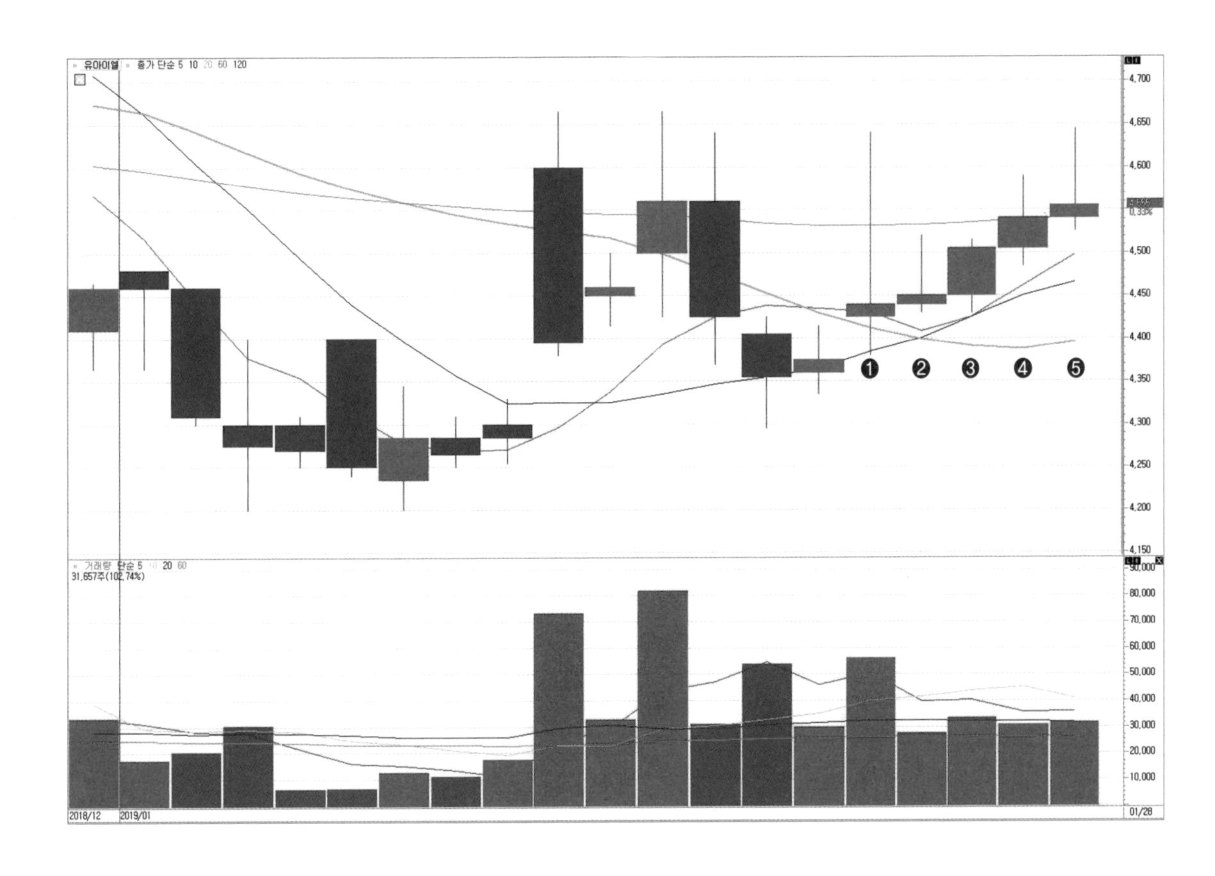

체크된 부분을 보자. 첫 번째 캔들이 앞의 고점을 넘지 못하고 밀리고 있다. 매물을 소화할 만큼 강한 매수세가 들어오지 못한 것이다. 이것만으로 세력이 물량을 매집하고 있는지 확인할 수 없다. 다음 캔들로 이를 확인해야 한다. 주가 흐름을 보자. 첫 번째 캔들의 위꼬리 매물을 연속적으로 양봉이 나오면서 소화해 주고 있는 모습이다.

❶번 캔들을 보면 장중에 주가를 올렸다가 밀린 모습이다. ❶번 캔들만 보고는 주가가 추가로 상승할 것인지는 알 수 없다. 오히려 주가가 매물을 받

고 밀릴 가능성이 높다. ❷번 캔들을 보자. 무너져도 어쩔 수 없는 ❶번 캔들이지만 ❷번 캔들이 ❶번 캔들의 물량을 소화해 주고 있다. 하지만 ❷번 캔들도 완벽하지 않다. 위꼬리가 달려 있기 때문이다. 때문에 ❷번 캔들의 위꼬리가 물량 소화인지는 아직 확실하게 알 수 없다. ❸번 캔들을 보자. ❷번 캔들의 위꼬리 물량을 소화해 주고 있다. 그러면서 ❶번 캔들의 위꼬리 절반을 극복했다. ❹번 캔들은 상승 확률을 더욱 높여주었다. ❶번 캔들의 매물을 거의 극복했다. 그리고 ❺번 캔들은 위꼬리가 달렸지만 ❶번 캔들의 고점에 있는 매물까지 모두 소화해 주었다.

세력이 없다면 이런 모습의 주가가 나올까. 절대 나올 수 없다. 누군가 주가를 관리하기 때문에 나온 차트다. 그러면 누가 이런 차트를 만들어 놓았을까? 세력이다. 그럼 왜 만들었을까? 주가를 떨어뜨리기 위해서? 아니면 매도하기 위해서? 아니다. 이건 주가를 끌어올리려고 만들어 놓은 것이다. 매물을 소화했으면 주가를 상승시키려 할 것이다. 당신의 돈도 소중하지만 세력도 자신의 돈이 소중하다.

바닥에서 앞의 매물을 소화했다면 상승 확률이 매우 높다고 보면 된다. 물론 100% 올라가는 것은 아니다. 주가를 끌어올릴 준비는 해놓았지만 시장 상황의 변화나, 세력이 예측하지 못한 매도세가 등장한다면 실패하거나 포기하고 나갈 수 있다. 그래서 항상 거래량이 터지는지 확인하고 들어가야 한다. 그러면 거의 세력과 같이 움직일 수 있다.

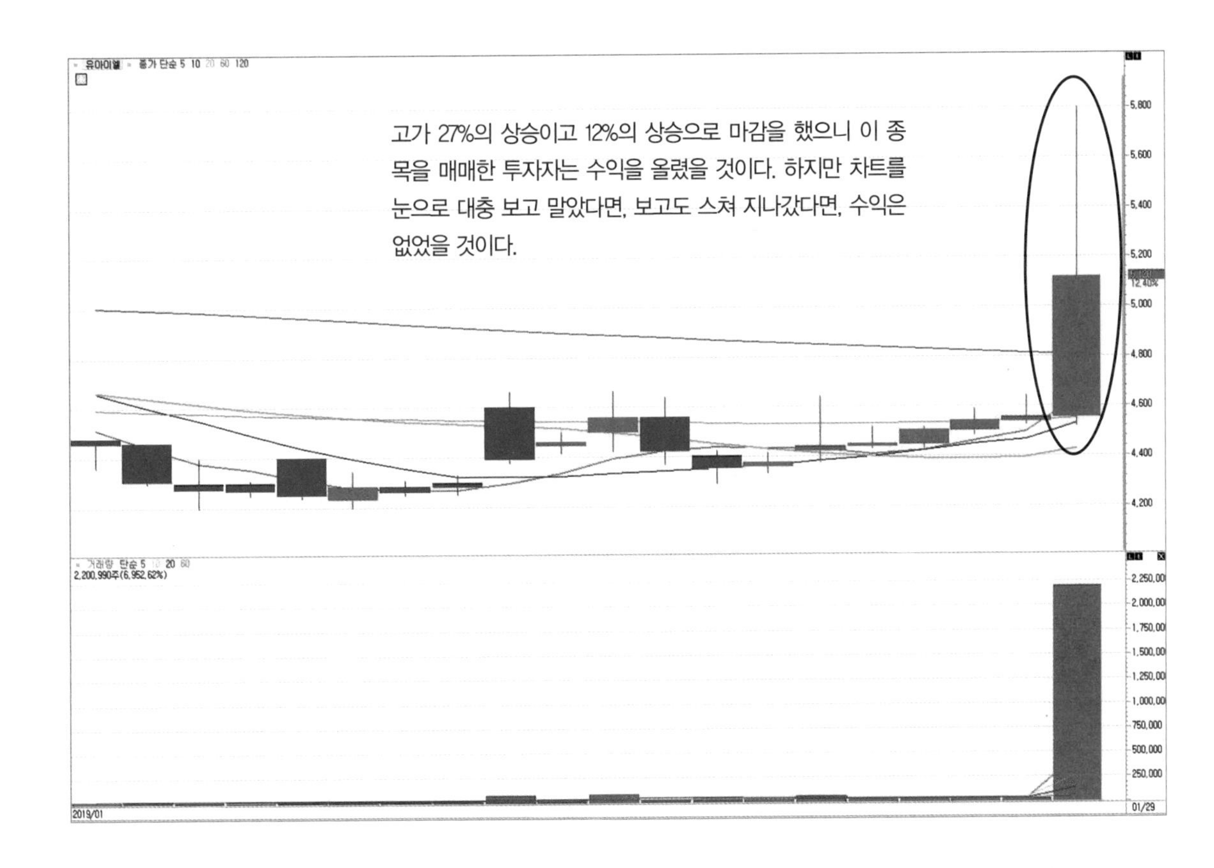

다음 날 주가를 끌어올리고 있다. 최고 27%까지 상승했고, 12% 상승으로 마감했다. 장중에 종목을 찾다가 발견했다면 손 빠른 투자자라도 쉽게 매수하지 못했을 것이다. 하지만 동작이 느리더라도 미리 준비한 투자자라면 매수가 가능했던 종목이다. 올라갈 줄 알고 준비한 종목이니 조금만 숙달하면 매수해서 수익을 낼 수 있는 것이다.

미리 종목을 발굴하여 실전에서 매매해보자. 그래야 실력이 늘어난다.

데이 바이 데이 분석 ❹ 일진홀딩스

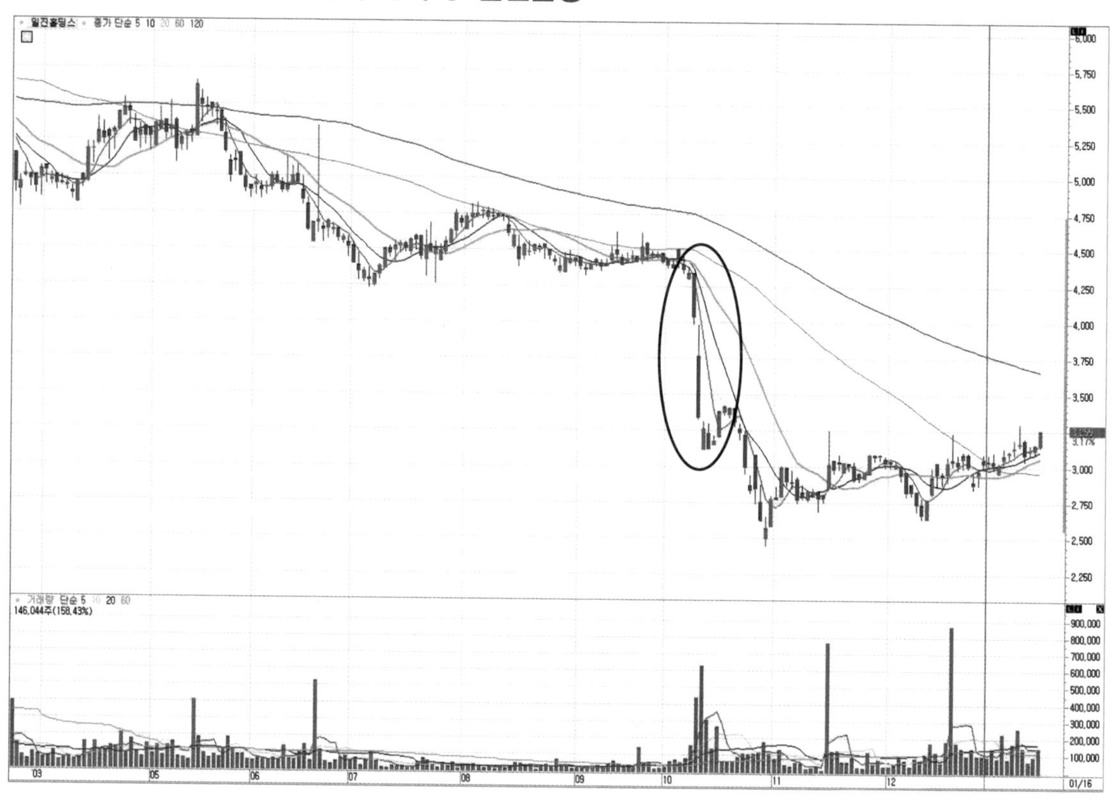

차트 전반은 완만한 하락추세다. 그러다 갑자기 주가가 장대음봉으로 급락했다. 보유자가 새파랗게 질린 만한 급락이다. 예전에는 하한가가 15%였다. 이를 이용한 하한가 매매도 있었다. 지금은 30%다. 이건 대책이 없다. 어느 때보다 손절이 중요하게 됐다. 어떤 종목이든지 매수하고 나서는 HTS에 있는 '스탑로스' 기능을 반드시 이용하기 바란다. 특히 장중에 쳐다보지 못하는 투자자라면 이 기능이 필수다.

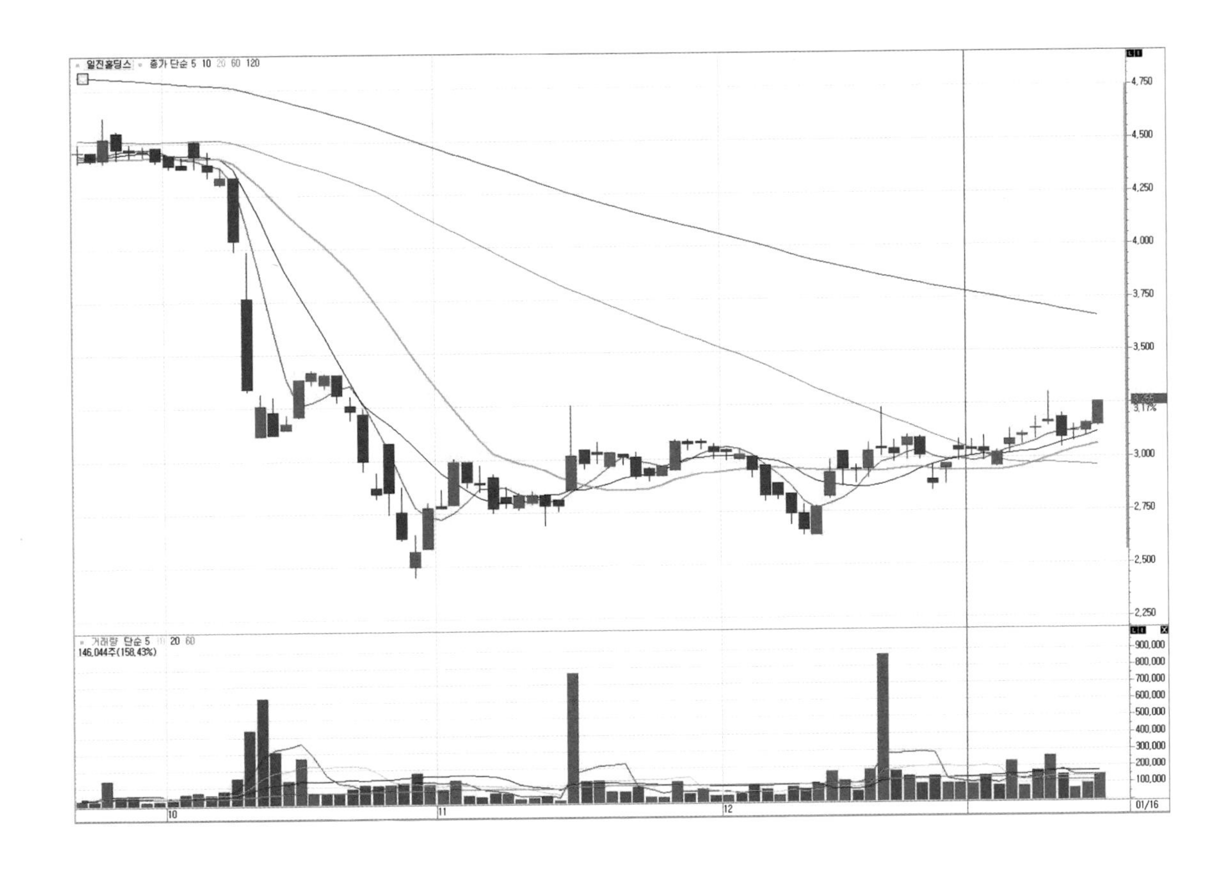

급락 이후 추가로 더 하락한다. 주가가 3000원 대를 이탈하지만 복구되면서 이 가격대에서 주가가 움직이고 있다. 최근 한 달간의 주가를 보면 저점이 서서히 올라가고 있음을 볼 수 있다. 주가 급락 후 어느 정도 기간이 지나자 매수세가 붙는 것이다.

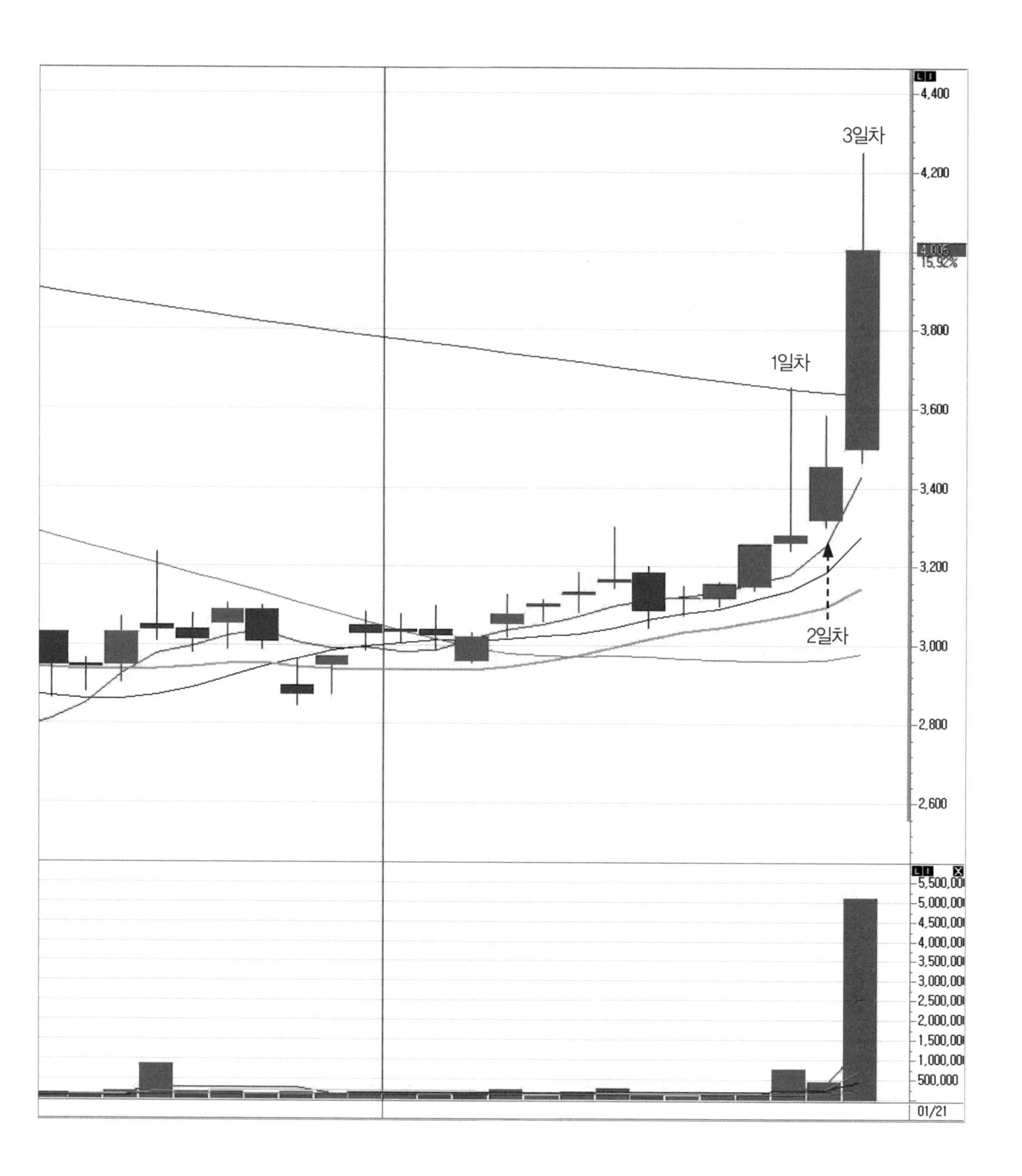
3일차
1일차
2일차
4,400
4,200
4,005
15.92%
3,800
3,600
3,400
3,200
3,000
2,800
2,600
5,500,000
5,000,000
4,500,000
4,000,000
3,500,000
3,000,000
2,500,000
2,000,000
1,500,000
1,000,000
500,000
01/21

1일차 : 주가가 점점 상승하기 시작하더니 장중에 강한 상승세를 보여주었다. 하지만 매도세의 등장으로 위꼬리를 길게 달며 밀린 모습이다. 앞에 급락했을 때 물린 투자자는 마음이 급하다. 조금만 주가가 반등하면 손실을 줄이는 차원에서 매도에 나설 것이다.

2일차 : 그런데 오늘 위꼬리의 매물을 소화해 주는 양봉이 나왔다. 위꼬리의 매물을 거의 극복해 주었다. 보통 위꼬리가 길게 나오는 것은 매도세의 등장으로 안 좋은 모습이다. 하지만 이를 양봉으로 극복해 주면 상황은 반전된다. 위꼬리 매물을 소화해 준다면 추가 상승을 예고하는 것이다. 특히 주가 상승 초기에 나온다면 신뢰도는 더욱 높다. 매수 대응하는 것이 당연하다.

3일차 : 위꼬리 매물을 극복하고 바로 오늘 강한 장대양봉이 나왔다. 매물 극복 의지를 읽고 대응했다면 오늘 양봉을 수익으로 만들었을 것이다.

캔들에서 세력의 움직임을 읽어 낼 수 있다면 주식투자에서 성공하는 기반은 마련한 것이다. 물론 모든 종목이 예상대로 움직이는 것은 아니다. 하지만 10개 중 하나만 맞는다고 해도 그게 돈이 된다. 그 하나를 위해 꾸준히 연습하고 노력해야 한다.

전고점 돌파 종목 하나면 1000만 원 번다

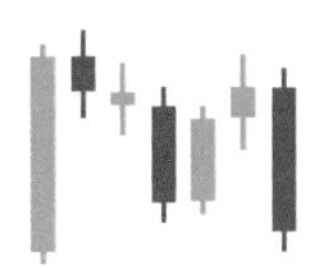

전고점이 있다는 것은 바로 앞의 고점에 물린 투자자들이 있다는 뜻이다. 고점찍고 내려온 구간 전부가 매물이다. 그런데 이 매물을 극복하고 주가를 올려주는 종목이 있다. 생각해 보자. 남의 매물을 왜 소화해 줄까? 주가를 끌어 올릴 생각이 아니라면 눈물에 젖은 매물을 받아줄 필요가 없다.

특히 전고점은 가장 비싼 매물이다. 이 매물이 소화된다면 주가는 쉽게 올라간다. 그래서 전고점 돌파 종목은 항상 매수 대상이다. 이번에는 어떤 전고점 돌파 종목을 찾아야 하는지 알아보자.

데이 바이 데이 분석 ❶ 우리기술

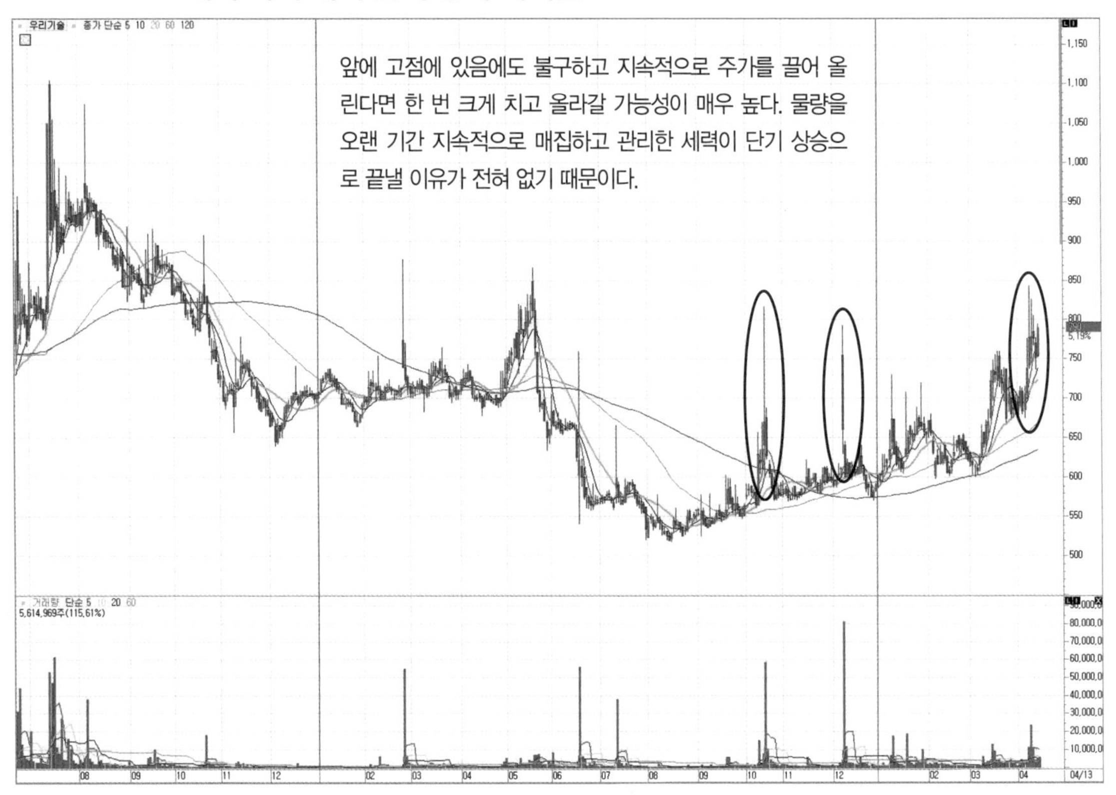

장기차트를 살펴보자. 전반기까지는 하락과 횡보를 보이고 있다. 하지만 버티지 못하고 2단 하락이 있었다. 이후 주가가 서서히 상승한다. 하락한 주가를 서서히 물량 소화하면서 올려주고 있는데 중간에 강한 상승으로 주가를 끌어올리려는 시도가 있었다. 하지만 성공하지 못하고 전부 일회성 파동으로 마감한다. 그러다 최근 실패한 상승 시도 부근까지 주가가 완만히 올라간 모습이다. 단기 시세를 원한다면 이렇게 매집하지 않는다.

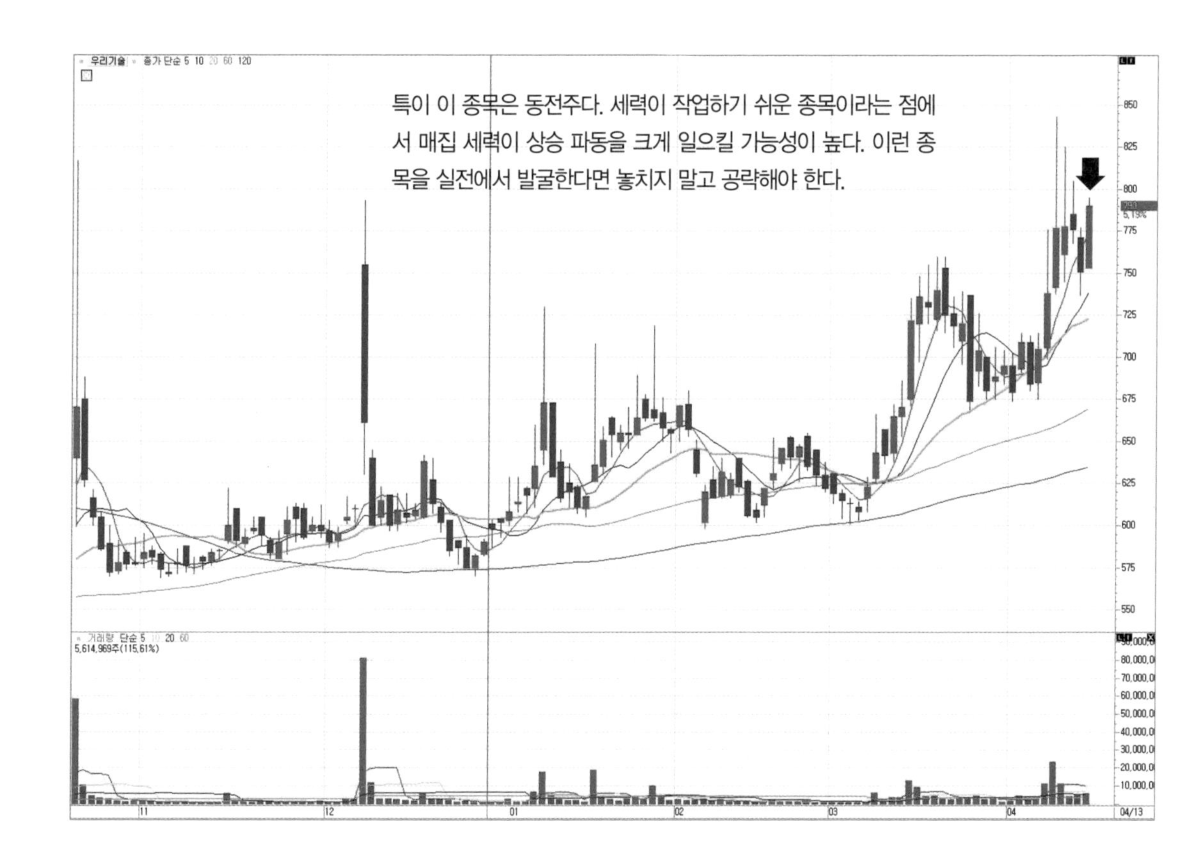

앞을 보면 갭상승 장대음봉이 있다. 그것도 고가에 출발했다. 높은 가격에 갭상승 하락하기 시작했으니 물린 투자자가 많을 것이다. 그런데 일정한 거래량을 유지하면서 주가는 매물 가득한 음봉을 벗겨내고 있다. 최근 주가는 갭상승 음봉 고점까지 올라가 있다. 소문 없이 올라가는 것에서 강한 상승의 기운이 느껴진다. 이런 종목이 치고 올라간다면 장기차트의 최고점 이상 올라갈 가능성이 높다.

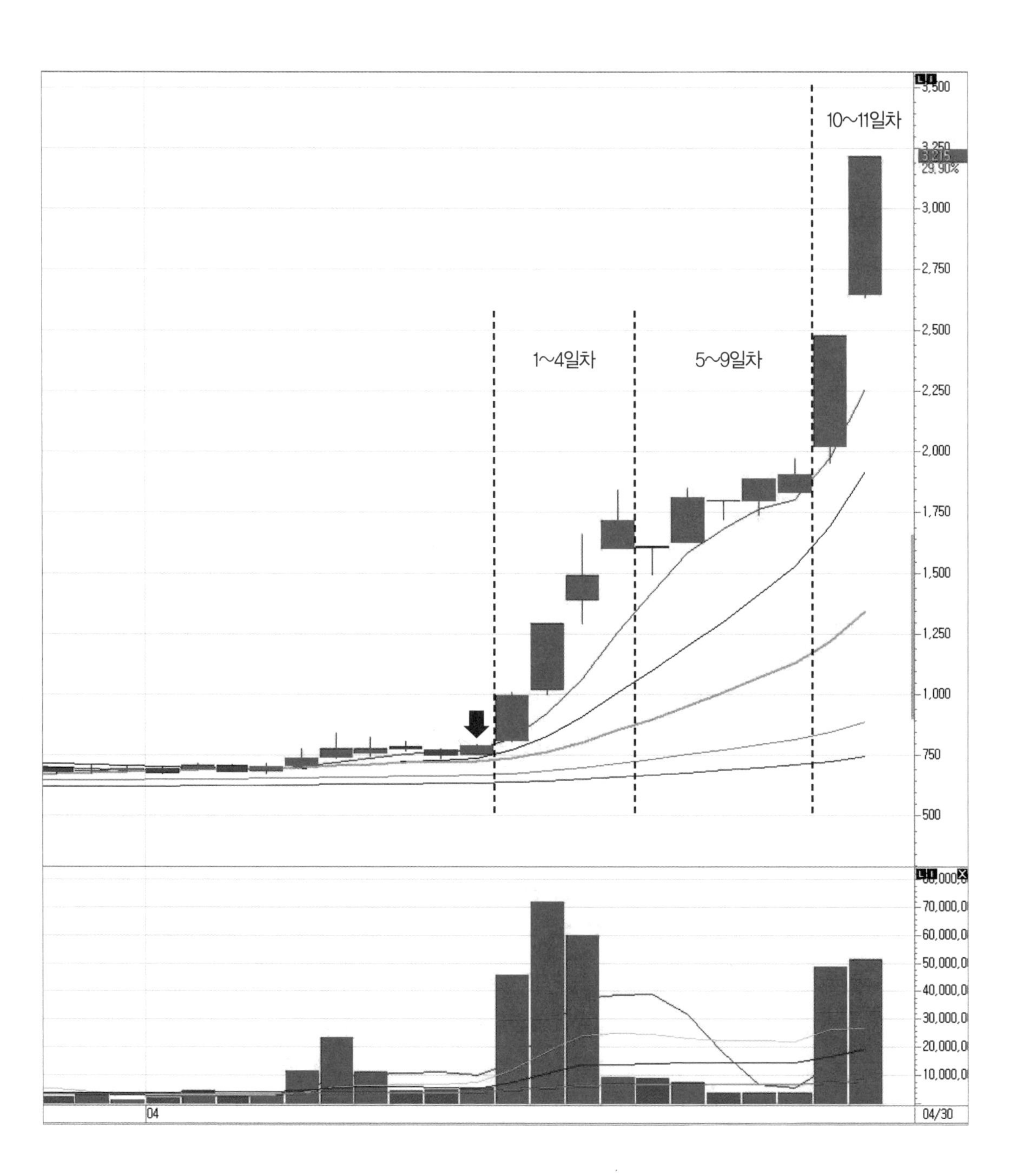
10~11일차
1~4일차
5~9일차
3,500
3,250
3,215
29.90%
3,000
2,750
2,500
2,250
2,000
1,750
1,500
1,250
1,000
750
500
70,000,0
60,000,0
50,000,0
40,000,0
30,000,0
20,000,0
10,000,0
04
04/30

1~4일차 : 갭상승 음봉까지 천천히 올리더니 물량을 극복한 다음부터는 쉽게 주가를 끌어올리고 있다. 4일 연속 강한 장대양봉을 만들어 내면서 700원대의 주가가 4일 만에 1800원을 찍는다. 이게 변동폭 30%의 위력이다. 세력의 개입과 매집을 확인하고 매수로 대응했다면 4일 만에 엄청난 수익을 얻었을 것이다. 거의 주당 1000원의 수익이니 700만 원 매수했으면 4일 만에 1000만 원을 벌은 셈이다.

세력의 매집 차트임을 확인하고 이들이 움직일 때 매수에 가담한다면 세력의 수익 중 일부는 내 계좌로 들어오는 것이다. 그래서 차트에서 세력의 움직임을 읽는 것이 매우 중요하다.

5~9일차 : 4일 연속 상승한 이후 주가가 죽지 않고 지지가 나오는데 양봉이다. 하락 조정이 아니라 상승 조정이다. 1차 상승 후 세력이 아직 나가지 않았다는 것을 보여주고 있다.

앞에서 세력이 단기로 들어온 것이 아니라 오랜 기간 매집했다는 것을 알 수 있었다. 오랜 기간 매집한 세력이 이 정도에 떨어지는 것은 상상할 수 없다. 이것보다 더 크게 벌기 위해 오랜 기간 매집한 것이다. 1차 상승에 가담하지 못한 투자자라면 2차 상승이 남아 있으니 놓치지 말고 대응하자.

10~11일차 : 연속 상한가를 만들면서 주가가 3000원을 돌파한 모습이다. 엄청난 시세를 주고 있다. 700원에서 3000원이면 수익이 얼마인가. 몇 달 놀아도 되는 수익이 난 것이다. 그것도 단 11일 만에 얻은 것이다. 2차 시세에 붙은 투자자라도 2일 만에 60%의 수익이다. 부동산에 투자할 돈이 부족한 사람이라면 주식에 붙어야 한다. 그래야 이런 기회라도 얻을 수 있다.

데이 바이 데이 분석 ❷ 우진

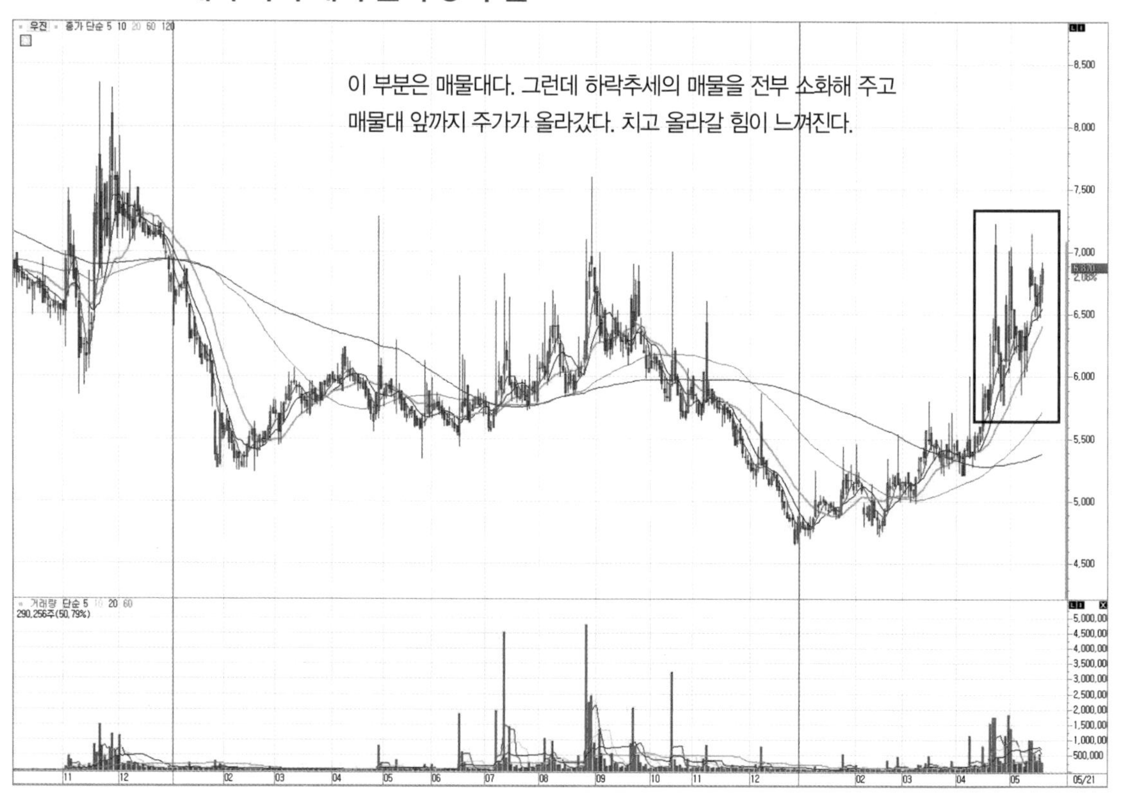

장기차트를 보니 대단히 지저분한 종목이다. 주가 변동성이 그만큼 크다는 뜻이다. 그런데 주가 변동성이 추세를 만들어낸 것이 아니고 제자리에서 왔다 갔다 하고 있다. 거기다가 차트 전반부 이후 하락추세에 접어들면서 이 종목을 매수한 투자자를 괴롭게 했다. 올해 들어 주가가 더 이상 하락하지 않고 반등이 나오고 있다. 나름 상승 각도가 커서 5개월 만에 하락폭을 전부 만회하고 지저분한 전반기 주가까지 진출해 있다.

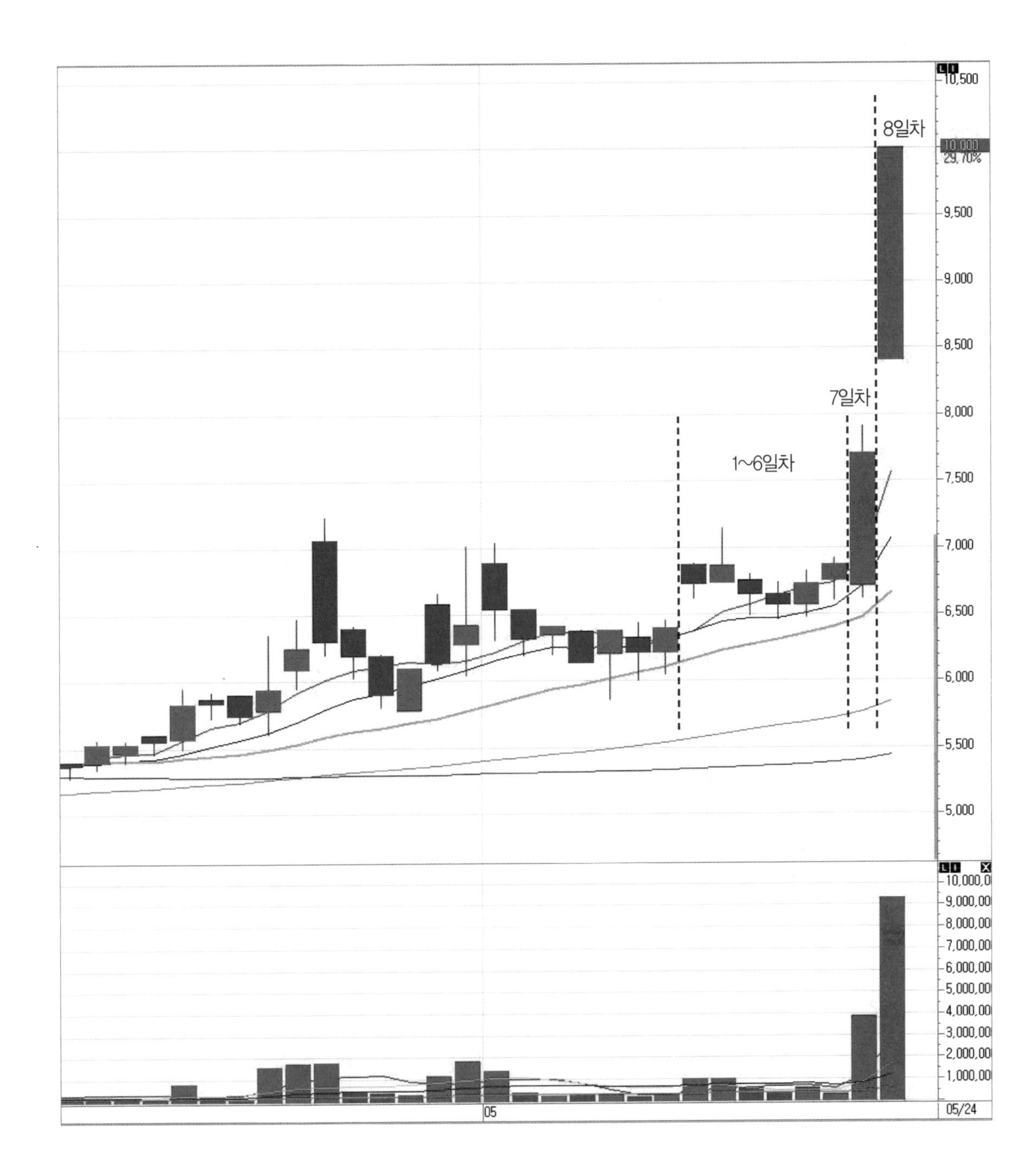
8일차
7일차
1~6일차
10,500
10,000
29.70%
9,500
9,000
8,500
8,000
7,500
7,000
6,500
6,000
5,500
5,000
10,000,0
9,000,00
8,000,00
7,000,00
6,000,00
5,000,00
4,000,00
3,000,00
2,000,00
1,000,00
05
05/24

1~6일차 : 주가 흐름을 보면 상승 각도가 점점 커지고 있다. 갭상승 음봉이 나왔음에도 불구하고 주가는 따라 올라오는 이평선을 이탈하지 않고 상승추세를 이어간다. 상승 시도가 실패하면 밀리는 것이 일반적인데 상승추세가 이어지고 위에서 지지고 볶고 하건 말건 밑에서 이평선이 기준선이 되면서 주가를 받쳐주고 있다. 이상하다. 그리고 주가가 장기차트의 고점대까지 진출해 있다.

세력이 아니라면 주가를 이렇게 끌어올릴 수 없다. 당신이 세력이라면 주가를 여기까지 끌어올려 놓고 어떻게 움직이겠는가. 당연히 강하게 올릴 것이다. 수익을 내고 자신들의 물량을 정리하려면 주가를 끌어올리는 것은 당연한 수순이다.

7일차 : 오늘 12%대의 상승이 나오면서 일단 앞의 갭상승 음봉은 극복해 내고 있다. 거래량이 터져주면서 물량은 이미 다 받아준 모습이다. 여기서 끝내지 않을 것이다. 아직 물량을 정리하지 못했다. 물량을 정리하려면 개인의 시선을 끌어야 한다. 그러려면 강한 장대양봉이 필요하다. 단기 투자자라면 앞의 고점을 돌파할 때 진입해야 한다. 종목을 발굴했으면 매매해야 결과를 얻을 수 있다.

8일차 : 오늘 갭상승 출발하면서 주가를 상한가에 안착시켰다. 전고점 돌파지점에서 들어갔으면 오늘의 상한가는 당연히 내 계좌에 돈으로 입금됐을 것이다. 실전에서 이런 종목이 많이 나온다. 거래량 터지는 것을 확인하고 매수에 진입하면 성공할 가능성이 매우 높다. 앞으로 이런 종목을 발굴하면 연습이라도 꼭 매매를 해보라. 어느 순간 수익을 내고 있는 자신을 발견할 수 있을 것이다.

데이 바이 데이 분석 ❸ 한국주철관

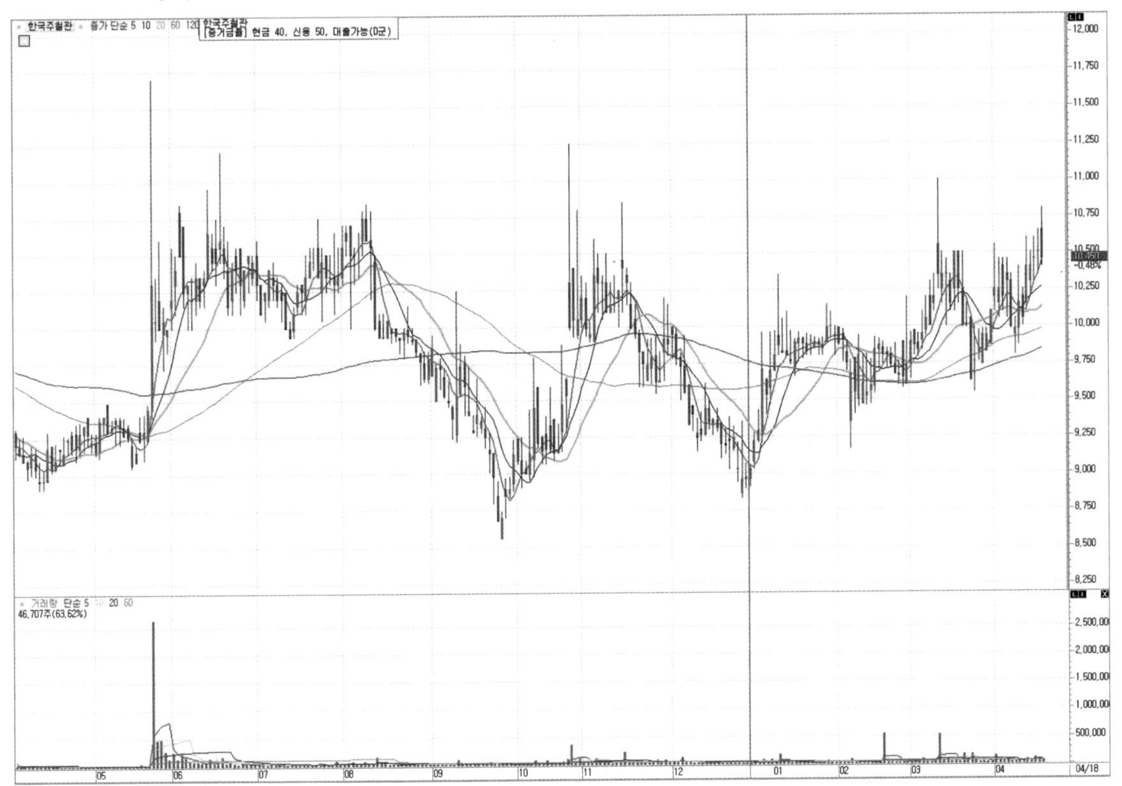

주가가 큰 시세는 없지만 큰 하락도 없다. 하락추세를 만들기는 하지만 주가를 다시 반등시키고 있다. 큰 그림으로 보니 8000원에서 1만1000원대에서 박스권을 형성하며 주가가 움직이고 있다.

그런데 최근 들어 주가 흐름을 보면 변동성은 있지만 저점이 서서히 높아지고 있다. 주가가 떨어지는데 폭이 점점 줄어들고 있는 것이다. 그러면서 주가가 다시 박스권 상단에 올라가 있다.

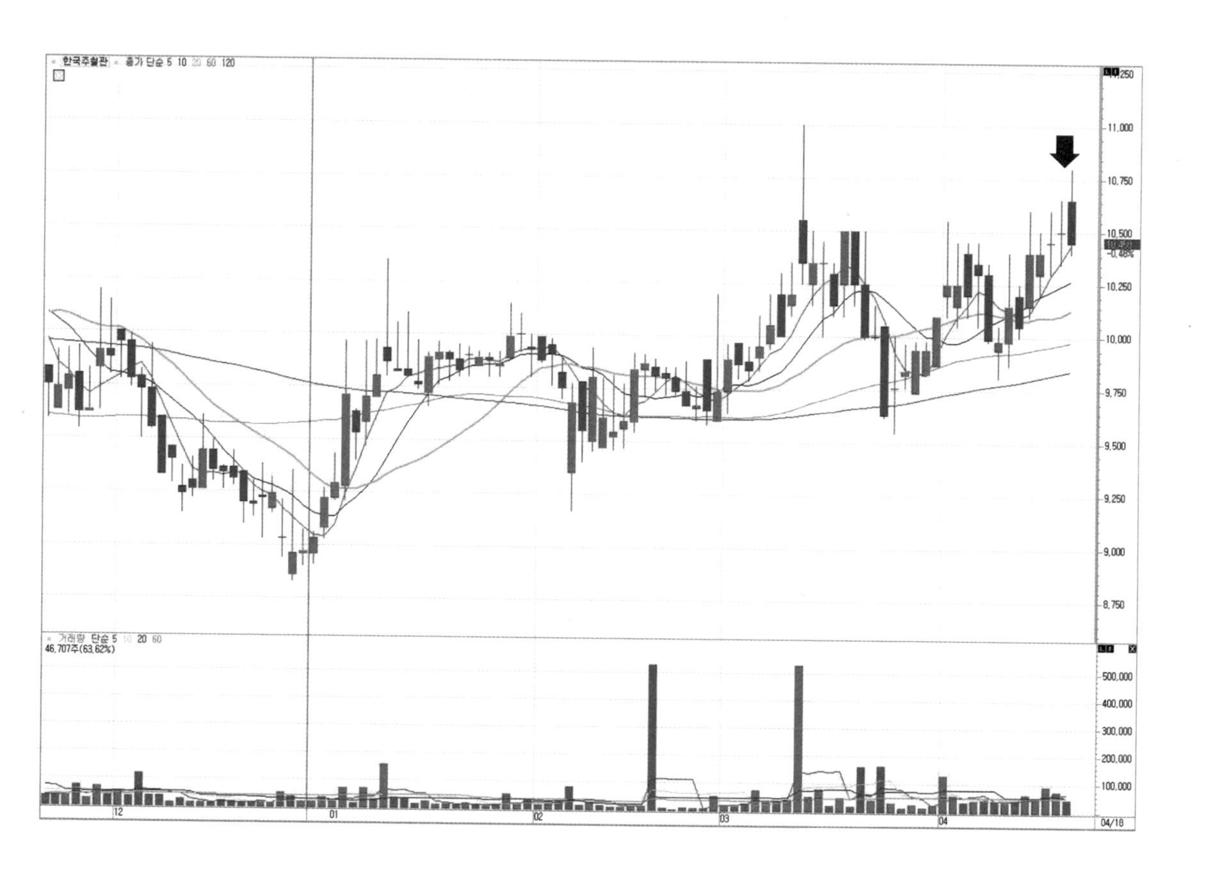

표시 부분을 보면 저점이 높아진 주가가 박스권 상단에 위치해 있다. 오랜 기간 박스권에 갇힌 종목이 박스권 상단에 와 있는데 그 과정에서 저점이 높아진 것이다. 이는 에너지가 점점 강해지고 있다는 것을 뜻하며 박스권 돌파 가능성이 매우 높다고 할 수 있다. 최근에는 주가가 5일선을 살리면서 고점까지 진출했다. 때문에 강한 돌파 시도가 나올 타이밍이라 할 수 있다. 매매자라면 주의 깊게 관찰해야 한다.

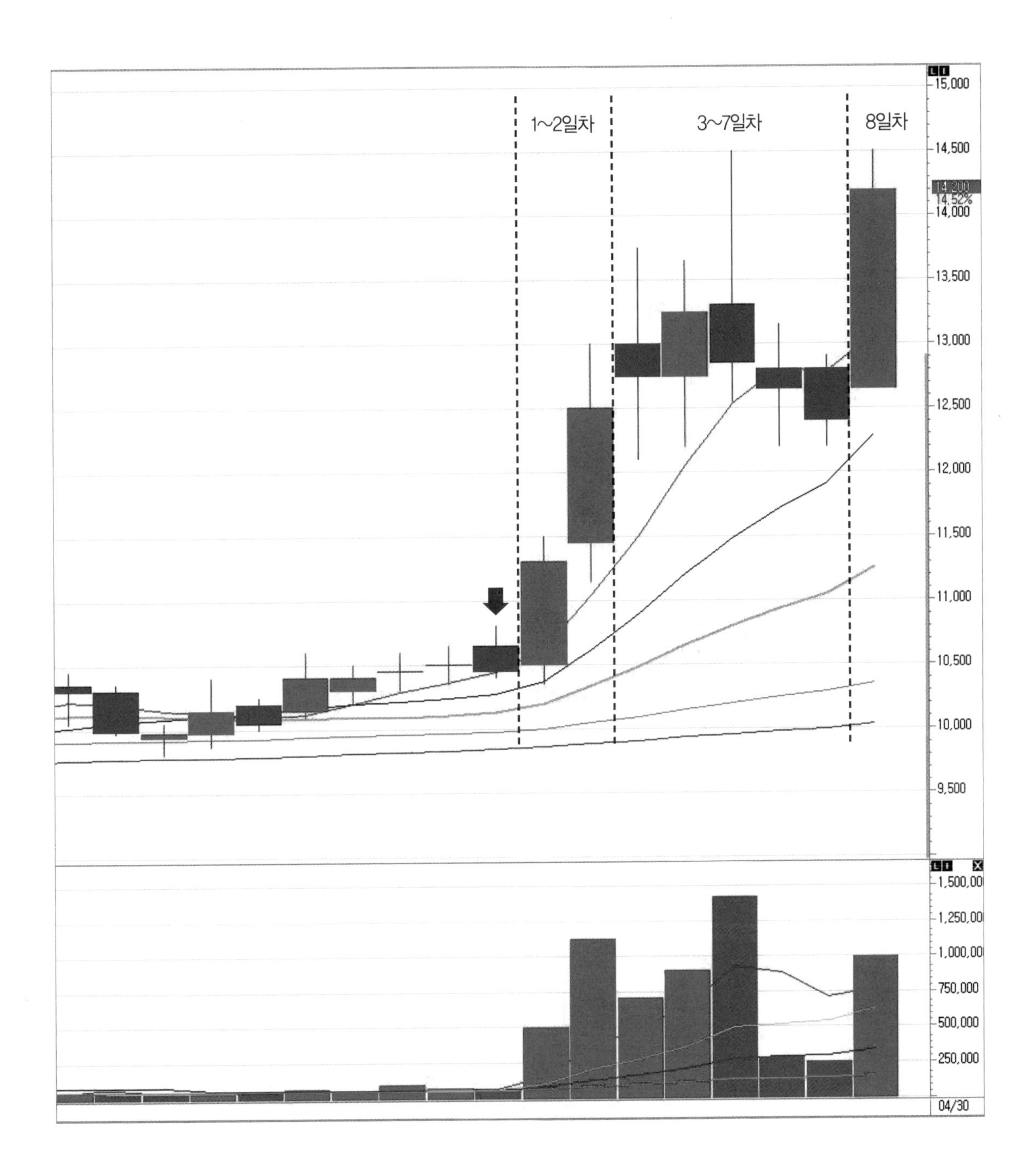

1~2일차
3~7일차
8일차
15,000
14,500
14,200
14.52%
14,000
13,500
13,000
12,500
12,000
11,500
11,000
10,500
10,000
9,500
1,500,00
1,250,00
1,000,00
750,000
500,000
250,000
04/30

1~2일차 : 주가가 2일 연속 장대양봉으로 올라가고 있다. 일단 매수에 성공한 투자자는 매도 없이 보유해 2일차 장대양봉까지 수익을 올려야 한다. 이래서 종목을 발굴할 때 장기차트를 봐야 한다. 그래야 주가가 어느 위치에 있는지, 에너지가 응집되고 있는지를 발견할 수 있다.

3~7일차 : 2일 연속 장대양봉 이후 주가가 더 이상 올라가지 못하고 정체 상황이다. 그런데 지지캔들을 보자. 장중 변동성은 있지만 주가가 떨어지려고 하면 밑에서 받쳐주고 있다. 이를 캔들 밑꼬리에서 확인할 수 있다. 그리고 5일 지지캔들이 나왔다. 장대양봉 위에서 주가가 지지되는 종목에 5일 지지캔들이 나왔다면 다음 날 상승을 예측하고 대응하는 것이 좋다.

8일차 : 예측대로 주가가 움직여 장대양봉이 나왔다. 오늘 주가 상승을 예측했다면 장대양봉에서 수익을 챙기고 나왔을 것이다. 지금처럼 미리 주가 방향을 예측하고 대응해야 실전에서 수익을 내기 수월하다. 당일 주가가 움직이는 것을 보고 대응하면 늦는다. 미리 종목을 분석하고 대응하면 성공투자가 남의 일만은 아닐 것이다.

Chapter 08

연속 매매로 1000만 원 벌기

주가가 상승하는 동안 조정이 한 번 나오는 경우도 있지만 추가적으로 상승한다면 여러 패턴의 조정이 나온다. 그래서 한 종목에 한 기법만 적용되는 것이 아니라 여러 조정 패턴이 적용될 수 있다. 이번 시간에는 앞에서 배운 기법을 유연하게 적용하는 법을 배워보겠다. 한 종목에서 여러 기법을 적용해 수익 극대화를 노려보자.

데이 바이 데이 분석 ❶ 웰바이오텍

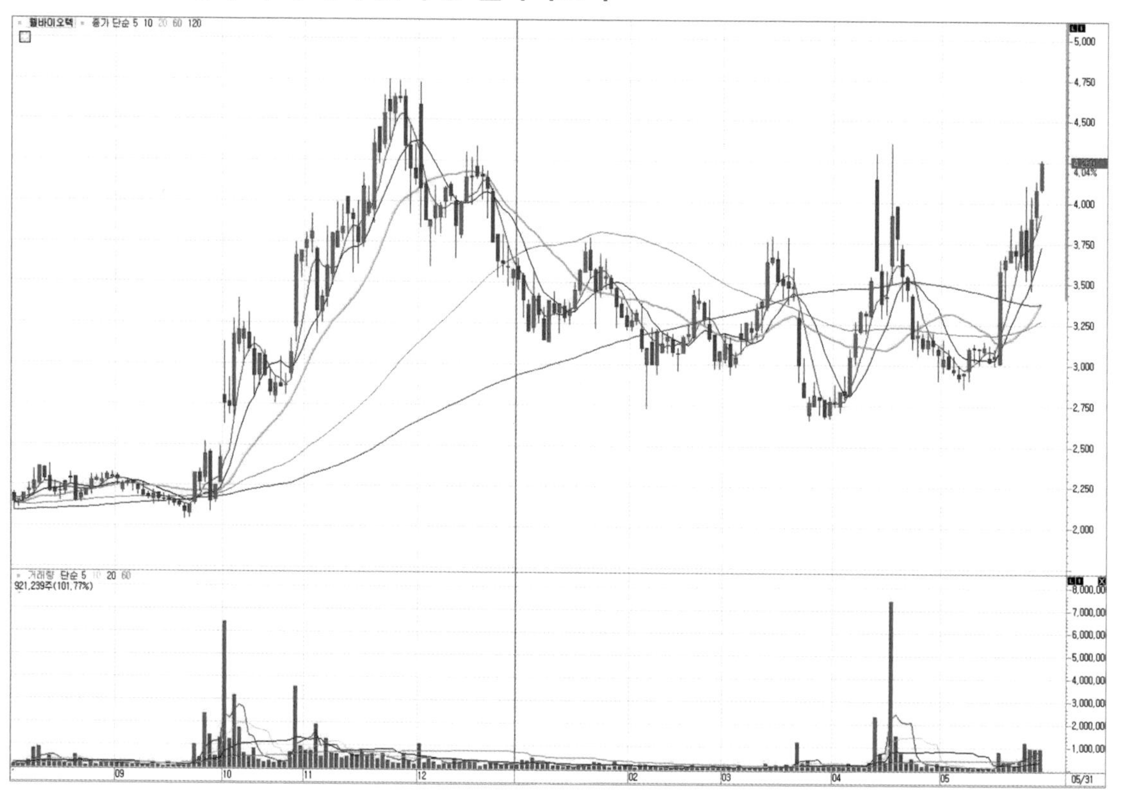

전체 차트를 살펴보면 상반기에 상승 파동이 나왔다. 100% 정도 상승하면서 이 종목을 매수한 많은 투자자에게 큰 수익을 안겨주었다. 이후에는 한동안 하락 추세가 이어지다가 갈팡질팡 변동성이 매우 큰 모습을 보여주고 있다. 이런 종목은 숙달되지 않은 투자자가 매매하면 손실로 이어질 가능성이 높다. 매매가 느리다면 가만 두는 것이 상책이다.

최근 2개월간 주가의 변동이 의미가 있는데 확대해서 살펴보자.

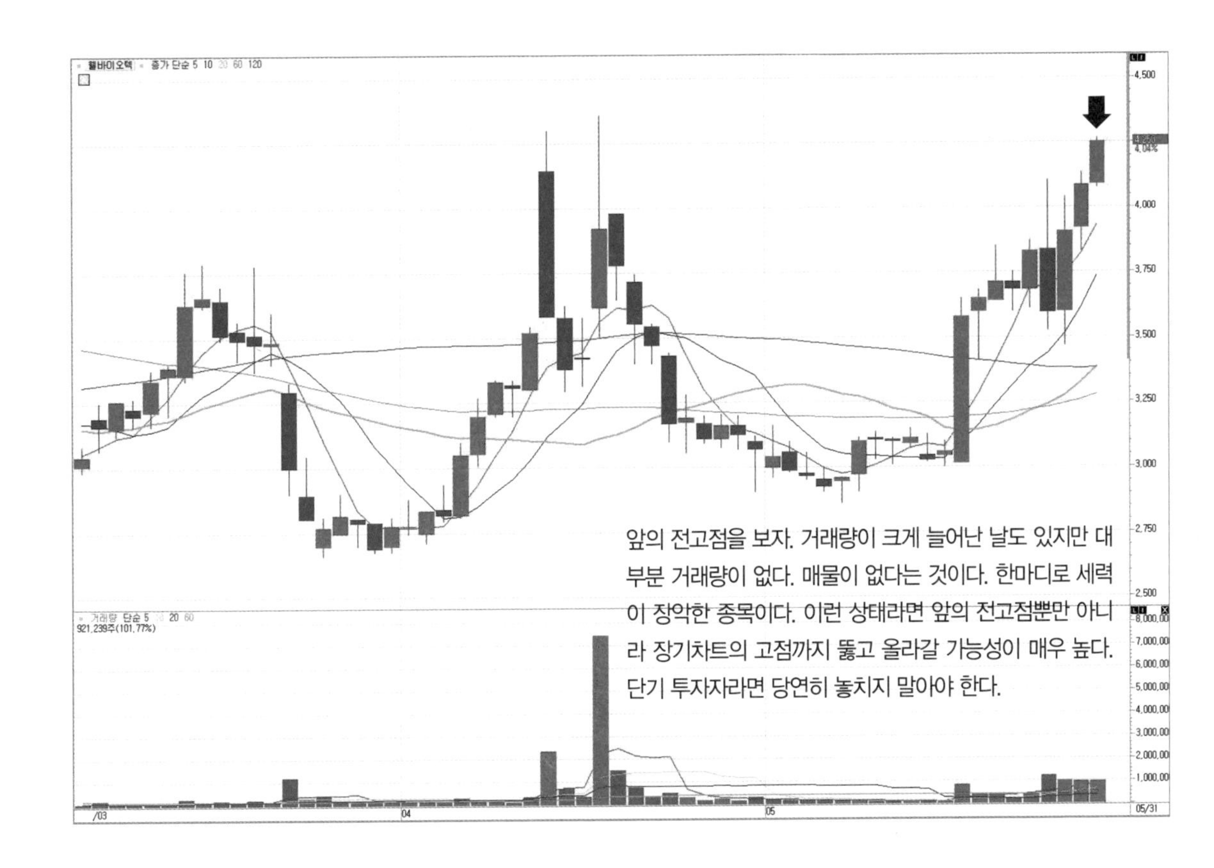

바닥 찍고 상승한 주가가 시세를 마무리하고 하락한다. 이후 횡보 조정을 받고 다시 상승해 전고점까지 주가가 올라가 있다. 여기서 확인할 것은 바닥이 높아지고 있다는 것이다. 주가가 상승 하락을 반복하는데 바닥이 높아져 있다. 이른바 저점이 높아진 쌍바닥이다. 쌍바닥이라도 저점이 높아진 쌍바닥은 그 신뢰성이 일반적인 쌍바닥보다 높다. 이후 주가를 전고점까지 끌어올리는 데 거래량이 없다. 이 말인즉, 주가는 지지고 볶고 하는데 세력은 이탈하지 않고 있다는 것이다. 그러니 주가가 쉽게 전고점까지 올라갔다.

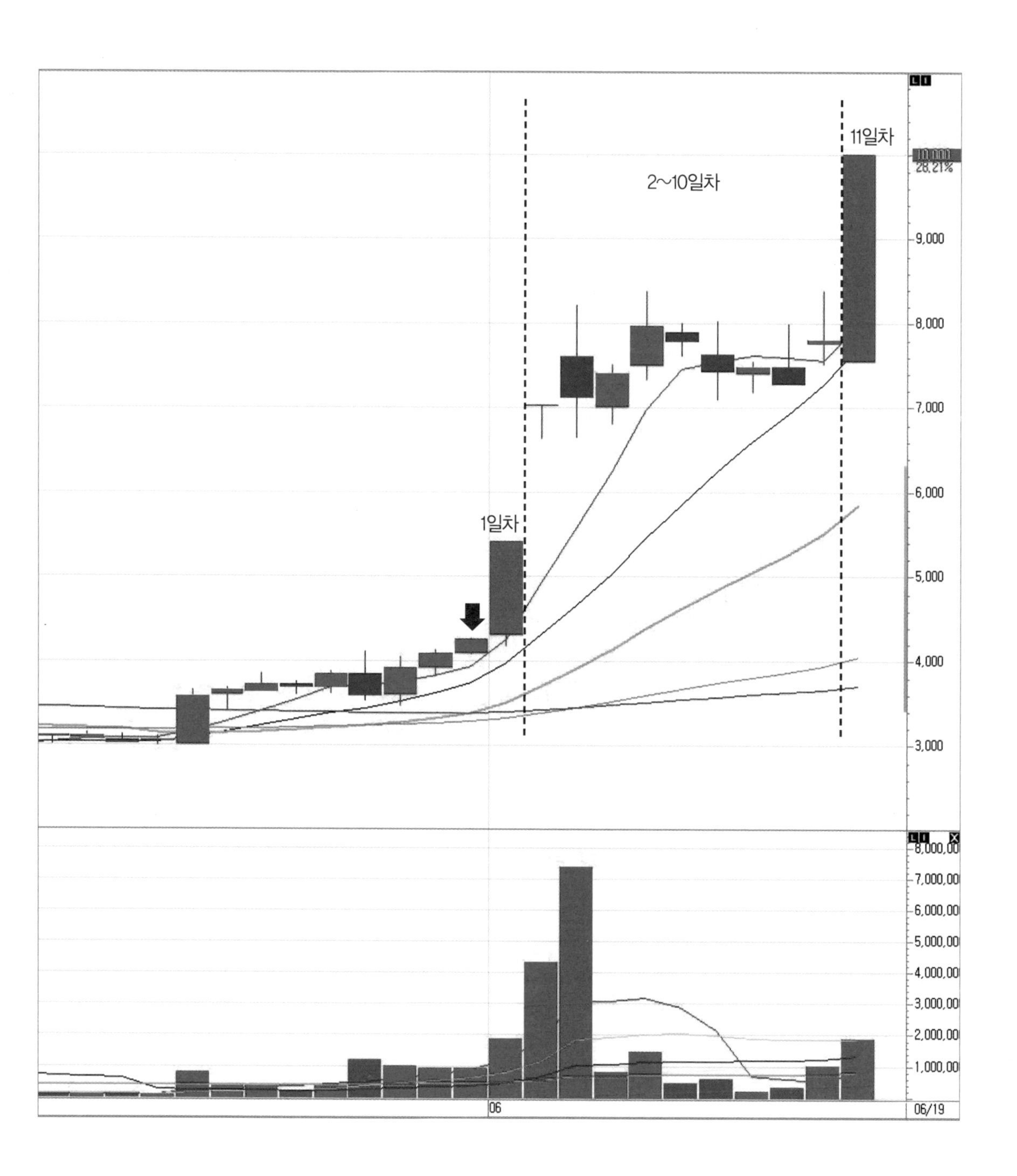
11일차
2~10일차
1일차
10,000
28.21%
9,000
8,000
7,000
6,000
5,000
4,000
3,000
8,000,00
7,000,00
6,000,00
5,000,00
4,000,00
3,000,00
2,000,00
1,000,00
06
06/19

1일차 : 위꼬리없는 강한 장대양봉이 나왔다. 얼마나 강한 종목인가. 올라갈 자리에서 올라간 것이다. 이걸 놓쳐서는 안 된다. 전고점까지 주가를 끌어올릴 때도 상승 지지 양봉으로 올리고 있다. 차트를 만들어 놓고 주가를 끌어올린 것이다. 오늘의 장대양봉은 먹어 줘야 단기 투자를 하는 보람을 느끼지 않겠는가.

2~10일차 : 장대양봉 이후 갭상승 상한가가 나왔다. 이렇게 차트를 보니 1차 상승 후 지지받고 올라가는 전형적인 상승 종목이다. 상승 전과 다르다. 그래서 상승 후 차트만 봐서는 차트 실력이 늘지 않는다고 하는 것이다. 상승 전에 세력이 개입했는지 알아야 매매할 수 있다.

3000원대의 주가가 8000원대에서 놀고 있다. 2일 만에 엄청난 수익이다. 그런데 주가가 추가로 올라가지 못하고 옆으로 횡보한다. 앞에서 이 종목은 세력이 장악하고 있는 종목이라고 했다. 세력이 주가를 결정하는 종목인 것이다. 그런데 저 높은 곳에서 밀리지도 않고 옆으로 주가가 횡보하고 있다. 단봉 지지로 주가 관리가 되고 있는 것이다. 당연히 추가 상승이 남아 있다.

11일차 : 다시 시세를 주고 있다. 주가가 1만 원을 찍었다. 3000원짜리 주식이 1만 원이 된 것이다. 이런 종목을 잡아야 주식투자로 돈을 만질 수 있다.

나중에 보니 전형적인 급등 종목이다. 이런 급등 종목을 바라만 보고 손가락만 빨고 있으면 돈을 벌 수 없다. 잡을 기회가 없었다면 어쩔 수 없다. 하지만 이 종목처럼 눈에 보이는 기회를 주었는데 잡지 못한다면 주식에서 돈을 벌기 어려울 것이다. 주식으로 부자 되기 쉽지 않다. 하지만 먹고살 만한 돈은 벌 수 있다. 제대로 열심히 하면 말이다.

데이 바이 데이 분석 ❷ 좋은사람들

장기차트를 보자. 약 10개월 전 주가가 고점을 찍고 장기 하락추세에 진입했다. 근 한 달 전까지는 주가가 하락하면서 물량을 보유한 투자자에게 지옥과 같은 고통을 안겼을 것이다. 하지만 물량을 가지고 있지 않은 우리는 편안한 마음으로 지켜보면 된다.

주가가 하락하고 나서 약 1개월 전부터 움직임이 감지된다. 이때부터 이 종목을 쳐다보면 된다. 확대해서 어떤 움직임을 보이고 있는지 살펴보자.

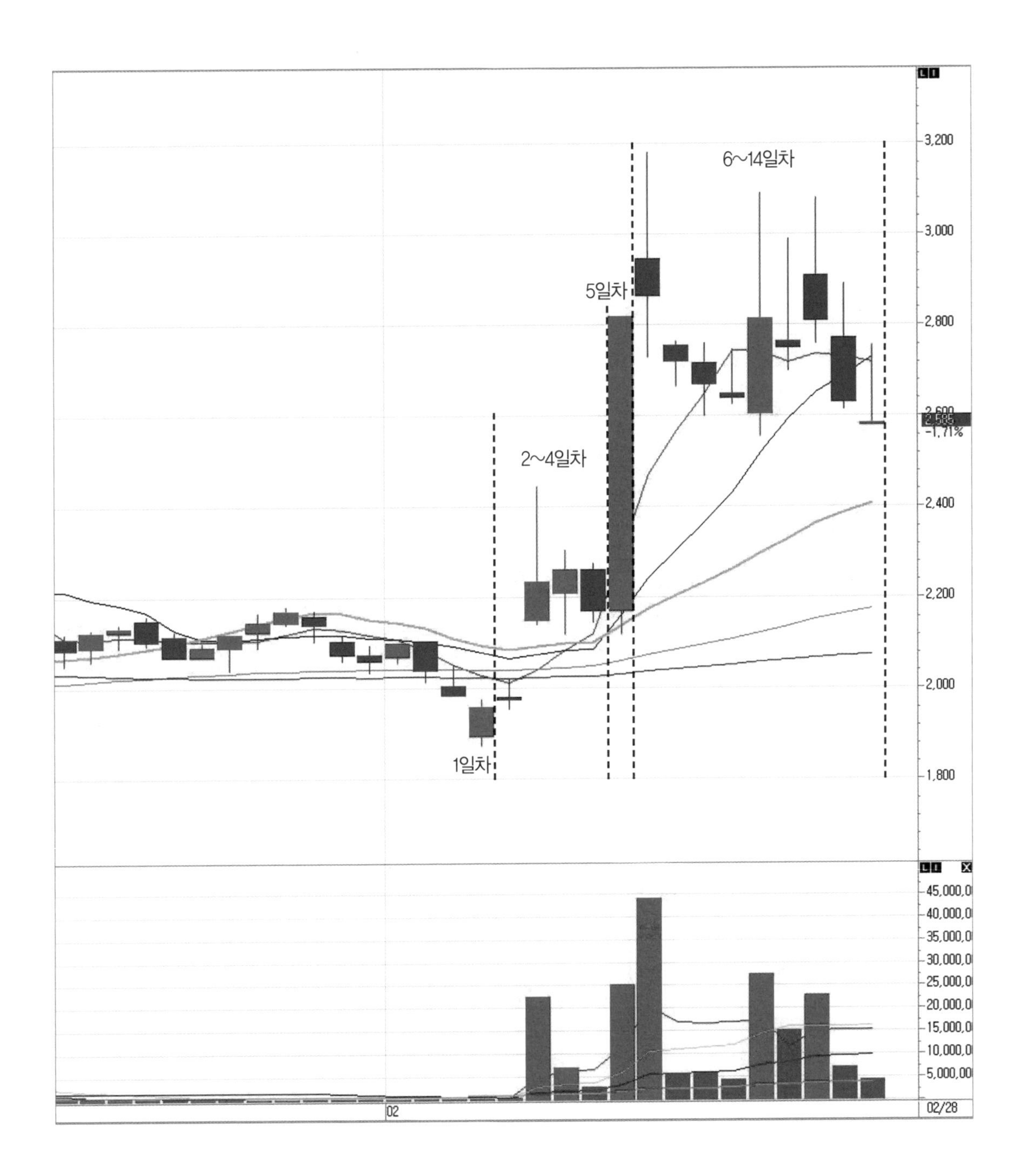

6~14일차
5일차
2~4일차
1일차
3,200
3,000
2,800
2,600
2,585
-1.71%
2,400
2,200
2,000
1,800
45,000,0
40,000,0
35,000,0
30,000,0
25,000,0
20,000,0
15,000,0
10,000,0
5,000,00
02
02/28

1일차 : 앞에서 한 번 상승 파동이 나오고 횡보하다 최근 급락한 모습이다. 갭하락 양봉이다. 신뢰성 있는 패턴으로 주가가 반등에 성공하고 있다. 여기서 매매가 가능하면 일단 벌고 시작하는 거다.

2~4일차 : 전고점까지 주가가 진출했다. 전고점의 매물을 소화해 주지 못하고 있지만 갭상승해서 3일 연속 지지되고 있는 모습이 매우 인상적이다. 특히 4일차에 음봉이 나왔는데 거래량을 보자. 물량이 나오지 않고 있다. 하락 음봉인데도 매도 물량이 없다는 것은 더 이상 나올 물량이 없다는 것을 의미한다. 그러면 세력이 주가를 끌어올리기 한층 쉬워진다. 거래량이 붙기만 하면 전고점 돌파는 당연한 수순이다. 관심종목에 넣어두고 지켜보자.

5일차 : 역시 거래량이 붙으면서 전고점 돌파 시도가 나오고 있다. 상한가다. 캔들 밑꼬리에서 지지되는 것을 보고 접근했다면 하루 만에 30%의 수익도 가능했다. 오늘 상한가에 안착했으니 중간에 매도하지 않은 투자자는 홀딩하며 수익을 극대화하면 된다.

6~14일차 : 예전 같으면 연속 상한가는 기본인데 요즘은 그렇지 않다. 알다시피 2일 상한가가 나와야 버는 돈을 이제는 하루면 벌 수 있다. 그만큼 변동폭이 크기 때문에 예전처럼 상한가 몇 방 먹는 일은 쉽지 않다. 대신 하루 변동폭이 커졌기 때문에 오히려 이런 단기 매매를 하기 더욱 좋아졌다. 상한가 다음 날 상승 시도에 실패했다. 주가가 어떻게 움직이나 보고 있으면 지저분한 것 같지만 주가가 관리되고 있는 것을 확인할 수 있다. 상한가 다음 날 주가를 올리지 못했지만 세력이 아직 남아 있다는 신호다. 이 종목은 계속 보고 있다가 세력이 다시 주가를 들어 올릴 때 따라 들어가면 된다.

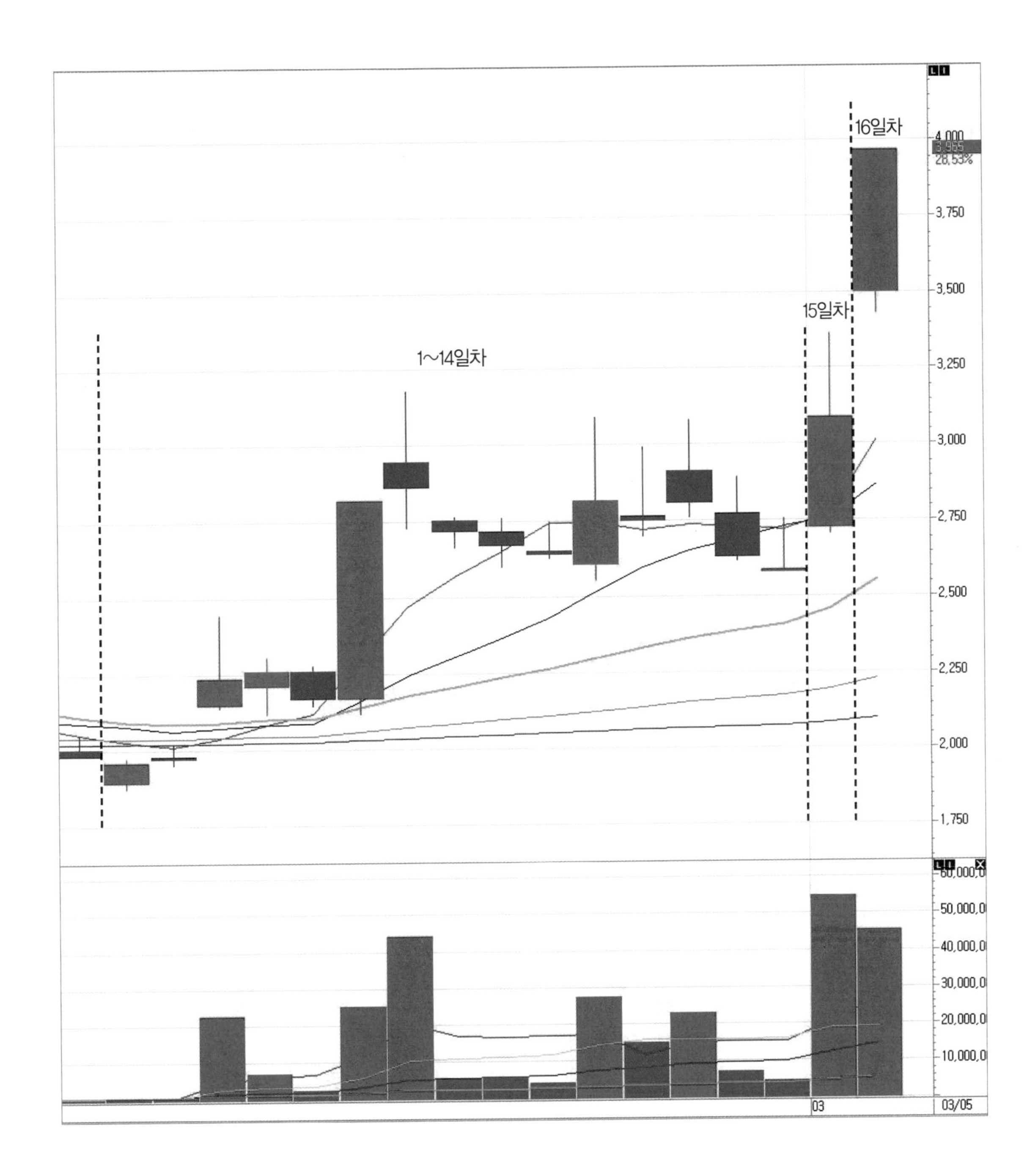
16일차
15일차
1~14일차
4,000
3,965
28.53%
3,750
3,500
3,250
3,000
2,750
2,500
2,250
2,000
1,750
60,000,0
50,000,0
40,000,0
30,000,0
20,000,0
10,000,0
03
03/05

15일차 : 19%의 상승이 나왔다. 지켜보고 있었다면 충분히 매수 진입이 가능했다. 그런데 차트를 보자. 오늘 강한 장대양봉이 나왔지만 박스권 상단에 머무를 뿐이다. 박스권 하단에서 상단까지 주가를 끌어올렸는데 이 정도 상승으로 세력이 만족할까? 오늘 상승으로 고점을 뚫지 못했다. 고점 돌파 시도를 하지 않을 것이라면 주가를 이렇게 끌어올릴 필요가 없다. 오늘 진입 못한 투자자라도 내일 공략에 나설 기회가 있는 것이다.

16일차 : 오늘은 아예 상한가를 만들어 버렸다. 전체 차트를 보자. 상한가 이후 지지가 나오고 다시 상한가를 만들어 내는 전형적인 상승패턴이다.

기본만 알고 있는 주식투자자라도 이 정도는 공략해줘야 한다. 그런데 왜 전문가만 수익을 올릴까? 그건 종목 발굴에 확신이 없기 때문이다. 확실하게 배웠다면 이런 종목을 놓쳐서는 안 된다. 이 책에서 배운 것을 조금 더 연구하여 실전에서 꼭 연습해 보기 바란다.

Chapter 09

다양한 패턴으로 1000만 원 벌어보기

많이 안다고 돈을 버는 것이 결코 아니다. 하나라도 제대로 할 줄 알아야 돈이 된다. 앞에서 배운 기법만 실전에서 잘 적용한다면 1000만 원뿐 아니라 그 이상의 수익도 가능할 것이다. 하지만 유연할 필요가 있다. 앞에서 배운 것을 바탕으로 실전에서 다양한 종목들을 접하다 보면 1000만 원 이상의 수익을 올릴 수 있다. 이번 시간에는 실전에서 볼 수 있는 다양한 종목에 대해 배워보자.

데이 바이 데이 분석 ❶ 유에스티

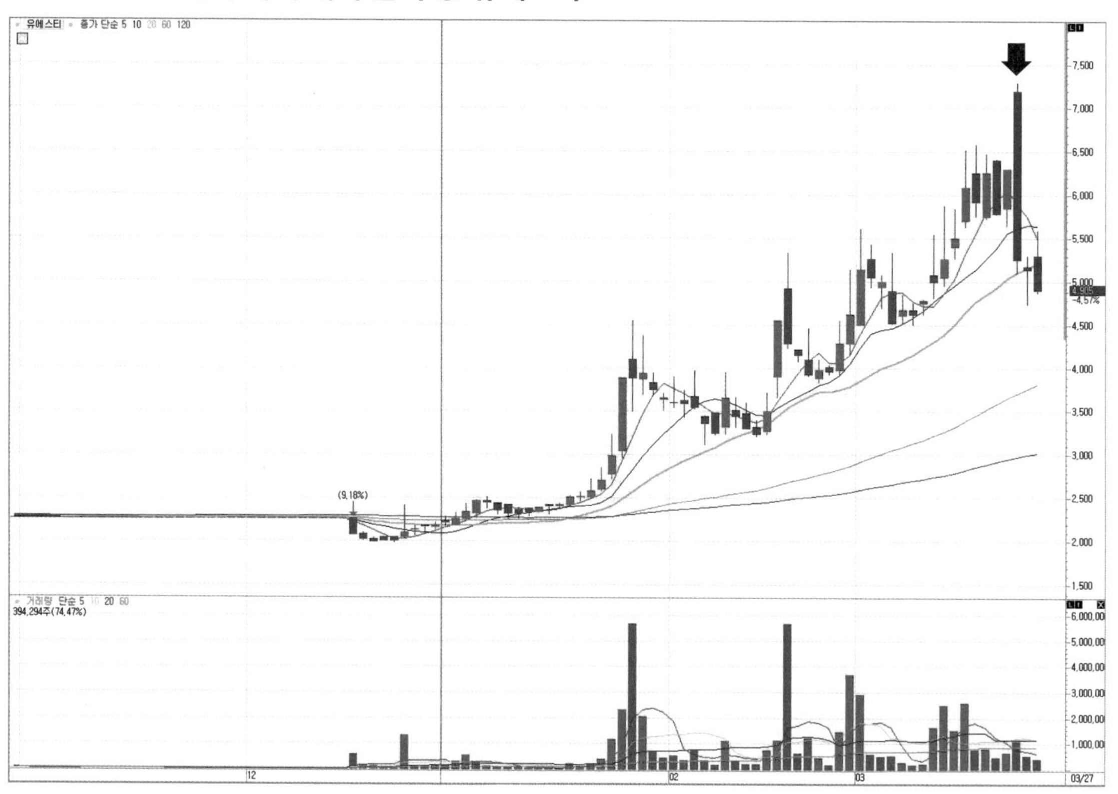

주가가 상승과 하락을 반복하면서 올라가고 있다. 주가 변동성이 심한 것 같지만 저점은 이평선을 지지해주면서 올라가고 있다. 이런 경우 이평선에서 매수로 대응하는 것이 정석이다. 그랬다면 이번 상승 파동에서 나름 수익을 올렸을 것이다. 그리고 며칠 전 장대음봉이 나왔다. 고점에서 장대음봉은 매우 위험하다. 보통은 주가가 고점에서 이평선을 이탈할 때 매도로 대응하라고 하지만 실력 있는 매매자라면 보통 장대음봉 하나에 매도로 대응한다.

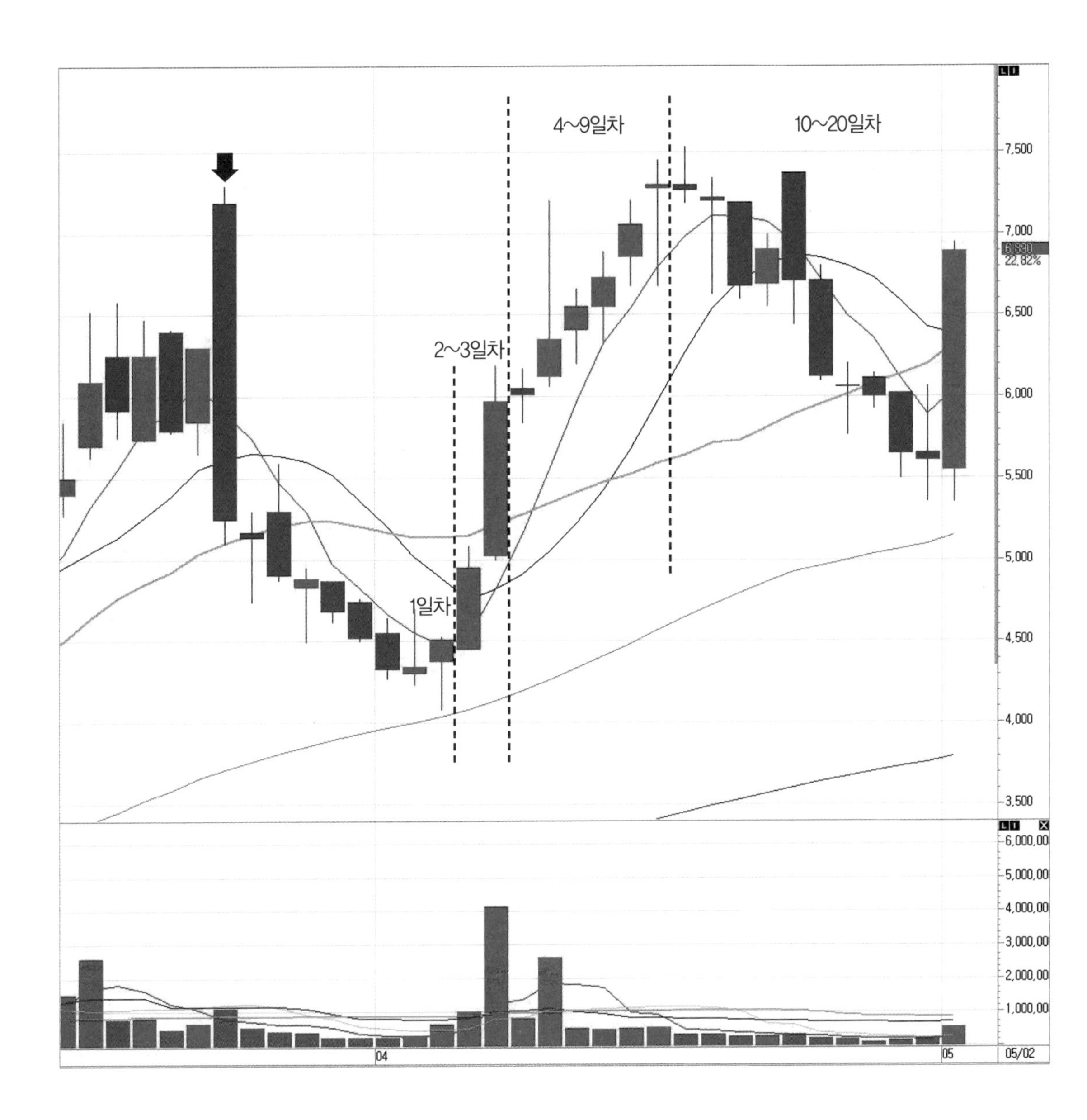
4~9일차
10~20일차
2~3일차
1일차
7,500
7,000
6,890
22.82%
6,500
6,000
5,500
5,000
4,500
4,000
3,500
6,000,00
5,000,00
4,000,00
3,000,00
2,000,00
1,000,00
04
05
05/02

1일차 : 고점에서 장대음봉이 나온 후 주가가 단기 이평선을 이탈하고 밀려 내려오는데 일단 60일선까지 하락했다. 시세가 큰 종목들은 보통 이렇게 하락하면 반등한다. 이평선 지지를 받고 상승했던 종목이 중기 이평선까지 내려왔다면 지지되고 반등할 가능성이 높다. 특히 오늘 지지양봉이 나오면서 거래량이 조금이나마 증가한 점이 긍정적이다. 반등 매매를 하려 한다면 다음 날 거래량이 터지면서 올라갈 때 바로 매수한다.

2~3일차 : 20% 상승이 나왔다. 상승을 예측하고 대응한 매매자는 수익을 올리는 데 성공했을 것이다. 추가 상승을 생각하려 해도 앞의 장대음봉이 눈에 거슬린다. 하지만 자세히 보자. 장대음봉에 거래량이 없다. 이탈한 세력이 없다는 뜻이니 추가 상승 가능성을 예측할 수 있다.

4~9일차 : 주가가 올라가고 있다. 장대양봉 이후 5일 이평선을 이탈하지 하지 않고 조심스럽게 전고점까지 주가를 올려놓고 있다. 아직 물량을 보유하고 있는 투자자라면 지금이 고비다.

9~20일차 : 이번에는 주가가 치고 올라가지 못하고 다시 밀려 내려오고 있다. 매수자라면 거래량이 터지지 않고 서서히 주가가 내려올 때 매도로 대응한다. 물량이 없다면 상승 거래량이 없었으므로 대응하지 않는다. 그런데 주가가 다시 이평선 부근까지 내려오자 다시 강한 장대양봉이 나왔다. 그래도 거래량이 없다. 주가가 고점에서 계속 상승 하락을 반복하는데 거래량이 없는 특이한 경우다. 저점에서 주가를 끌어올린 세력이 물량을 정리하고 나가려면 거래량이 있어야 한다. 그런데 거래량이 없고 주가만 움직인다는 것은 아직 세력이 나가지 않고 있다는 것을 의미한다. 그러니 거래량 없이 장대양봉을 만들어 내는 것이다.

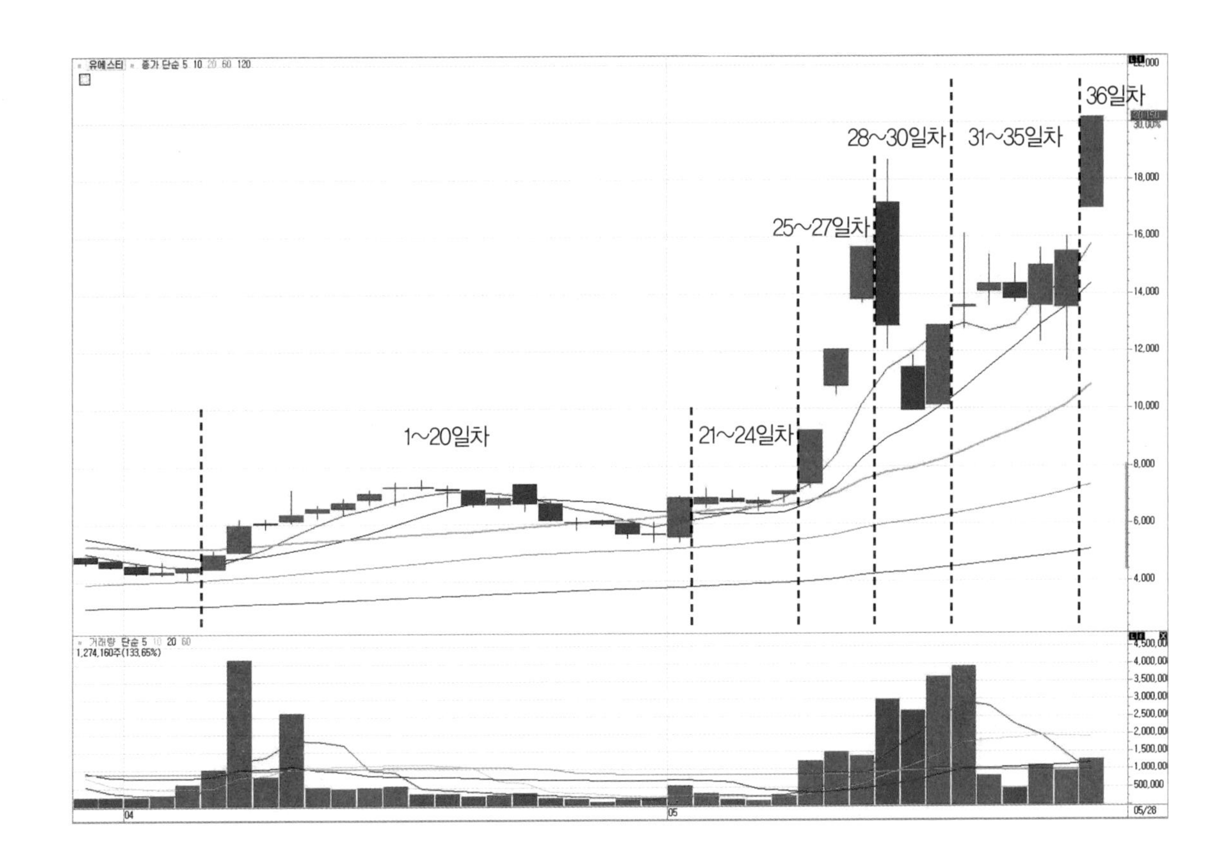

21~24일차 : 장대양봉이 만들어진 후 양봉의 몸통 상단에서 지지캔들이 나왔다. 고점에서 주가는 변동하고 있는데 거래량이 없다는 것은 세력이 아직 이탈하지 않은 것이라 했다. 그런데 장대양봉 이후 지지캔들이다. 더군다나 24일차 지지캔들은 위꼬리도 없다. 다시 주가를 끌어올릴 가능성이 매우 높은데 5일 지지캔들을 만들고 올릴 수도 있고, 지지캔들이 상승 전 강한 모습이기 때문에 다음 날 바로 올릴 수도 있다.

25~27일차 : 주가가 폭등하고 있다. 이미 바닥에서 많이 올라온 종목인데

연속 상한가가 나왔다. 작정하고 주가를 끌어올리고 있다. 이 종목을 분석하고 대응한 투자자라면 장대양봉 세 개를 연속으로 먹었을 것이다. 첫 번째 장대양봉이 시가 부근부터 시작했기에 충분히 높은 수익이 가능했다.

그야말로 대박이 터진 종목이다. 세력도 대박이지만 이 종목을 분석해서 잡은 투자자도 대박이다.

28~30일차 : 3일 장대양봉 이후 갭상승 출발했다가 장대음봉으로 밀렸다. 급등한 종목이라면 이평선 이탈까지 기다리지 말고 음봉 하나에 매도로 대응해야 한다. 장대음봉 이후 다시 음봉이 나오고 30일차에 다시 상한가가 나왔다. 이렇게 고점에서 급등락하는 종목은 변동성이 크다. 전국의 단기 매매자들이 달라붙기 때문이기도 하고 이 과정에서 세력이 자신들의 물량을 정리하기 때문이기도 하다. 여기서 잘못 매매하면 '세력에게 설거지 당한다'고들 한다. 그 전에 차트를 분석해서 수익을 얻고 나온다면 설거지가 아니라 당당히 세력과 같이 수익을 올리는 것이다.

31~35일차 : 상한가 이후 다시 지지캔들이 나오고 있다 지지캔들이 상한가 위에서 움직이고 있다. 5일 지지캔들이다. 하락하면 지지해주는 강한 지지캔들이다. 추가 상승 가능성이 매우 높다. 주가 변동성이 큰 시점이기 때문에 충분히 노려볼 만한 구간이다.

36일차 : 다시 상한가다. 장대음봉의 고점도 뚫고 올라가고 있다. 전혀 어렵지 않다. 5일 지지캔들만 보고 상승을 예측했는데 상한가가 나왔다.

주식투자는 어렵게 하면 어려울 수밖에 없다. 차트에서 세력의 움직임을 읽고 대응할 줄 안다면 주가 상승이 더 이상 남의 일이 아니게 된다.

종목 발굴까지는 하고 매매 대응을 못하는 투자자들이 많은데 이는 연습하면 극복할 수 있다. 내가 발굴한 종목을 통해 실전 감각을 익힌다면 주식으로 돈을 버는 기쁨을 반드시 맛볼 수 있을 것이다. 그때까지 열심히 노력하자.

데이 바이 데이 분석 ❷ 조광니

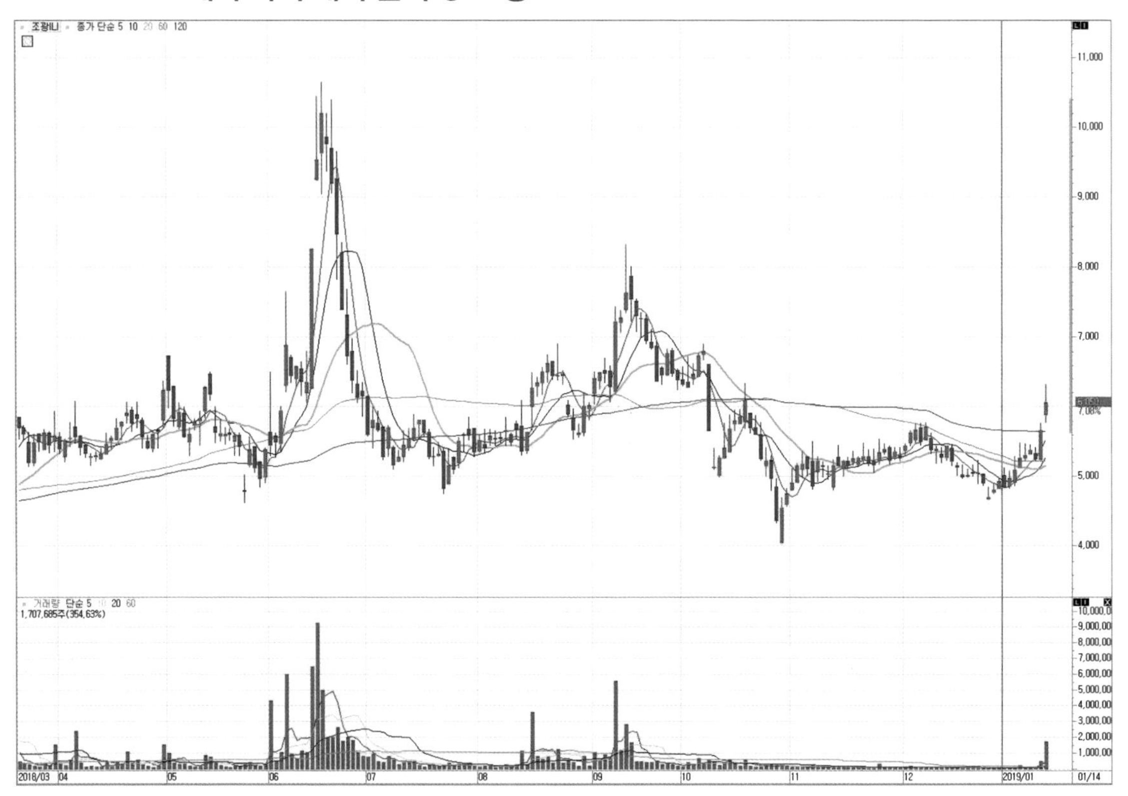

장기차트를 보자. 초반에 나름 큰 시세를 주었다. 약 100%에 달하는 시세를 주고 바로 급락했다. 뒤늦게 뛰어든 투자자는 큰 손실을 입었을 것이다. 주식투자로 돈을 벌려면 올라가는 종목을 잡아야지 하락하는 종목을 잡아서는 안 된다. 투자 방법을 바꾸지 않는 한 절대로 돈을 벌 수 없다.

급락 이후 다시 약한 상승세를 보여주다 하락하는데 이번에는 바닥이 더 낮아졌다. 1만 원을 돌파했던 종목이 4000원 부근까지 하락했다. 하지만 최근 주가 반등은 주목할 필요가 있다.

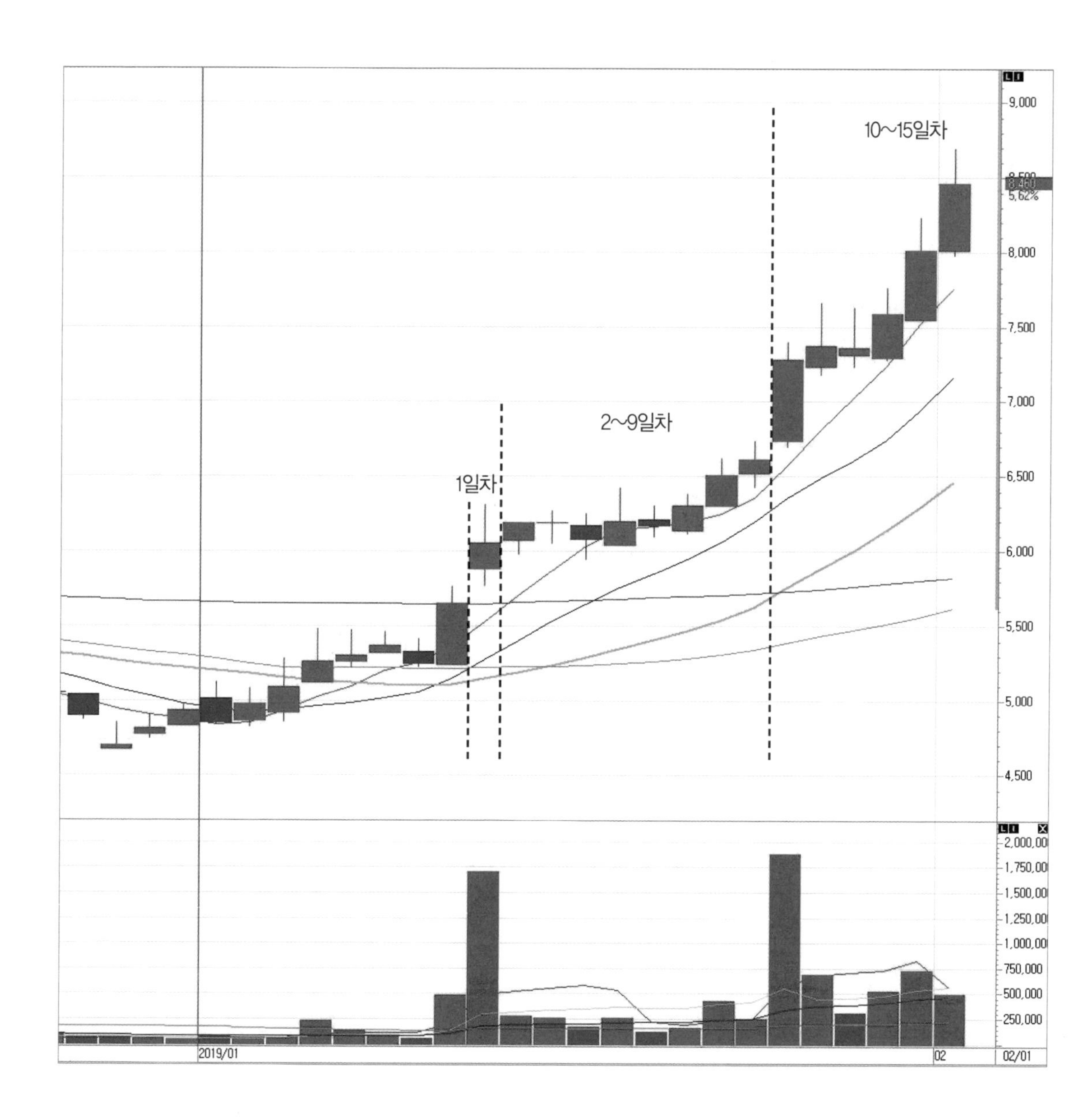
10~15일차
2~9일차
1일차
9,000
8,500
8,460
5.62%
8,000
7,500
7,000
6,500
6,000
5,500
5,000
4,500
2,000,000
1,750,000
1,500,000
1,250,000
1,000,000
750,000
500,000
250,000
2019/01
02
02/01

1일차 : 최근 주가를 보니 5000원대에서 횡보하다 4000원 중반까지 밀려 내려갔다가 다시 반등하고 있는데 단봉이지만 양봉으로 끌어올린다는 것에 주목할 필요가 있다. 오랜 기간 하락한 종목이기에 반등 시도가 나오기에 충분한 상태다. 그러다 어제 상승양봉이 나와 주고 오늘 갭상승 양봉이 나왔다. 갭상승은 강한 매수세를 뜻한다. 주가 바닥에서 거래량 터진 갭상승이 나왔다는 것은 주가가 여기서 끝나는 것이 아니라 이제 상승 출발이라는 신호다. 가장 우선순위로 주목할 종목인 것이다.

2~9일차 : 갭상승 양봉 위꼬리 부근에서 지지캔들이 나오기 시작하더니 서서히 5일선을 상승시키고 있다. 지지캔들이 다섯 개 나와 주었는데 양봉이 다수다. 주가를 관리하는 세력이 있음을 알 수 있다.

이런 종목은 5일 지지캔들 이후 5일선을 살리는 순간 매수에 가담해야 한다. 매수 후에는 5일선을 이탈하지 않거나 자신이 정한 손절가를 이탈하지 않는 이상 계속 보유하는 전략이 좋다. 이 경우 강한 장대양봉으로 주가를 끌어올릴 수도 있지만 5일선을 살리면서 상승할 가능성도 높기 때문이다. 어느 경우이건 일단 진입하는 것이 중요하다. 진입만 하면 수익이 나기 때문이다.

10~15일차 : 5일선을 상승으로 전환시킨 후 강하지 않지만 장대양봉이 나왔다. 이후 5일선을 살리면서 주가가 올라가고 있다. 올라갈 때 캔들을 보자. 전부 양봉이다. 시가는 강하지 않지만 계속 장중에 물량을 받으면서 올리고 있다.

폭발적으로 매집해 주가를 끌어올리는 것이 아니라 나오는 물량을 계속 소화하면서 주가를 끌어올리는 것이다. 스윙매매를 하기에 교과서적인 종목이라 할 수 있다.

이런 종목은 그야말로 진입하고 버티면 계속 수익이 쌓인다. 매수를 못해서 돈을 벌지 못할 뿐이다.

데이 바이 데이 분석 ❸ 퍼스텍

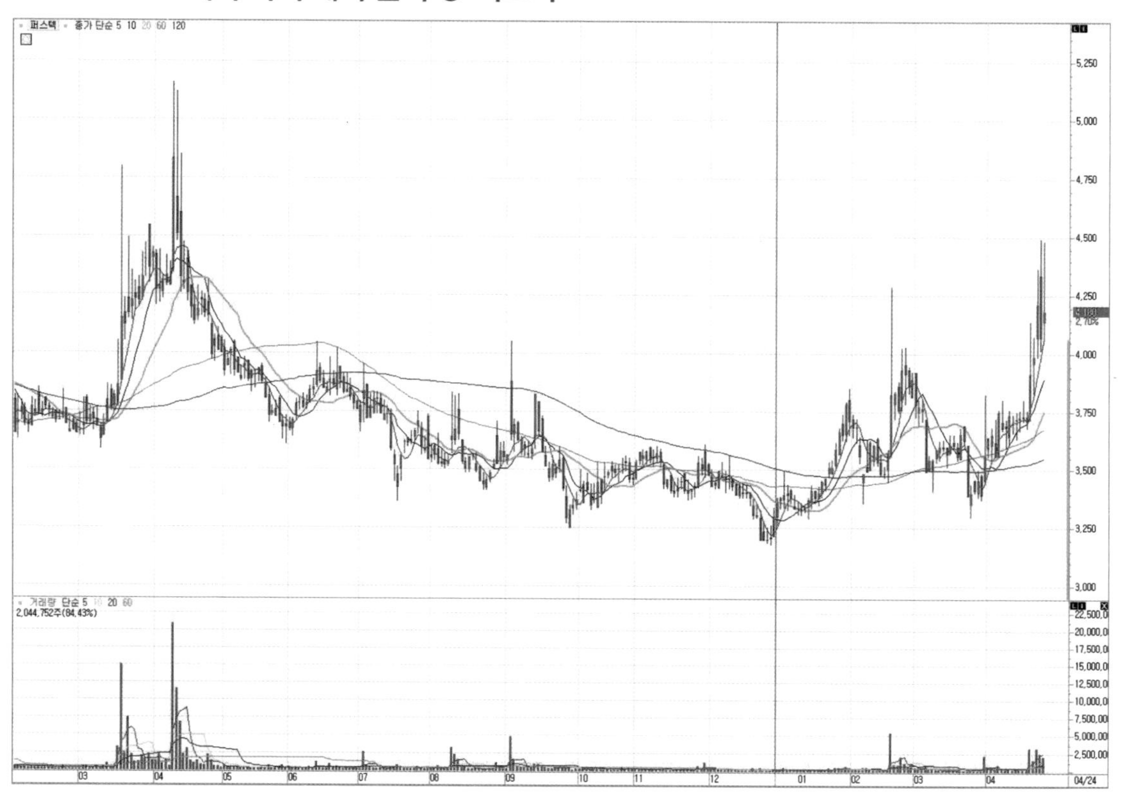

주가가 완만하지만 하락추세다. 차트 초반 주가가 급등하고 이후 장기간 주가가 밀려 내려오는데 매수 기회는 없어 보인다. 그러다 올해 들어 상승 시도가 나오고 변동성이 시작되고 있다. 최근 전고점을 다시 돌파하려는 시도가 나오고 있는데 상승폭이 장기차트 초반의 고점까지 올라갈 듯한 힘이 보인다. 자세히 살펴볼 필요가 있다.

바로 앞을 보면 위꼬리 긴 장대양봉이 있다. 장대양봉 이후 상승에 성공하지 못하고 밀려 내려오는데 조정 기간을 거쳐 다시 상승하고 있다. 최근 5일간 주가는 거래량이 터지면서 앞의 고점을 의식하며 숨 고르기에 들어간 모양새다. 주가는 장중 변동성이 있지만 5일선을 찍고 지지해 주고 있다. 이 정도의 힘이라면 다시 앞의 고점을 강하게 돌파하는 시도가 나올 가능성이 높다. 매매자라면 대응할 준비를 해야 한다.

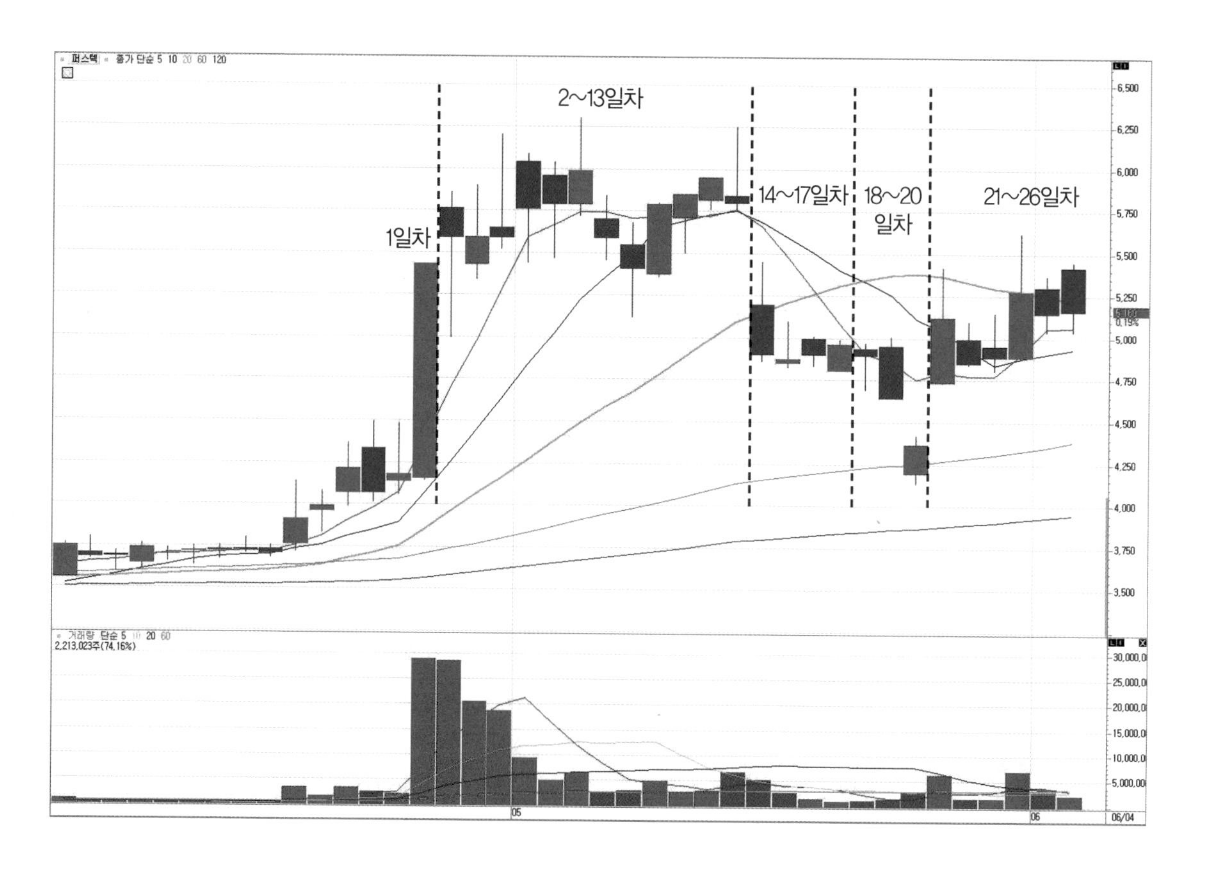

1일차 : 오늘 상한가가 나왔다. 미리 강한 시세를 예측하고 준비를 한 매매자라면 매수해서 수익을 올렸을 것이다. 특히 어제 시가 부근에서 주가가 시작했으므로 최대 30%의 수익이 가능했다. 1000만 원 매수했으면 바로 300만 원이 계좌에 들어온 것이다.

2~13일차 : 상한가 이후 주가가 상승하지 못하고 있다. 요즘은 상한가가 30%이기 때문에 웬만큼 강한 시세가 아니면 바로 주가를 끌어올리기 쉽지 않다. 단기간에 부담스러운 상승이다. 주가가 올라가지 않으니 일단 수익을 챙

기고 다음 주가 흐름을 보는 것이 좋다.

14~17일차 : 상한가 고점에서 지지캔들이 나오는데 상당히 좋은 흐름이었고 추가 상승의 기운도 높았다. 그러나 갑자기 갭하락이 나오면서 주가가 하락하고 있다. 이런 경우가 있으니 미리 선취매를 해서는 안 된다. 주가 흐름을 지켜보다 거래량이 터지면서 움직일 때 공략해야 한다. 아직 상한가 몸통 절반 정도에서 지지되고 있기 때문에 다시 주가를 끌어올릴 희망은 있다.

18~20일차 : 이번에 다시 갭하락이 나왔다. 그런데 주가가 갭하락으로 떨어지는데 거래량이 없다. 악재로 주가가 하락하면 매도물량이 몰리면서 거래량이 늘기 마련인데 전혀 거래가 없는 것이다. 상한가에 들어온 세력이 주가 관리를 하고 있다는 의미다. 세력이 들어왔는데 자신들도 감당할 수 없는 악재가 발생해 주가가 떨어지는 것이다. 그런데 물량은 자신들이 팔지 않고 가지고 있으니 거래가 없다. 바로 대응하지 말고 일단 보류하는 것이 좋다.

21~26일차 : 갭하락 이후 주가가 바로 앞의 지지캔들 가격대에 복귀하며 다시 지지가 나오고 있다. 이 종목에 세력이 확실히 있다는 뜻이며 지금 수익을 얻지 못해 물려 있다는 것을 확인할 수 있다. 그렇다면 처음의 패턴대로 상한가 고점에서 지지받고 올라갈 가능성이 매우 높다. 당연히 매매할 준비를 해야 한다.

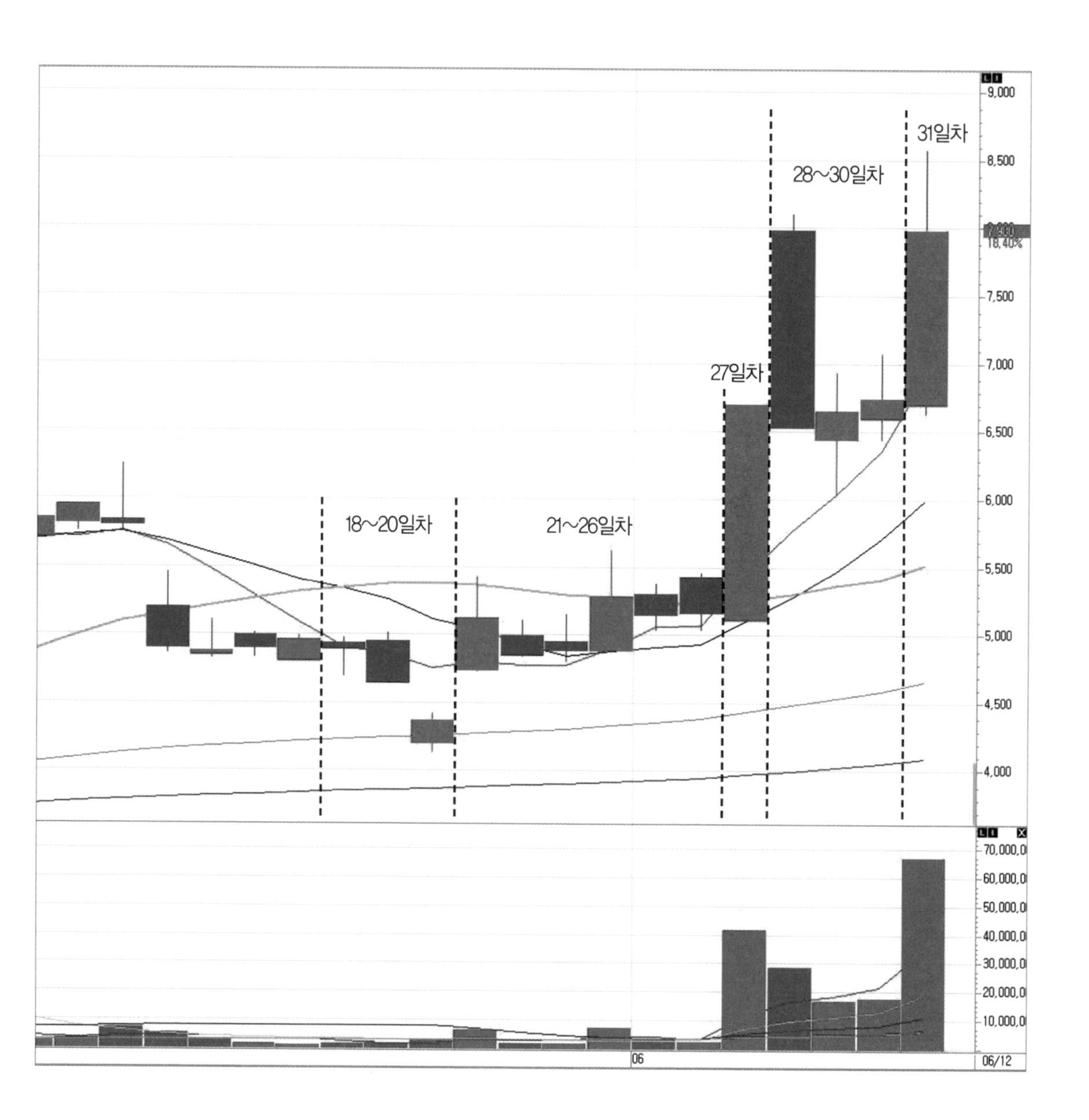
31일차
28~30일차
27일차
18~20일차
21~26일차
9,000
8,500
7,500
7,000
6,500
6,000
5,500
5,000
4,500
4,000
06
06/12

27일차 : 역시 거래량이 터져주면서 주가가 올라가고 있다. 상한가다. 확실히 세력이 움직이고 있음을 확인할 수 있다. 세력의 물려 있고 자신들의 수익을 위해 주가를 다시 끌어올릴 것을 예상한 투자자는 오늘 상한가도 놓치지 않고 수익으로 만들었을 것이다.

28~30일차 : 상한가 다음 날 갭상승 한 다음 장대음봉이 나왔다. 상한가를 만든 세력이 주가를 갭상승시켜 높은 가격에서 자신의 물량을 정리하는 패턴이다. 주가가 갭상승 한 다음 올라가지 못하고 밀려 내려올 때 보유자는 매도하고 나와야 한다.

음봉이 나오면서 주가가 끝나나 싶었는데 5일선을 이탈하지 않고 연속 지지양봉이 나와 주고 있다. 세력이 물량을 완전히 정리했으면 주가는 예측 불가능으로 움직였을 것이다. 하지만 관리되는 모습이라면 세력이 아직 물량을 정리하지 못했을 가능성이 있다.

31일차 : 연속 지지캔들 이후 다시 강한 장대양봉이 나왔다. 세력이 물량을 완전히 정리했다면 주가가 추가로 올라가지 않겠지만 추가 상승 가능성도 있기 때문에 매수자는 일단 보유하고 다음 날 주가 흐름을 보고 대응하는 것이 좋겠다.

대응이 확실했다면 이 종목에서 나온 상한가 두 번의 수익을 다 챙겼을 것이다. 주가 흐름을 미리 예측하고 대응하는 것이 이렇게 중요하다. 차트를 눈으로만 보지 말고 흐름을 예측하면서 시나리오를 짜보자. 지금보다 훨씬 좋은 결과를 얻을 수 있을 것이다.

데이 바이 데이 분석 ❹ 현대상사

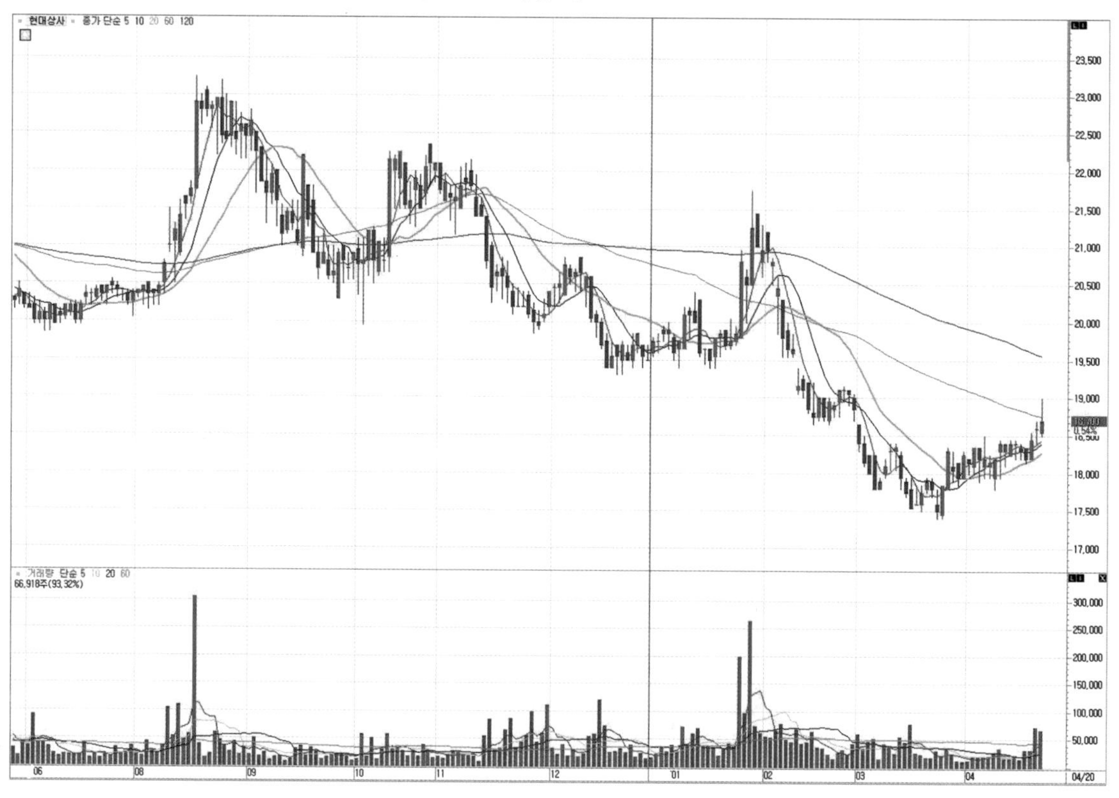

장기차트를 보니 2만3000원대의 주가가 1만7000원대까지 하락했다. 물론 중간에 반등 시도는 있었지만 하락 추세를 되돌릴 만한 힘은 가지고 있지 못했다. 오랜 하락에 의한 일시적인 반등 시도가 전부인 종목이다.

최근 주가 흐름은 바닥을 찍고 서서히 상승 시도가 나오는 모습이다. 요즘은 주가 변동폭이 30%나 되다 보니 장기간 하락한 종목도 단숨에 주가를 되돌리기도 한다. 자세히 살펴보자.

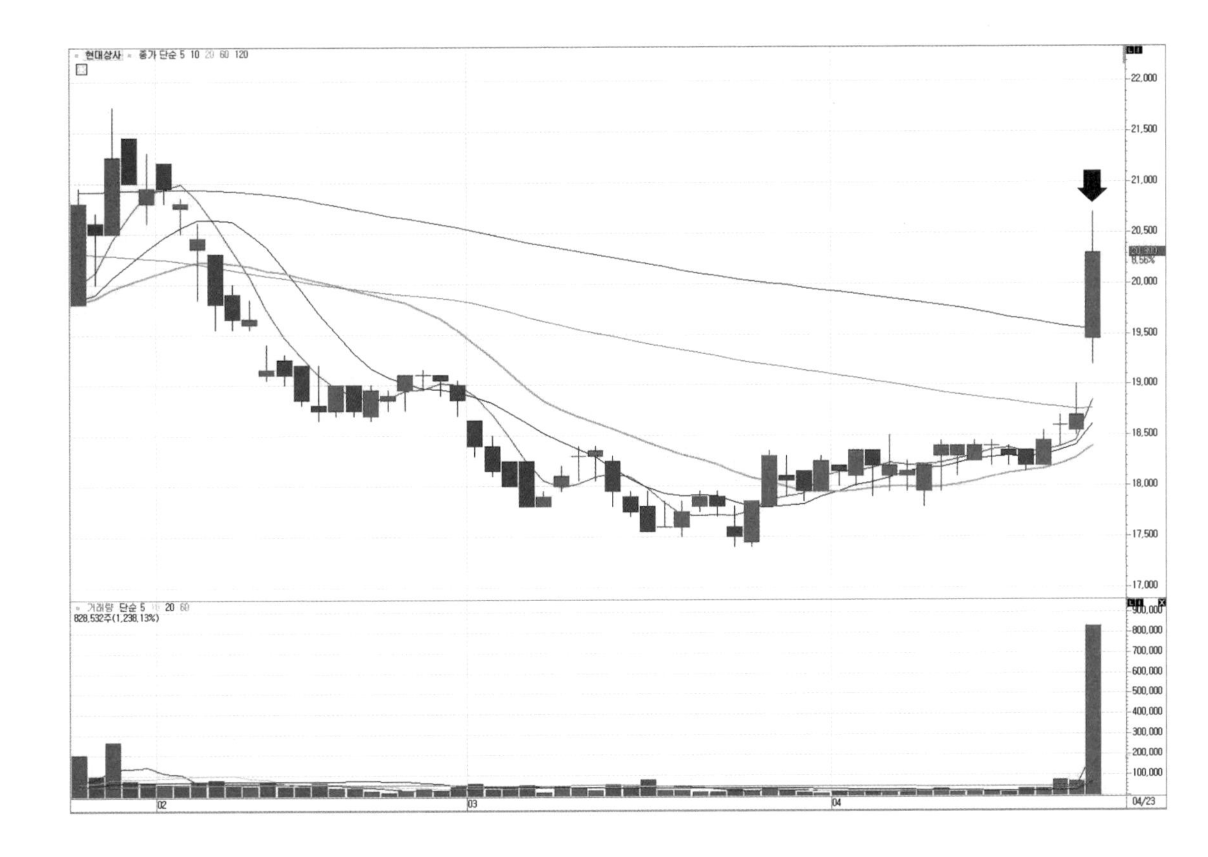

1만7000원대에서 1만8000원까지 주가를 끌어올리더니 오늘 강한 거래량과 함께 장대양봉이 나왔다. 일단 2만 원을 돌파하며 오랜 기간 하락한 주가의 일부분을 만회했다. 사실 보유하고 있지 않았다면 오늘의 양봉은 잡기 힘들었을 것이다.

중요한 것은 앞으로의 주가 흐름이다. 일단 주가가 하락추세를 벗어나서 변화를 주고 있다. 단기 투자자들이 접근할 수 있는 기회를 주는지 확인할 필요가 있다.

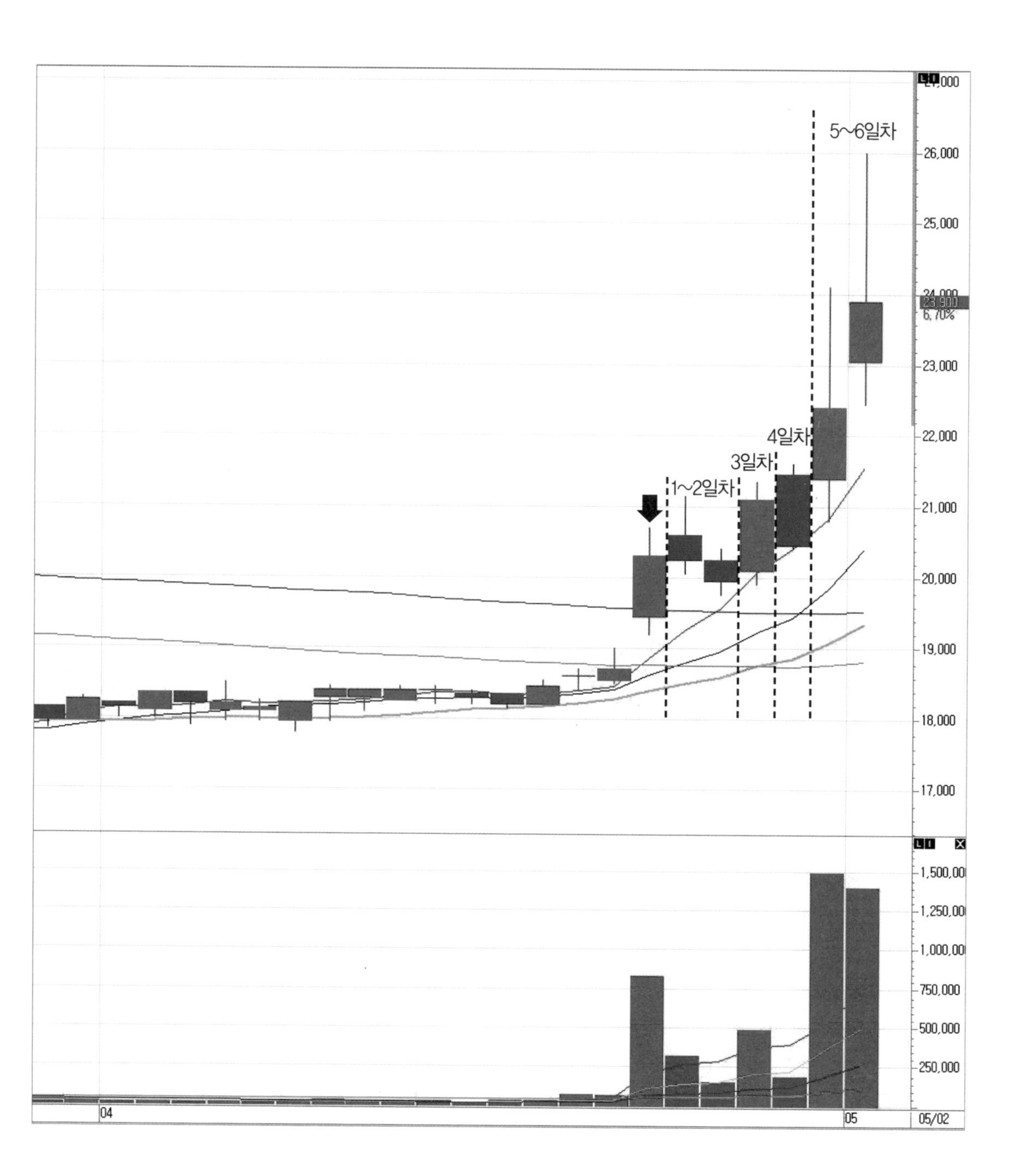
5~6일차
4일차
3일차
1~2일차
26,000
25,000
24,000
23,900
6.70%
23,000
22,000
21,000
20,000
19,000
18,000
17,000
1,500,000
1,250,000
1,000,000
750,000
500,000
250,000
04
05
05/02

1~2일차 : 갭상승 양봉 이후 장중 주가가 상승하지만 추세를 만들지는 못했다. 그리고 2일차에 다시 주가가 하락하면서 음봉이 나왔다. 이쯤 되면 이 종목은 양봉 하나로 끝났다고 생각할 수 있다. 그러나 이 책을 공부했으면 알겠지만 바닥에서 양봉이 나와서 바로 상승하는 경우는 별로 없다. 바닥에서 주가가 탈출할 때는 장대양봉 이후 조정을 받는 것이 일반적이다.

이 종목도 전형적인 패턴이다. 더군다나 장대양봉이 갭상승이었다. 그만큼 강한 종목이라는 것이다. 오늘 양봉의 몸통 부근까지 주가가 내려왔으니 올라오는 5일선을 찍고 반등이 나올 가능성이 높다. 거래량을 확인하고 매수세가 유입되는가를 지켜본다.

3일차 : 오늘 전고점을 뚫은 상승이 나왔다. 그러나 양봉의 길이가 길지 않기 때문에 높은 수익은 올리기 어려웠을 것이고, 스윙매매로 접근한 투자자만 넉넉한 수익을 얻었을 것이다. 오늘 돈을 못 벌었다고 포기할 필요는 없다.

상승 부분의 차트를 보자. 5일선을 타고 나가려는 전형적인 패턴이다. 장대양봉으로 5일선 이격이 벌어지니까 이평선을 기다리는 모습이다. 다음으로 장대양봉이 나올 수 있지만 5일선을 타고 올라가는 단봉 형태의 양봉이 나오거나 이평선을 지지하는 조정이 나올 수 있다.

4일차 : 이 종목의 선택은 조정이다. 차트를 다시 보자. 전형적인 양음양패턴이다. 상승과 조정을 반복하면서 물량을 매집하고 차트를 만들어 나가는 모습이다. 오늘 이평선 지지를 했기 때문에 차트를 살려 나가려면 다음 날 다시 주가를 끌어올릴 것이다. 거래량이 터지면 매매에 나선다.

5~6일차 : 주가 터닝 지점에서 양음양패턴을 만들며 상승하고 있다. 이 패턴

이 만들어질 것을 예상한 투자자라면 양봉 두 개 중 최소 하나는 먹을 수 있었을 것이다.

세력이 바닥에서 주가를 끌어올릴 때 만드는 전형적인 패턴이다. 최근에는 이런 패턴이 변형돼 나오고 있다. 하지만 분석 방법은 똑같기 때문에 꾸준히 공부하다 보면 해석이 가능하다. 바로 안 된다고 걱정할 것 없다. 노력하다 보면 언젠가 자신도 모르게 차트 보는 눈이 열릴 것이다.

데이 바이 데이 분석 ❺ GV

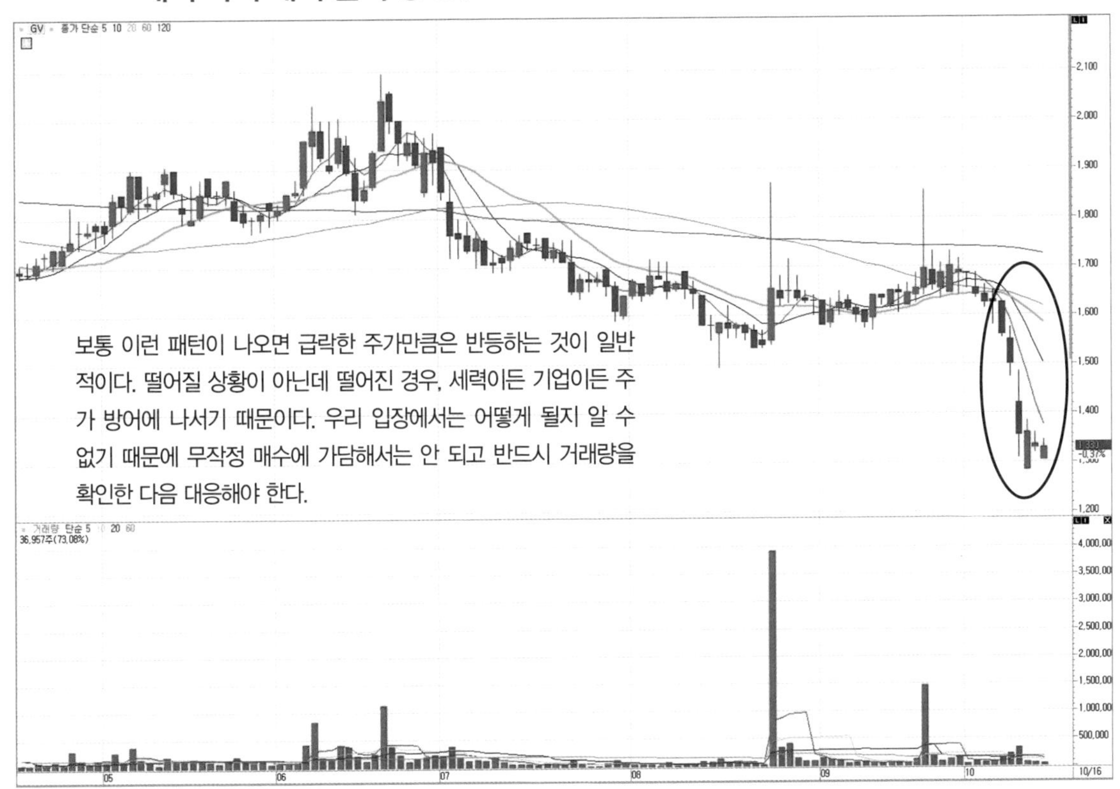

이 종목의 6개월간의 주가 흐름을 살펴보자. 차트 앞부분 주가를 보면 상승을 멈추고 하락하고 있다. 매매 여지를 주지 않는 종목으로 이런 구간에서는 철저히 무시하는 것이 좋다. 최근에는 더 암울하다. 1700원대의 주가가 급락해서 단기간에 1300원대로 떨어졌다. 급락 종목은 철저하게 무시한다.

급락 이후에 3일 주가 흐름을 보자. 갭하락 양봉 다음 2일 연속 주가가 지지되고 있다. 일단 급락은 멈춘 모습인데 추가 하락할지 올라갈지 아직은 모른다.

지지캔들 이후 보기 좋게 주가를 끌어올리고 있다. 1주일 이상 양봉으로 주가를 끌어올리면서 충분히 매수 기회를 주었다. 주가가 하락하기 전 횡보구간을 넘어 전고점까지 뚫고 올라간 모습이다. 거래량이 터지면서 주가가 올라가고 있기 때문에 이 종목을 실전에서 봤다면 매수해서 수익을 즐겨야 한다. 바닥에서 매수했다면 스윙으로 가져가서 수익을 극대화하는 것이 좋다.

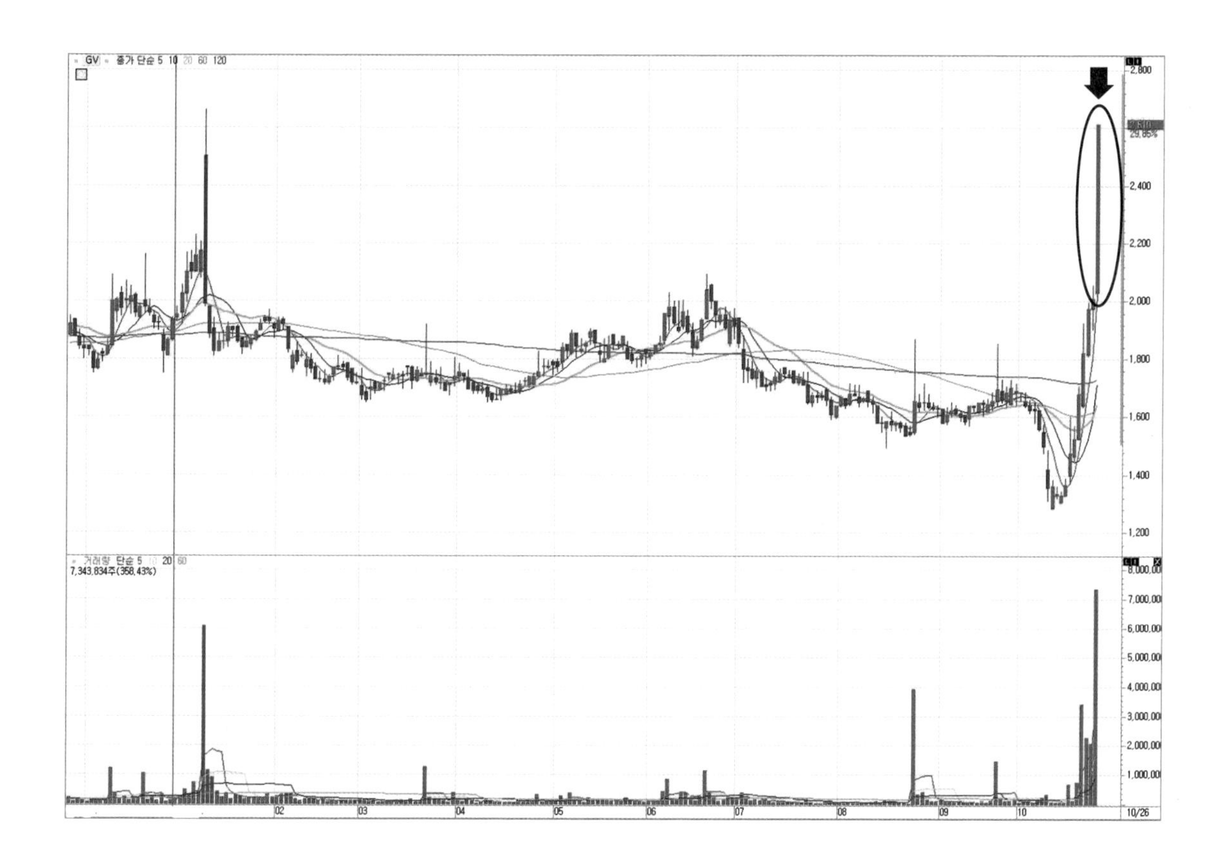

주가가 앞에 나온 횡보 구간을 넘어 10개월 전 최고가 부근까지 올라간 모양이다. 저점에서 매수한 투자자는 매도하지 말고, 중간에 매수한 투자자도 보유하여 수익을 극대화하는 것이 좋다. 오늘 주가가 상한가로 마감해 내일 추가 상승의 기대도 있다. 이렇게 올라가는 종목에 올라탔으면 최대한 수익을 극대화하는 것이 좋다. 이런 종목 하나 잘 잡으면 몇 달은 먹고 산다.

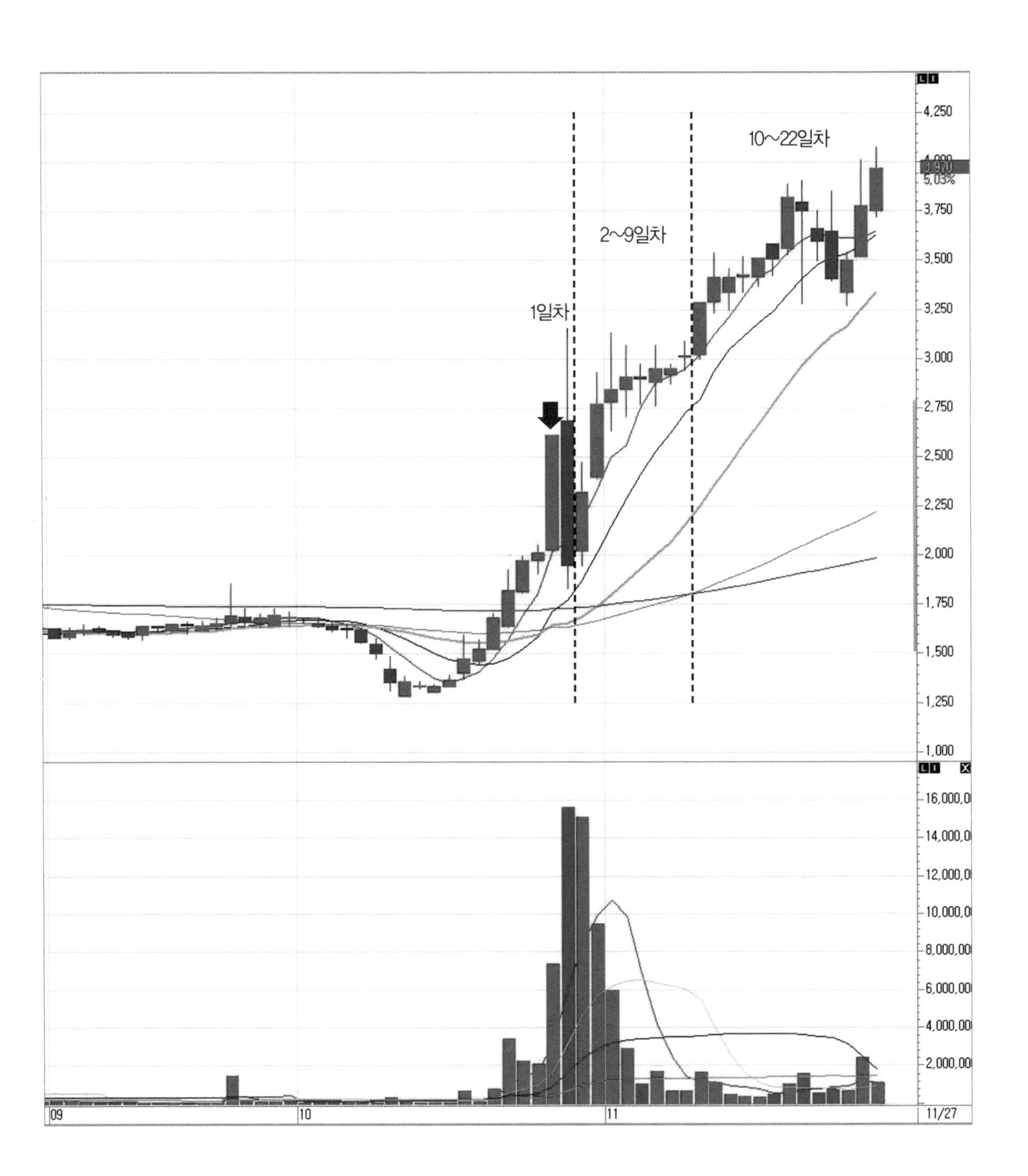
1일차
2~9일차
10~22일차
4,250
3,750
3,500
3,250
3,000
2,750
2,500
2,250
2,000
1,750
1,500
1,250
1,000
5.03%
09
10
11
11/27

1일차 : 전고점까지 상한가로 진출한 주가는 오늘 상승하다가 매물을 받고 밀리고 있다. 전고점을 돌파한 종목이 장중에 매물을 받고 크게 밀리면 당연히 매도해서 수익을 챙겨야 한다.

실전 투자에서 실수하는 것 중 하나가 하락추세에 접어든 종목의 주식을 그대로 가지고 있는 것이다. 아니다 싶을 때는 빨리 팔고 다음 기회를 노려야 한다. 현금을 지켜야 다음에 또 투자할 수 있다. 대박 욕심에 매도하지 못하는 경우가 많은데, 대박은 정상적으로 매매하는 도중 우연히 찾아오는 것이다. 내가 원한다고 되는 것이 아니란 것을 명심하자.

급격한 하락으로 상한가를 다 까먹은 상태다. 장대음봉이기 때문에 일단 매도하고 다음 추세를 노리는 것이 좋다.

2~9일차 : 그런데 장대음봉 다음에 음봉의 몸통 절반 정도를 극복하는 양봉이 나왔다. 완성되지 못한 상승장악형인데 이 정도만 해도 의미가 있다. 세력이 완전히 털고 나가지 않았다는 것을 의미하기 때문이다. 이런 경우 세력이 물량 정리를 위해 다시 상승추세를 만들기도 한다.

이렇게 상승 파동이 있는 종목은 다시 재진입 기회를 주는 경우가 많다. 그렇기 때문에 미련하게 주가가 하락하고 있음에도 물량을 가지고 마음 고생하는 일은 없어야겠다. 매도하고 주가가 다시 올라갈 때 재진입해 수익을 올리면 된다.

주가는 장대음봉을 극복하고 횡보한다. 고점에서 주가가 횡보하니 추가적으로 주가가 올라갈 가능성이 매우 높다. 상승장악형에서 진입했다면 매수하고 홀딩하는 전략을 구사한다.

10~22일차 : 주가가 추가적으로 올라가는데 양봉밀집형으로 상승한다. 이런 경우 추가 상승하면 계속 홀딩하지만 꺾일 때는 이평선을 봐야 한다. 캔들이 이평선을 깨고 내려올 때 매도해야 한다.

주식을 매수했으면 매도도 자연스럽게 해야 한다. 매수는 했는데 매도가 안 되는 투자자가 너무 많다. 주식을 매수한 순간 회사의 주주라는 말은 맞지만 단기 매매는 그런 관점에서 접근하면 안 된다. 산지에서 소비자를 연결해주는 도매상이라고 생각해야지, '나는 주주다'라는 개념으로 접근해서는 안된다. 이건 장기 투자를 할 때나 생각하기 바란다.

단기 차트분석법을 가지고 장기 투자에 접근하다가는 수익은커녕 손실을 입을 가능성이 높다.

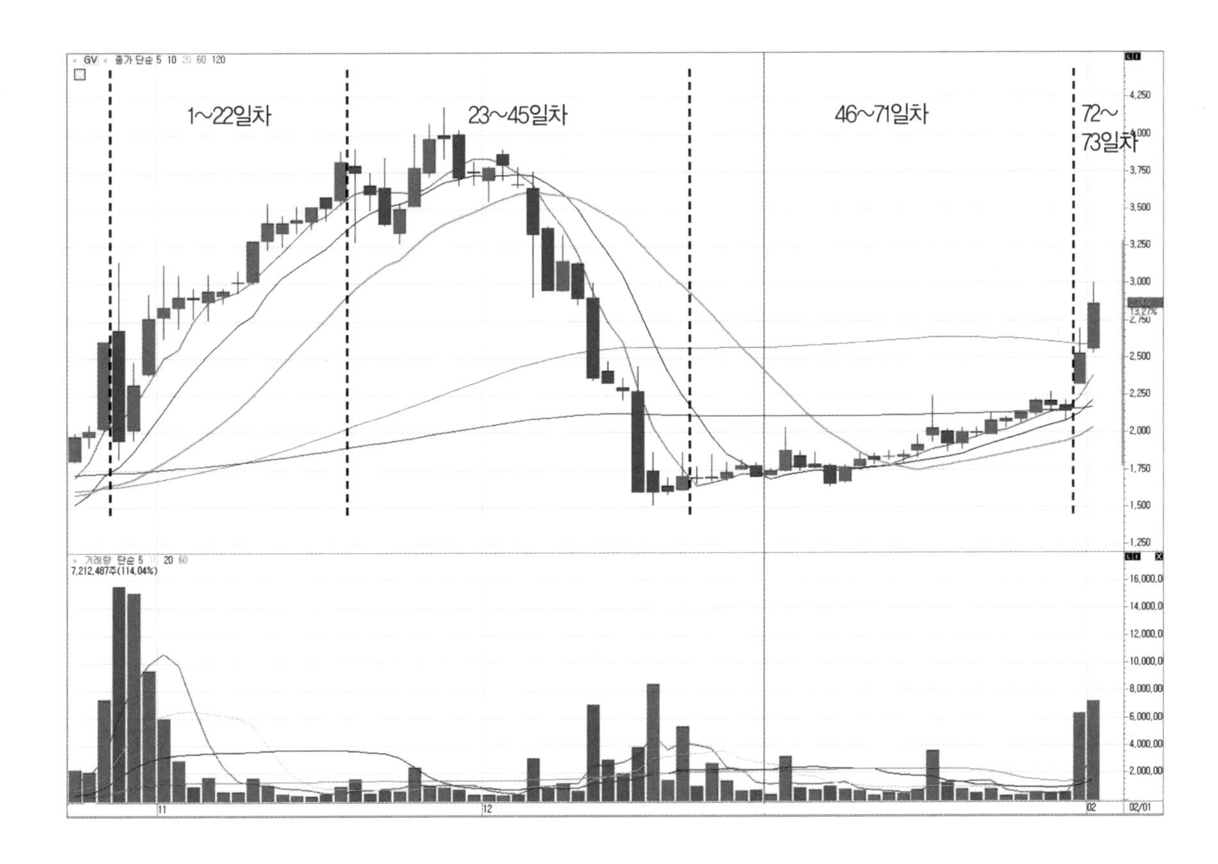

23~45일차 : 주가가 전고점을 돌파할 것처럼 상승하다 어이없게 급락한다. 매수자들은 다 빠져 나왔을 것이다. 못 빠져 나왔다면 이 매매법이 아니라 주식투자 자체를 그만둬야 한다. 내가 그만두라고 하지 않아도 투자금 손실 때문에 저절로 그만두게 될 것이다.

주가가 떨어지는데 물량을 가지고 있다는 것 자체가 기본이 안 돼 있는 것이다. 손절에 대한 기본이 없으면 어떤 매매를 하든 주식시장에서 손실을 입고 나가게 돼 있다.

46~71일차 : 주가가 급락 이후에 횡보를 한다. 이상하다. 아직 세력이 남아 있나 생각할 수 있다. 그런데 횡보구간을 보자. 완만히 상승한다. 급락 구간의 매물을 천천히 소화해 주고 있는 것이다. 바보가 아닌 이상 울분에 쌓여 있는 투자자의 매물을 받아 줄 리가 없다. 그런데 천천히 매집을 한다. 이런 차트라면 주가를 끌어올릴 가능성이 높다.

여기서 중요한 것은 미리 선취매해서는 안 된다는 것이다. 이런 차트에서 미리 매수하는 투자자가 너무 많다. 그러나 언제 끌어올릴지 모르게 때문에 미리 매수해서는 안 된다. 최근 급등락을 반복하던 종목이기 때문에 추가 하락 가능성도 염두에 두어야 한다. 그러면 언제 매수해야 할까? 바로 거래량이 터질 때다. 우리가 할 일은 이 종목을 관심종목에 넣고 거래량이 터지면서 올라가는가를 확인하는 것이다. 예측대로 올라가면 득달같이 달려들어 수익을 올리자.

72~73일차 : 2일 연속 장대양봉이 나오면서 시세를 주고 있다. 거래량도 터졌다. 당연히 매수해서 수익을 올려야 한다.

숙달되지 않으면 조금 어려울 수도 있지만 익숙해지는 순간 수익을 보장받을 수 있다. 주식투자로 돈을 벌려면 이 정도의 노력은 당연히 해야 한다.

수익률은 개인의 매수 진입 가격에 달려 있다. 관건은 투자자가 수익을 낼 수 있는 종목을 발굴하고 매매할 수 있느냐이다. 이런 종목을 찾아 매일 매매 연습을 하자.

데이 바이 데이 분석 ❻ 미래나노텍

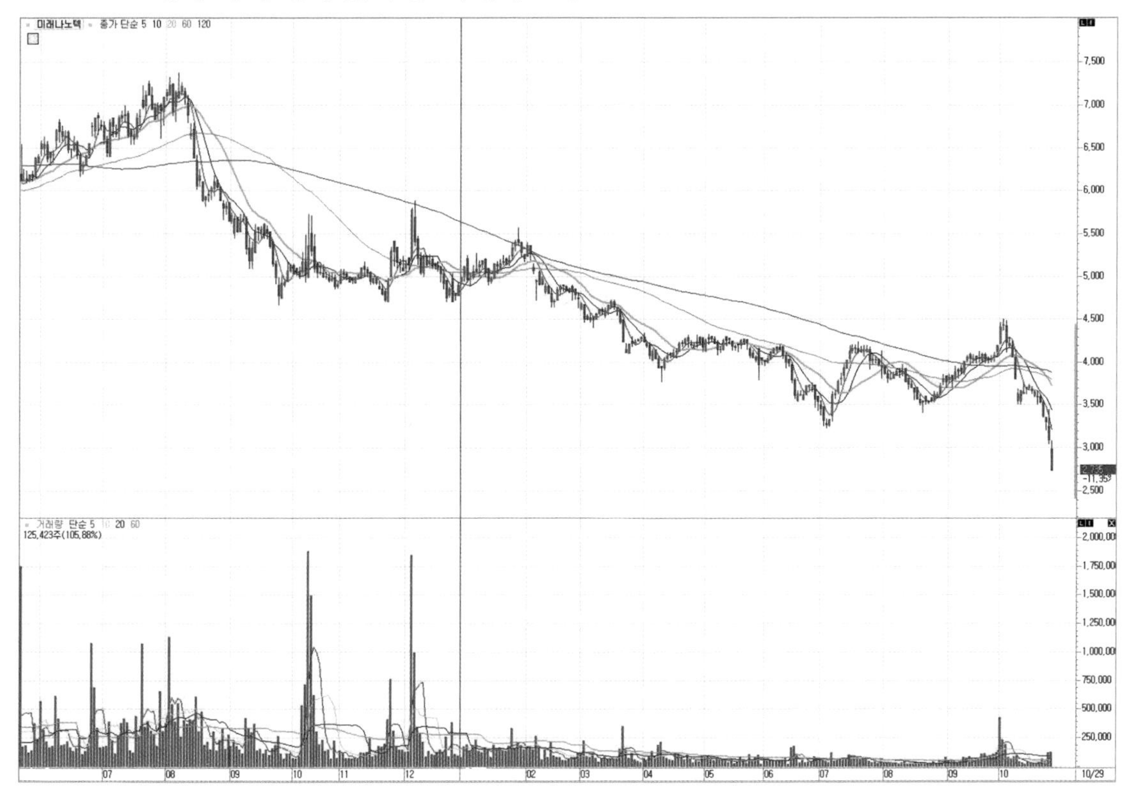

전형적인 하락추세 종목이다. 1년 넘게 하락이 이어졌다. 최근에는 상승 반등이 나오다가 추세를 이어가지 못하고 끝 모르게 주가가 떨어지고 있다.

상승 전망을 했는데 하락하면 기업 분석이 틀렸거나 변화가 있는 것이기에 다시 한 번 분석하고 계속 보유할 것인지, 매도할 것인지를 판단해야 한다. 하지만 이 종목은 반드시 매도해야 한다. 이런 종목은 분석이 필요 없다. 차트만 보고도 기업 상태가 어떤지 알 수 있다.

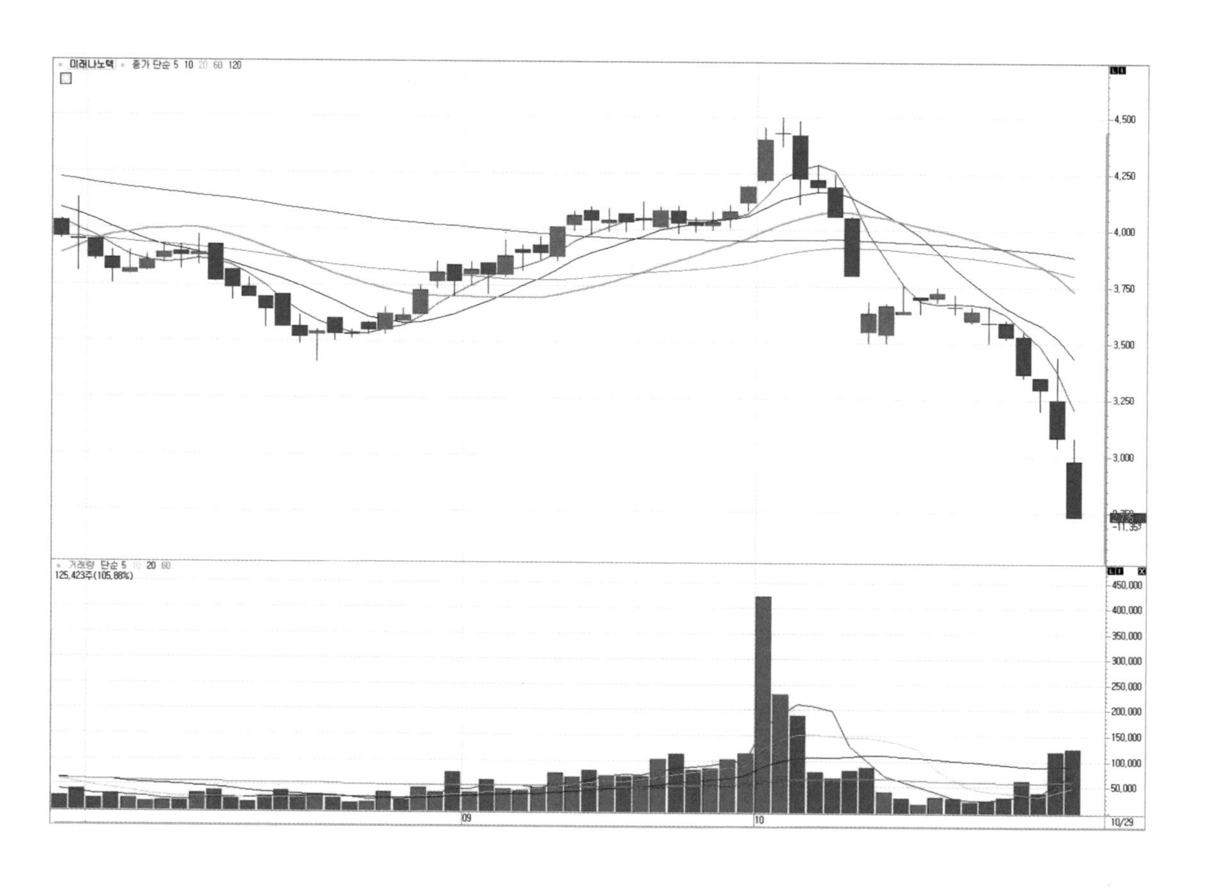

최근 주가를 보자. 4500원 찍고 2735원까지 밀린 모습이다. 최근 모습도 엄청난 하락세다. 4500만 원을 투자했다면 지금 원금이 2700만 원으로 줄었다는 이야기다. 50%의 손실을 입었다고 해보자. 원금까지 복구하려면 얼마나 올라가야 될까? 50%? 아니다. 100%가 올라야 원금이 회복된다. 이 정도 손실을 복구하는 것은 정말 어려운 일이다. 그러니 50% 손실 보기 전에 매도했다가 충분히 하락한 다음 기회를 노려야 한다.

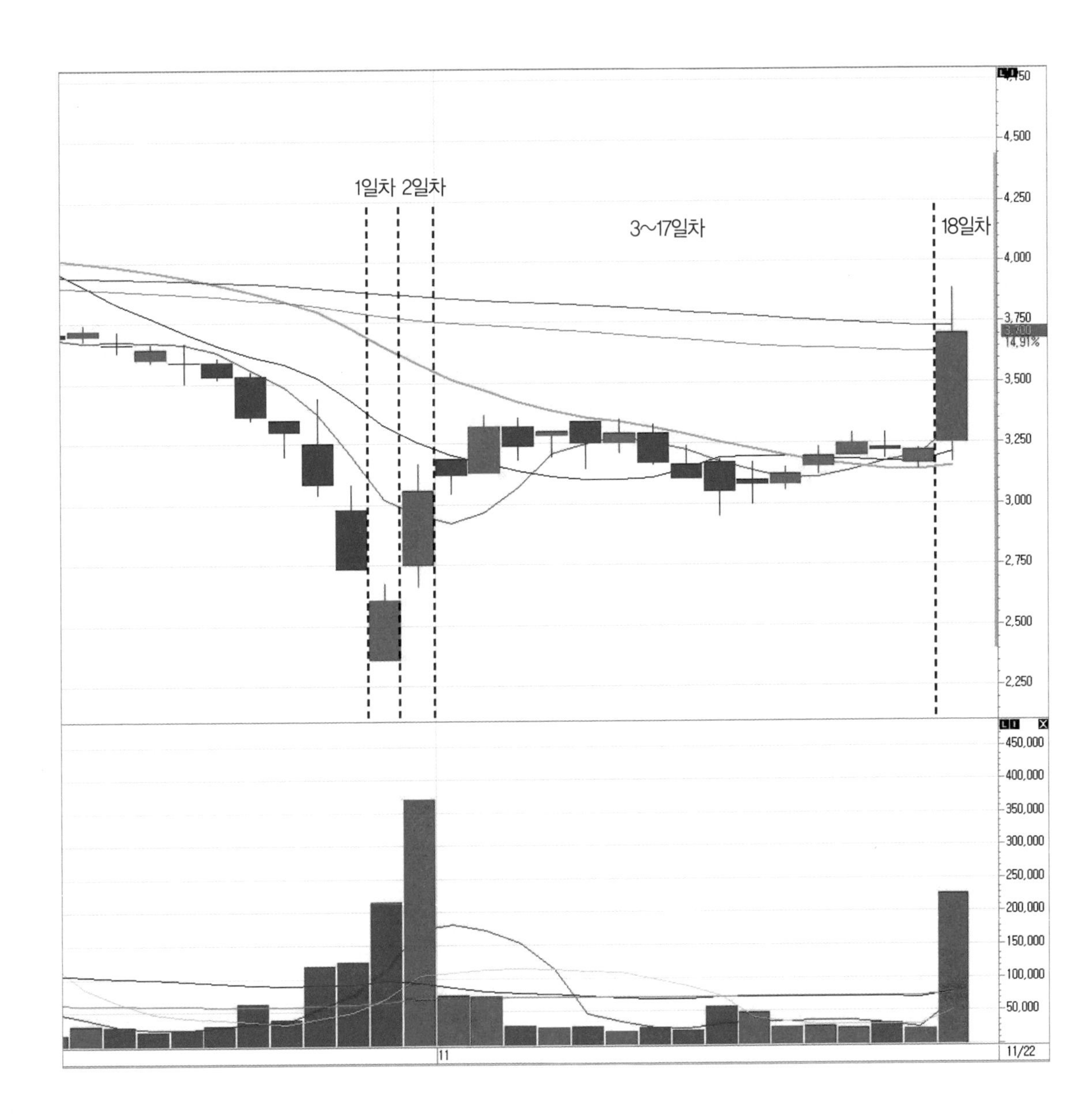

1일차
2일차
3~17일차
18일차
4,500
4,250
4,000
3,750
3,500
3,250
3,000
2,750
2,500
2,250
14.91%
450,000
400,000
350,000
300,000
250,000
200,000
150,000
100,000
50,000
11
11/22

1일차 : 어제까지는 매우 안 좋은 주가 흐름을 보였다. 그런데 오늘 나온 캔들을 살펴보자. 상당히 의미가 있다. 앞에서는 주가가 시가부터 하락했다. 물론 장중에 주가가 움직였지만 종가는 시가보다 하락했다. 매도세가 그만큼 강했다는 것이고 매수세가 없다는 것을 의미한다. 특히 하락추세에 있는 종목에서 연속적인 하락 음봉은 매우 안 좋다. 그러니 건드려서는 안 된다.

그런데 오늘 양봉이 나왔다. 주가가 갭하락해서 장중에 올라간 것이다. 하락추세가 이어질 것이라면 주가가 전날처럼 하락 음봉이 나와야 했다. 하락추세에 갭하락 양봉이 나오면 그 의미가 상당하다. 세력이 매집을 위해 주가를 아침부터 누르고 시작한다. 아침에 주가를 눌러 공포감에 질린 물량이 나오면 그 물량부터 매집하는 것이다. 최대한 싼 가격에 물량을 매집하려고 해서 이런 캔들이 나오는 것이다.

하락추세 종목에 세력이 개입했으니 반등이 나올 가능성이 매우 높다. 그래서 이런 패턴이 나오면 주목해야 하는 것이다. 한 번 실제로 어떻게 움직였는지 살펴보자.

2일차 : 17% 상승 마감했다. 전날 시가부터 물량을 매집하고 오늘 주가를 끌어올리고 있다. 그냥 눈으로 차트를 보고 지나쳤다면 놓쳤을 종목이다. 하지만 그 의미를 알고 매매 준비를 했다면 장중에 수익을 거둘 수 있었을 것이다.

3~17일차 : 주가가 상승한 이후에 횡보하고 있다. 만약 시세가 끝났다면 주가가 횡보하지 않고 다시 하락했을 것이다. 하지만 저가에서 들어온 세력이 주가를 관리하고 있다. 아직 충분한 수익을 거두지 못한 세력이 물량을 보유하고 주가를 관리하고 있는 것이다.

주가를 추가로 끌어올릴 가능성이 매우 높다. 저가에서 수익을 올렸거나 올리지 못한 투자자라도 다시 매수 기회를 잡을 수 있다.

18일차 : 주가가 횡보한 이후 오늘 15%의 상승이 나왔다. 여기서 중요한 것은 반드시 거래량이 터지는 걸 확인하고 들어가야 한다는 것이다.

실전에서 이렇게 횡보하는 종목을 노리는 투자자들이 적지 않다. 또 매매를 해본 투자자도 많을 것이다. 그러나 그들이 성공하지 못한 이유는 여러 가지겠지만 제일 큰 이유는 거래량을 확인하지 않고 매수한 것이다.

차트 급소가 나왔다고 반드시 올라가는 것이 아니다. 차트가 망가지는 경우도 많다. 그 이유는 거래량이 없기 때문이다. 차트는 만들어졌는데 세력이 개입을 안 하는 것이다. 어떤 이유인지 우리는 알 수 없다. 그렇기 때문에 반드시 거래량을 확인하고 들어가야 한다. 급소 자리에서 올라가는 종목은 반드시 거래량이 터져 준다. 그러니 차트가 예쁘다고 미리 선취매하지 말고 관심 종목에 세팅해 놓았다가 거래량이 터지면 매매에 가담해야 한다. 그래야 성공 확률이 크게 올라간다.

우리가 공략한 자리에서 주가가 더 이상 뻗지 못하고 있었다. 그런데 주가가 밀리지 않고 다시 횡보한다. 장기 하락추세가 멈춘 것이다. 이후 2개월 정도 주가가 횡보하는데 다시 기회가 올 것처럼 보인다. 차트에서 지우지 말고, 관심 종목에 세팅해 두었다가 거래량이 실릴 때 다시 매매에 참여하면 된다.

이 날 주가가 횡보하다 전에 볼 수 없었던 대량 거래가 터지면서 주가가 장중에 상한가 언저리까지 갔다가 밀렸다. 미리 준비하고 있었다면 장중에 충분히 매매에 참여할 수 있었을 것이다.

데이 바이 데이 분석 ❼ 디지털대성

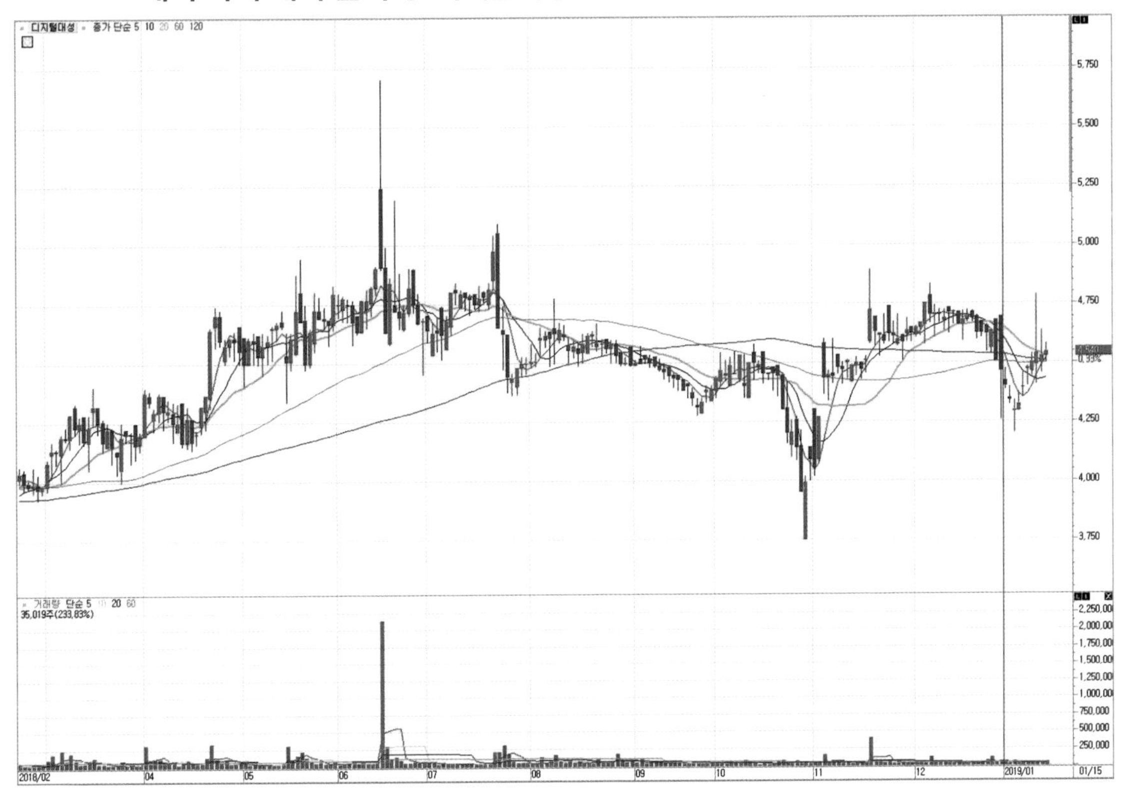

장기 차트를 살펴보자. 약 10개월 동안 주가가 방향을 못 정하고 있다. 차트 초반에는 주가가 상승하지만 이후에는 완만히 하락하다가 3000원대까지 급락하고 다시 급반등하고 있다. 전체적으로 개인 투자자가 접근하기 어려운 주가 흐름을 보여주었다.

하지만 이 정도의 거친 주가 흐름이라면 이제 다른 주가 흐름이 나올 가능성이 있다. 이번 달 들어 약간 의미 있는 주가 흐름이 나오는데 한 번 살펴보자.

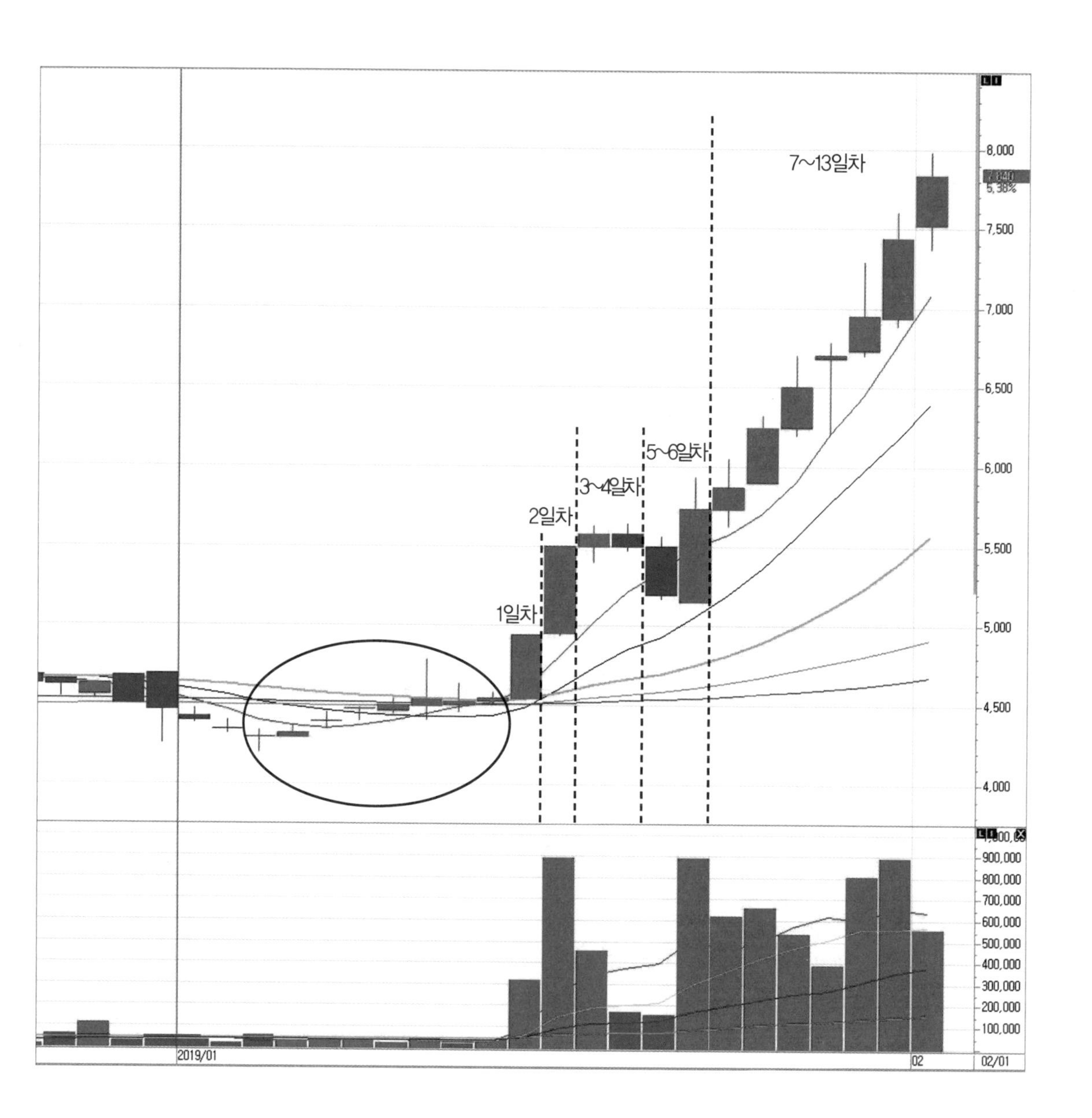
7~13일차
5~6일차
3~4일차
2일차
1일차
8,000
7,840
5.38%
7,500
7,000
6,500
6,000
5,500
5,000
4,500
4,000
900,000
800,000
700,000
600,000
500,000
400,000
300,000
200,000
100,000
2019/01
02
02/01

1일차 : 최근 주가가 4200원까지 하락했다. 이후가 중요하다. 주가가 반등하는데 연속 양봉이다. 하락한 종목이 반등하는데 연속 양봉이면 눈여겨볼 필요가 있다. 아침부터 물량을 매집했다는 뜻이니 말이다. 장중에 주가를 흔들고 매집하다 보니 주가가 오르고 끝나는 것이다.

그러다 오늘 8%의 상승 양봉이 나왔다. 준비가 되어 있었다면 충분히 매수에 동참했을 것이다. 만약 상승폭이 적어서 매수에 가담하지 못했다 하더라도 실망할 필요가 없다. 이런 종목은 추가로 상승할 가능성이 높기 때문이다. 오랜 기간 조정을 받은 종목이 상승할 때는 한 번의 장대양봉으로 끝나는 경우가 별로 없다.

2일차 : 어제 8%의 상승에 이어 오늘 11%의 상승을 만들어냈다. 어제 양봉이 위꼬리가 없이 끝났기 때문에 오늘 주가가 올라갈 가능성이 매우 높았다. 매수하기 좋은 타이밍이었다.

시가부터 주가가 움직이기 시작해 깔끔하게 오른 모습이다. 오늘도 위꼬리 없이 상승 마감했다. 바닥에서 이미 올라온 상태지만 다음 날 거래량이 터져주면 다시 매수에 가담해도 좋다.

3~4일차 : 2일 연속 양봉으로 상승해 다음 날 매수를 노렸는데 예측과 달리 주가는 오르지 못하고 지지캔들이 나왔다. 주가가 오르지 못했는데 뭐가 부족했을까? 바로 거래량이다. 거래량이 붙으면서 주가가 상승해야 달라붙는 것이다. 거래량도 줄고 주가가 움직이지 않았기 때문에 매수할 타이밍이 아닌 것이다. 하지만 2일 지지캔들이 나오면서 추가 상승 가능성을 높이고 있다.

주가가 오를 타이밍에 안 올랐다고 포기하지 말자. 다음 타이밍을 노리면 된다. 아무리 차트가 예뻐도 조건이 안 맞으면 매매하지 말아야 한다. 거래량을 보지 않고 차트만 보니 아무리 열심히 공부해도 안 맞는 것이다.

5~6일차 : 2일 지지캔들 이후 주가가 버티지 못하고 하락했다. 이래서 아무 곳에서나 선취매해서는 안 된다. 하지만 지지 실패 이후 바로 반등이 나온다. 거래량도 붙어 있다.

실전에서 이렇게 바로 반등이 나오는 경우는 일반 투자자가 대응하기에 쉽지 않다. 죽었던 차트가 다시 살아났는데 왜 살아났을까? 하락 음봉 자체가 세력이 원한 것이 아니기 때문이다. 세력도 어쩔 수 없는 외부적인 요인 때문에 떨어진 것이었다. 그러니 바로 주가를 살려 놓는 것이다.

7~13일차 : 연속적으로 양봉이 나오면서 주가가 상승하고 있다. 캔들 자체의 길이는 길지 않지만 연일 거래량이 터지면서 주가가 올라가고 있다. 매수 진입했을 경우 5일선에 맞춰 매매 대응하면 된다. 매수 후에는 주가가 5일선을 이탈하기 전까지 홀딩하는 전략을 구사한다.

처음 4000원대에서 시작한 주가가 8000원까지 오르면서 100%에 가까운 상승을 보이고 있다. 이 중에 절반 정도만 수익을 올려도 매우 훌륭하다. 20% 내외의 수익이라도 올렸다면 멋진 수익이라 할 수 있다. 왜냐하면 수익을 올리는 것 자체가 중요하기 때문이다. 상승하는 종목은 매일 나온다. 중요한 것은 잡을 수 있느냐는 것이다. 수익률은 그 다음이다. 일단 상승 종목을 잡을 수 있는 실력이 있다면 잃지 않는 매매를 넘어 수익이 나는 매매 단계에 진입한 것이다. 월급 정도는 쉽게 벌 수 있는 실력을 갖추었다는 뜻이다.

Chapter 10

3개월에 1000만 원 벌 수 있다

이 책을 끝까지 읽은 독자들은 이제 어떤 종목을 찾아야 하는지 알겠는데 실전에서 해보려고 하니 조금 막막할 것이다. 필자가 자세히 설명하려 했는데도 이 정도다. 대부분 여기서 막힌다. 막상 찾아보려니 막막하고 발굴한 종목을 어떻게 매매해야 하는지 잘 모르겠다.

왜냐하면 많은 주식책을 보고 강의를 들어보면 어떤 종목을 매매하라고 얘기는 하는데 어떻게 찾는지는 설명이 없기 때문이다. 이 장에서는 1000만 원을 벌 수 있는 종목은 어떻게 찾고 매매하는지를 배워보도록 하겠다. 실전은 이것까지 마스터하고 시작해라.

1. 검색 종목부터 압축해라

지금까지 3개월에 1000만 원을 버는 매매기법을 배워보았다. 조금 더 나아가 배운 기법을 기준으로 다른 매매기법까지 응용하면 큰 도움이 될 것이다. 3개월에 1000만 원 버는 것은 앞에서 배운 매매기법으로도 충분하기 때문에 이를 먼저 마스터하기 바란다.

먼저 우리가 할 일은 장이 끝나면 전 종목을 돌려 보는 것이다. 그런데 문제가 있다. 상장돼 있는 종목이 2000여 개나 된다. 이 종목을 모두 다 돌려 보려면 30분 가지고는 부족하다.

2000여 개 중에 1000만 원을 벌 수 있는 종목이 있다면 한 시간이 문제인가. 두 시간도 돌려 볼 수 있다. 하지만 전 종목을 돌려 본다는 건 무의미한 일이다. 왜냐하면 매매할 수 없는 종목이 많기 때문이다.

동전주인 것까지 괜찮다. 갑자기 상장폐지 될 위험이 다른 종목에 비해 높아서 그렇지 매매하는 것은 어렵지 않다. 문제는 거래량이 없는 종목이다. 거래량이 1만주, 2만주 되는 종목은 매수하기도 힘들지만 움직이지도 않는다. 거래량이 없는데 움직이지도 않으니 쳐다볼 필요도 없다. 이런 종목들은 거래량이 터지면 그때 보면 된다. 이런 종목이 의외로 많다.

그래서 이런 종목은 걸려내고 지금 매매하기 좋은 종목을 추려낼 필요가 있다. 이때 필요한 것이 '조건검색'이다. 얘기는 많이 들어보았지만 어떻게 사용하는지는 모르는 투자자가 많을 것이다. 알아도 안 쓰는 투자자가 많다. 그러나 종목을 압축할 때 매우 유용하다. 어떻게 사용하는지 알아보자.

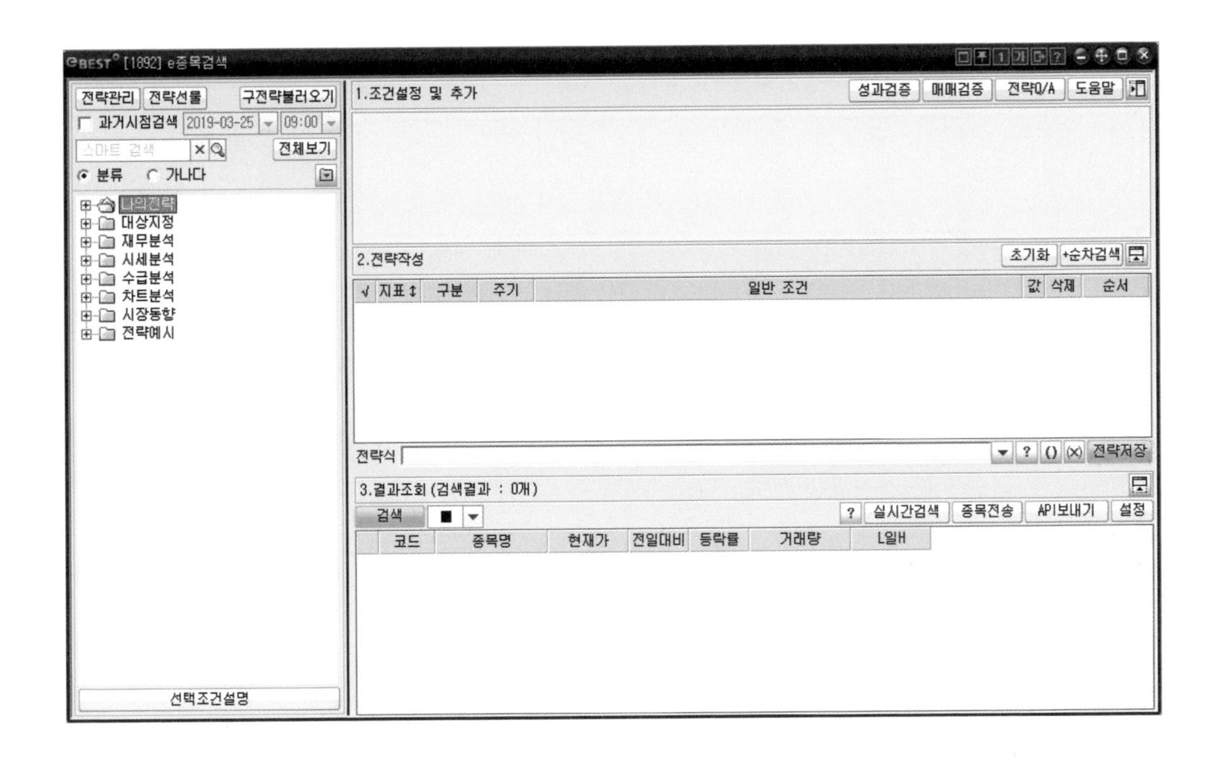

종목검색 창을 불러오면 대부분 이런 모습을 하고 있다. 거의 대동소이하고 간단한 검색식을 만들 것이기에 어떤 증권사의 HTS를 사용하든 쉽게 따라할 수 있을 것이다.

왼쪽에 체크된 부분을 보면 여러 메뉴가 있다. 메뉴를 누르면 수많은 검색조건이 있는데 그중에서 필요한 것만 불러와 보자.

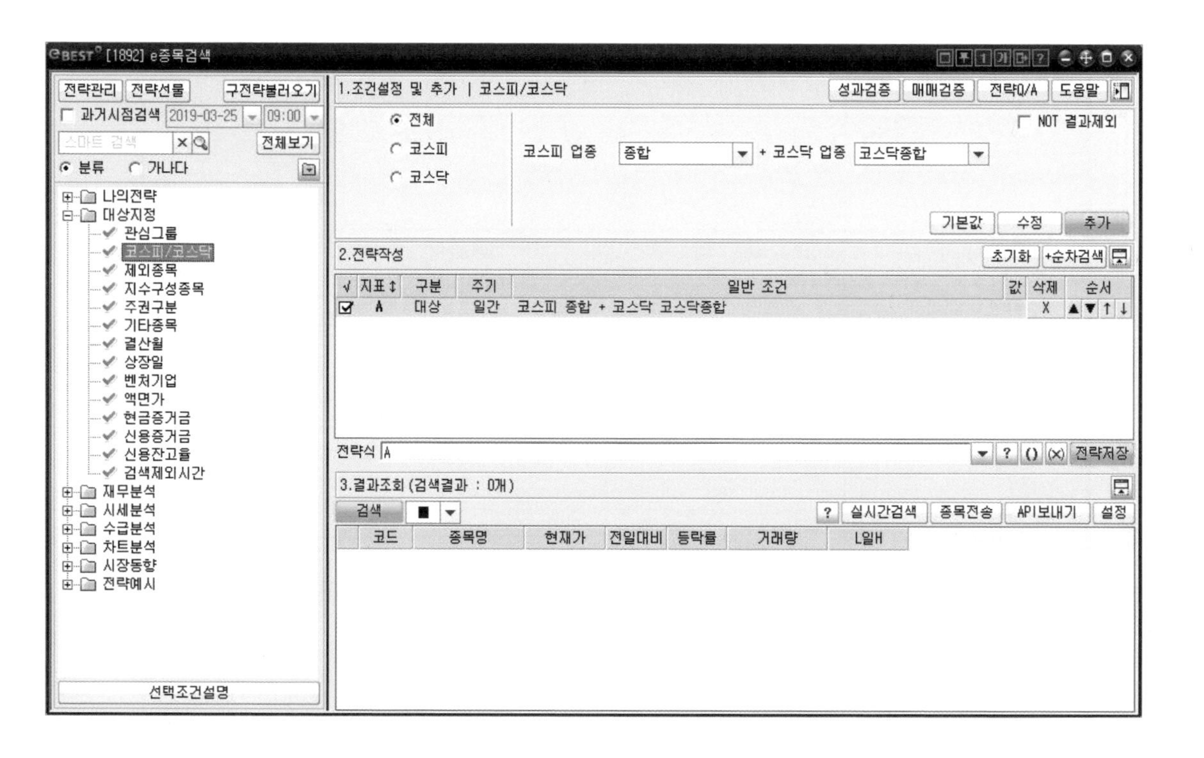

먼저 대상이 필요하다. 코스피와 코스닥 중 어느 한 곳만 매매할 것이 아니라면 코스피와 코스닥 시장 모두 종목검색에 선정하자.

대상지정에서 코스피와 코스닥을 선정했다. 그러자 전략작성 부분에 조건검색이 입력됐다. 이는 코스피와 코스닥에 상장된 모든 종목을 검색하라는 명령이다. 한번 어떤 종목이 검색되는지 보자.

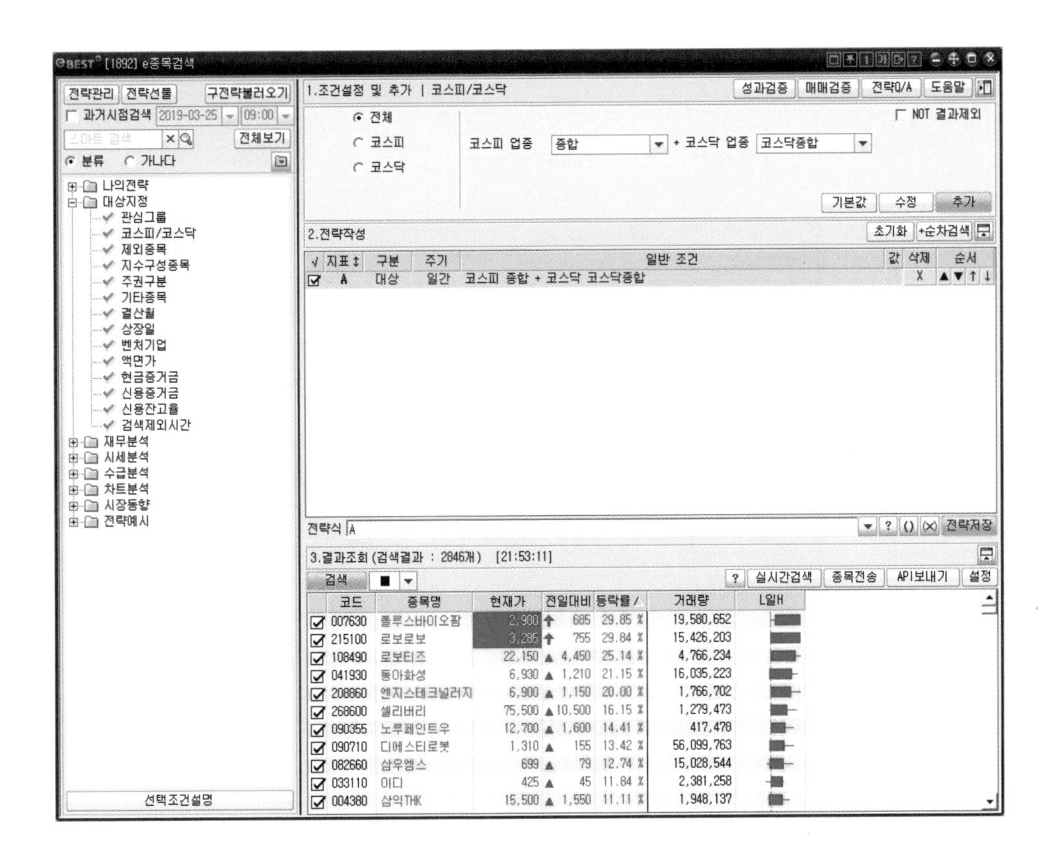

하나의 조건 검색식을 넣고 검색 버튼을 눌렀더니 종목이 검색되어 나왔다. 2846개의 종목이 검색됐다. 이 중에서 1000만 원을 벌 수 있는 종목을 찾아야 한다. 종목을 찾을 때 매매할 수 있는 종목은 모두 돌려 보는 것이 좋다. 그래야 시장 흐름을 느낄 수 있기 때문이다. 그런데 쓸데없이 시간 낭비할 종목이 너무 많다. 이제부터 압축을 시작해 보자. 먼저 가격부터 압축하자.

일단 1000원짜리 미만 동전주부터 빼보자. 1000원짜리 미만 종목은 검색되지 않도록 하는 것이다.

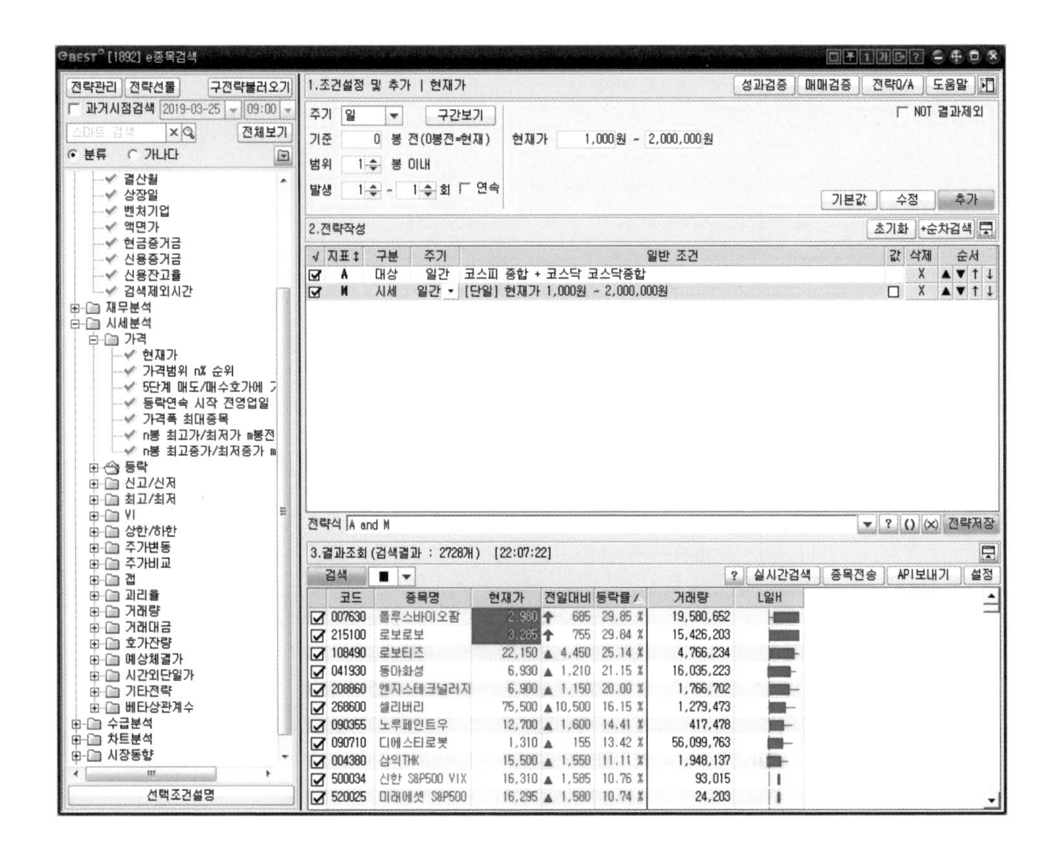

시세분석을 누르면 가격이 나온다. 여기서 현재가를 누르면 조건설정이 0원부터 시작하는데 이를 1000원으로 고친다. 0원짜리 종목부터 검색하라는 명령을 1000원 이상으로 바꾸는 것이다. 그리고 최고 가격은 2000만 원을 설정한다. 주식시장에 200만 원이 넘는 종목은 없으므로 이 정도면 된다. 물론 이 가격대는 나중에 본인의 상황에 맞춰 설정하면 된다.

수정을 눌러 검색해 보자. 이번에는 2728개의 종목이 검색됐다. 아직도 한참 많다. 이번에는 등락율을 넣어보자.

등락 폴더에서 등락율 범위를 누른다. 그러면 범위가 -30%에서 +30%로 설정된다. 조정받고 있는 종목을 집중적으로 찾아야 하므로 크게 하락한 종목은 필요 없다. 여기서 -5% 정도로 설정한다. 그리고 크게 상승한 종목도 당장은 필요 없지만 종목의 커다란 흐름을 보려면 어떤 종목이 상승하고 있는지 아는 게 좋다. +30%로 정하자. 물론 이것도 나중에 상황에 맞춰 더 압축하거나 더 늘리거나 하면 된다.

이번에는 2571종목이 검색됐다. 아직도 많다. 이번에는 거래량을 넣어보자.

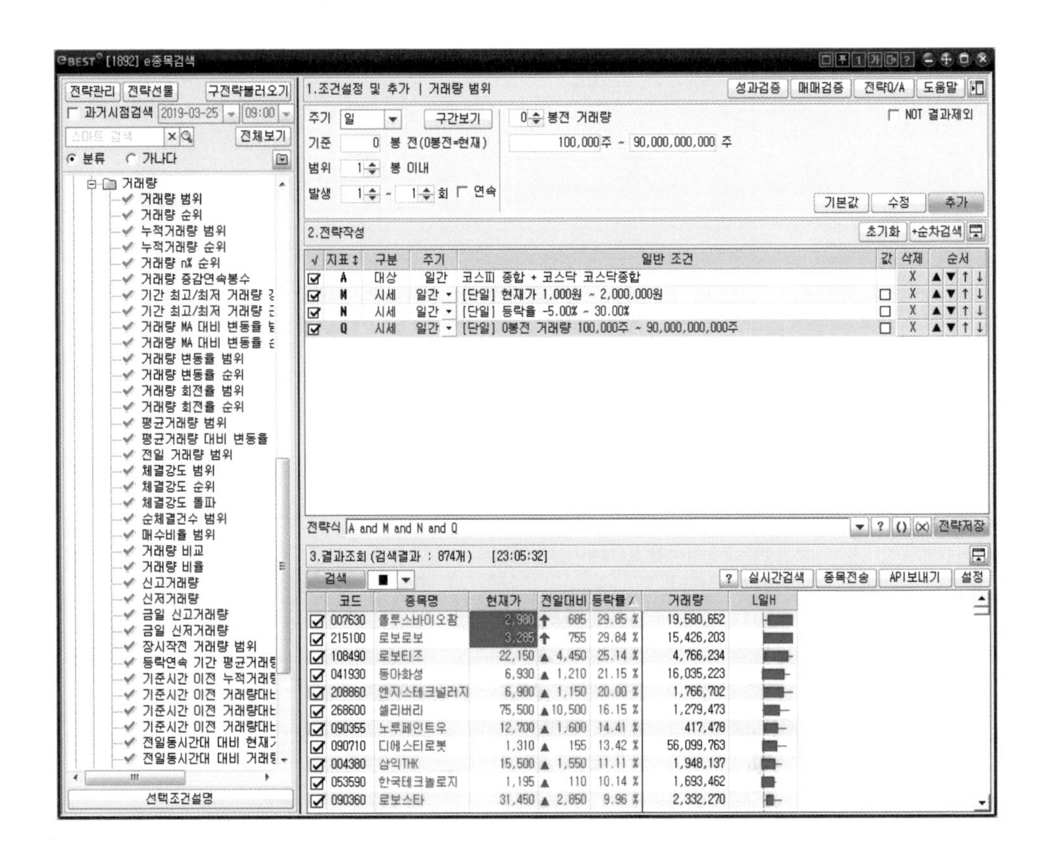

거래량 폴더를 눌러 거래량 범위를 최하 10만 주로 설정한다. 조정 종목을 찾는다 하더라도 시세를 주려는 종목이기 때문에 10만 주는 돼야 한다. 최고 거래량은 아무 수나 큰 수를 넣는다. 검색을 눌렀더니 종목이 874개가 됐다. 이제 종목이 제대로 줄어들었다. 핵심은 거래량이다. 거래량 없는 종목은 매매할 필요가 없다. 물론 나중에 노하우가 쌓인다면 자신에게 맞는 거래량을 설정하면 된다. 800개 정도의 종목이라면 30분이면 돌려 볼 수 있다. 여기서 조금 더 압축하고자 한다면 거래량을 20만 주로 올려보자.

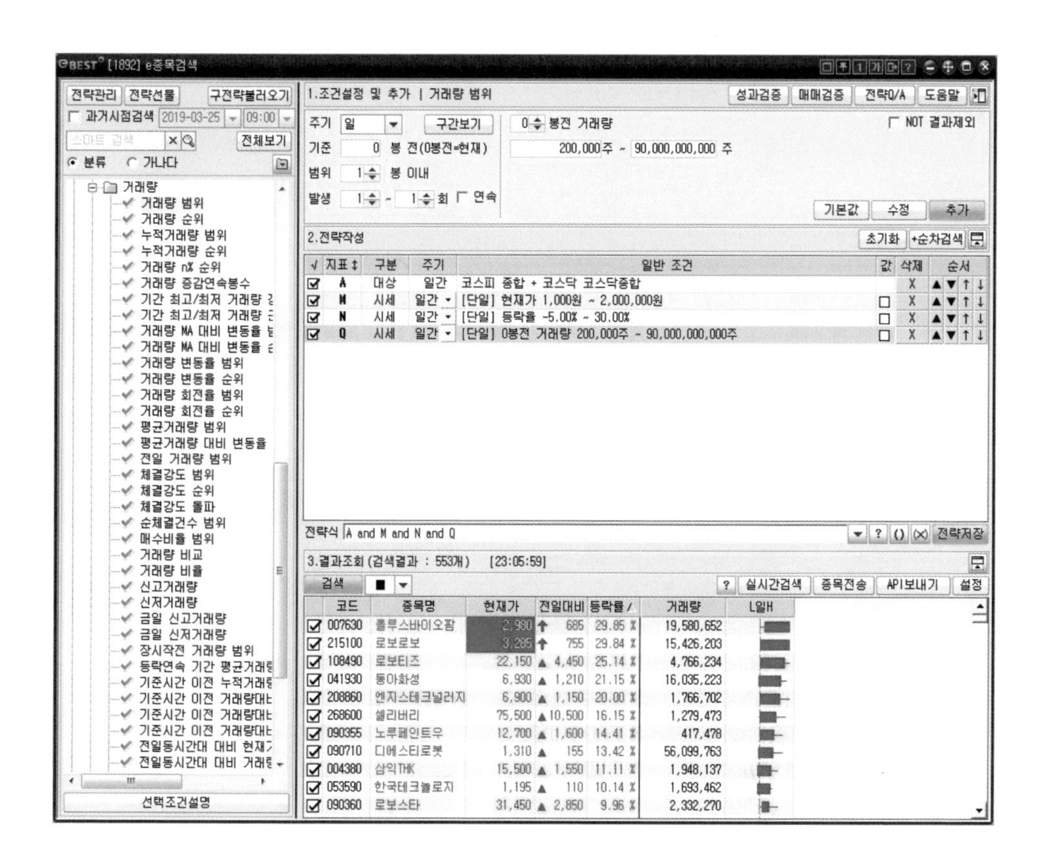

거래량을 20만주로 올렸더니 553개 종목으로 줄어들었다. 종목 찾기가 아무리 귀찮아도 이 정도는 돌려 봐야 한다. 노하우가 충분히 쌓여 시장 대응에 여유가 생긴다면 더 압축해도 좋다. 이때는 가격과 등락율을 조정하자.

간단하다. 보다시피 엄청난 조건식이 있다. 하지만 나머지는 대부분 데이트레이딩에 유용한 조건식이다. 일단 우리에게 필요한 것은 1000만 원을 벌 수 있는 기본 노하우를 쌓는 것이므로 일단 여기까지만 한다. 이것만 제대로 해도 돈을 벌 수 있다. 어렵게 해야 돈을 번다는 착각에서 벗어나라. 쉽게 해야 진짜 돈을 벌 수 있다.

이렇게 찾은 종목을 하나씩 눌러서 차트와 함께 검색한다. 그러면서 이 차트는 어떻고, 저 차트는 어떤 흐름이가를 분석하는 것이다. 그중에서 앞에서 배운 기법에 맞는 종목이 나오면 관심종목에 넣어두고 내일 주가가 어떻게 흘러가는지 관찰한다. 초보자는 조금 느릴 수 있다. 하지만 익숙해지면 검색된 종목을 다 둘러보는 데 30분이면 충분하다.

2. HTS 화면 설정

종목을 검색했으니 이번에는 HTS에서 제공하는 화면 중 기본적으로 어떤 것이 필요한지 알아보자. 모니터 화면이 한정되어 있기 때문에 꼭 필요한 화면만 소개한다. 모니터 해상도가 높거나 듀얼 모니터 이상을 쓴다면 더 많은 화면을 띄워 놓으면 된다. 일단 평균적으로 쓰는 모니터라고 생각하고 꼭 필요한 화면만 소개한다. 여기서부터 필요에 따라 더 늘려 가면 된다.

증	신	알	종목명	현재가	대비	등락률▼	거래량	L일봉H	시가	고가	저가	일거래량대비	체결강도(%)
100/100			국보	29,700	↑ 6,850	29.98	1,060,965		23,200	29,700	22,700	217.77	124.16
100/100			인트로메딕	5,920	↑ 1,360	29.82	11,306,739		5,410	5,920	5,100	203.32	99.68
40/50			노바렉스	25,700	▲ 2,350	10.06	717,307		23,450	25,700	23,250	273.31	161.86
40/100			티앤알바이오	14,000	▲ 1,200	9.38	3,978,817		12,800	14,800	12,700	740.81	115.33
40/50			성신양회	11,100	▲ 750	7.25	412,649		10,700	11,100	10,550	40.47	135.77
100/100			이에스에이	1,900	▲ 100	5.56	508,236		1,810	1,995	1,810	132.08	107.73
40/100			인팩	4,795	▲ 215	4.69	123,453		4,620	4,860	4,610	30.82	94.07
40/100			이노테라피	19,100	▲ 800	4.37	738,459		18,600	19,500	18,200	90.19	117.99
40/45			대양제지	4,125	▲ 140	3.51	239,296		3,995	4,170	3,995	114.31	192.87
100/100			슈펙스비앤피	1,200	▲ 40	3.45	10,532,798		1,180	1,250	1,115	169.56	94.82
40/45			대성파인텍	2,040	▲ 40	2.00	1,739,941		2,005	2,055	1,995	55.05	114.60
40/50			하츠	7,800	▲ 130	1.69	991,230		7,590	7,800	7,480	38.27	90.10
100/100			광진윈텍	3,195	▲ 50	1.59	279,808		3,225	3,315	3,130	105.01	93.97
40/50			제닉	9,450	▲ 80	0.85	177,735		9,380	9,480	9,310	13.92	62.72
40/50			NEW	5,560	▲ 30	0.54	175,826		5,460	5,630	5,430	37.62	104.11
40/50			엔피케이	2,125	▲ 5	0.24	252,464		2,130	2,175	2,105	9.82	60.63
40/50			바이오솔루션	53,300	▲ 100	0.19	278,232		55,000	56,900	51,500	40.43	54.44
30/45			코엔텍	8,860	▼ 30	-0.34	488,306		9,090	9,170	8,800	62.39	60.58
40/45			KC그린홀딩스	4,980	▼ 20	-0.40	147,413		4,950	4,995	4,895	38.26	38.49
40/50			어보브반도체	5,710	▼ 30	-0.52	82,228		5,820	5,820	5,640	59.38	40.26
40/50			보성파워텍	2,870	▼ 20	-0.69	3,048,887		2,950	3,045	2,850	136.60	81.08
100/100			넥스트리밍	9,630	▼ 80	-0.82	92,691		9,700	9,940	9,340	62.70	52.19
100/100			엠에스오토텍	3,785	▼ 40	-1.05	279,746		3,840	3,875	3,740	47.01	64.69
40/45			E1	66,700	▼ 800	-1.19	40,650		67,800	69,100	65,500	43.87	43.44
30/45			원익머트리얼	25,650	▼ 750	-2.84	73,834		26,200	26,700	25,400	115.54	146.25

조건검색으로 찾은 종목을 하나씩 돌려 보면 앞에서 배운 기법에 맞는 종목이 나온다. 그러면 지나치지 말고 바로 '관심종목'에 넣는다. 처음에는 서로 비슷하게 찾으니 관심종목에 많은 종목이 쌓일 수 있다. 하지만 꾸준히 하다 보면 찾는 종목도 줄어들 것이다. 물론 장이 좋으면 많은 종목이 검색된다. 그때는 그중에서는 가장 좋은 차트를 만드는 종목 위주로 매매대상을 선정하면 된다. 모니터 화면이 크다면 관심종목 창을 하나 더 띄워 놓고 관찰해도 좋다.

매매종목을 찾아 관심종목에 넣었다면 장중에 중요하게 봐야 할 것은 '전일거래량대비'와 '체결강도'다. 조정 중인 종목이 거래량이 늘면서 상승하고 있다는 신호이기 때문에 이를 집중적으로 봐야 한다.

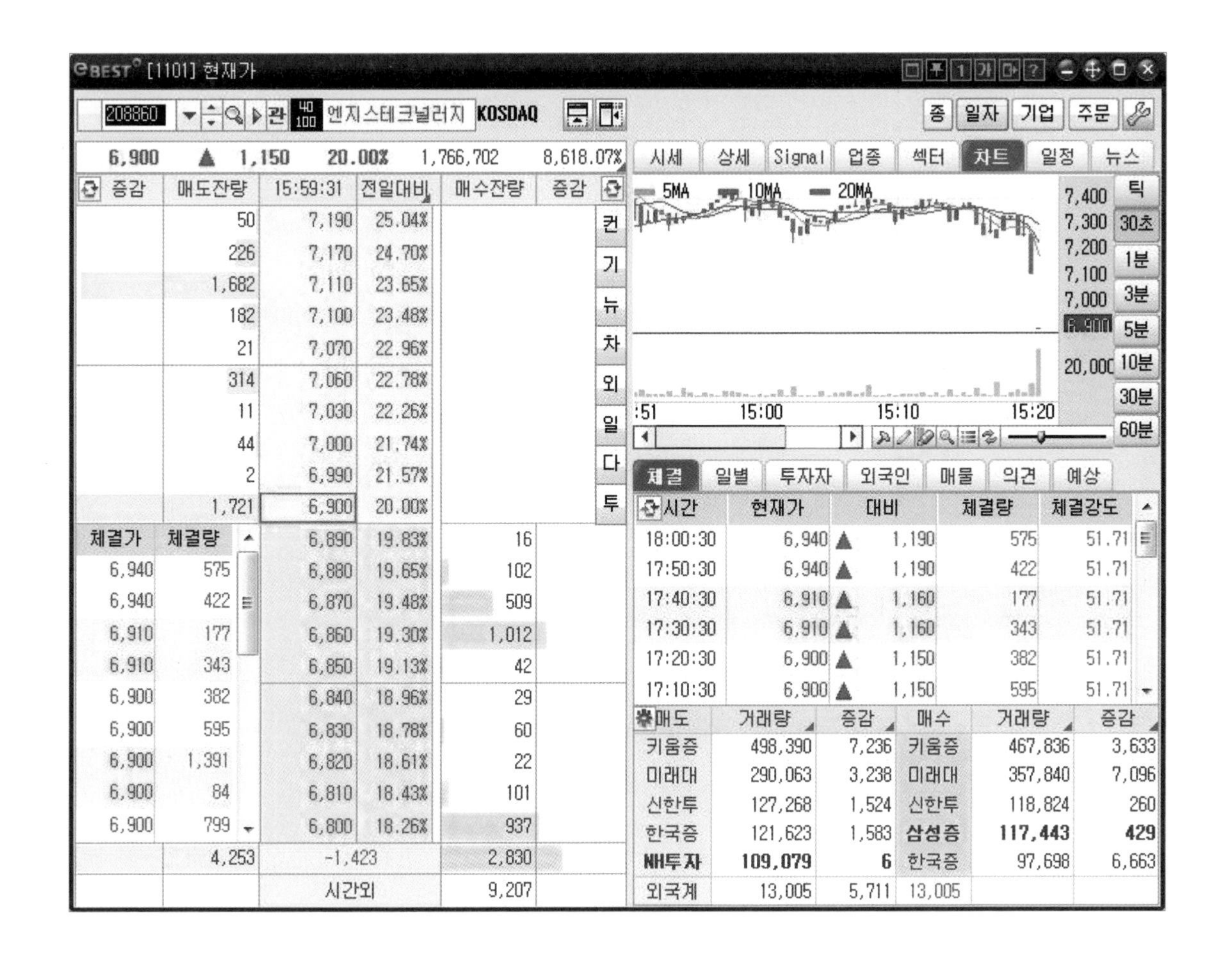

모니터에 관심종목을 띄워 놓았다면 현재가창을 볼 필요가 있다. 모든 화면은 연동되므로 움직이는 종목이 있으면 재빨리 클릭해 현재가창의 호가를 확인한다. 매수세가 유입되고 있는지 확인하고 거래원 등을 체크한다.

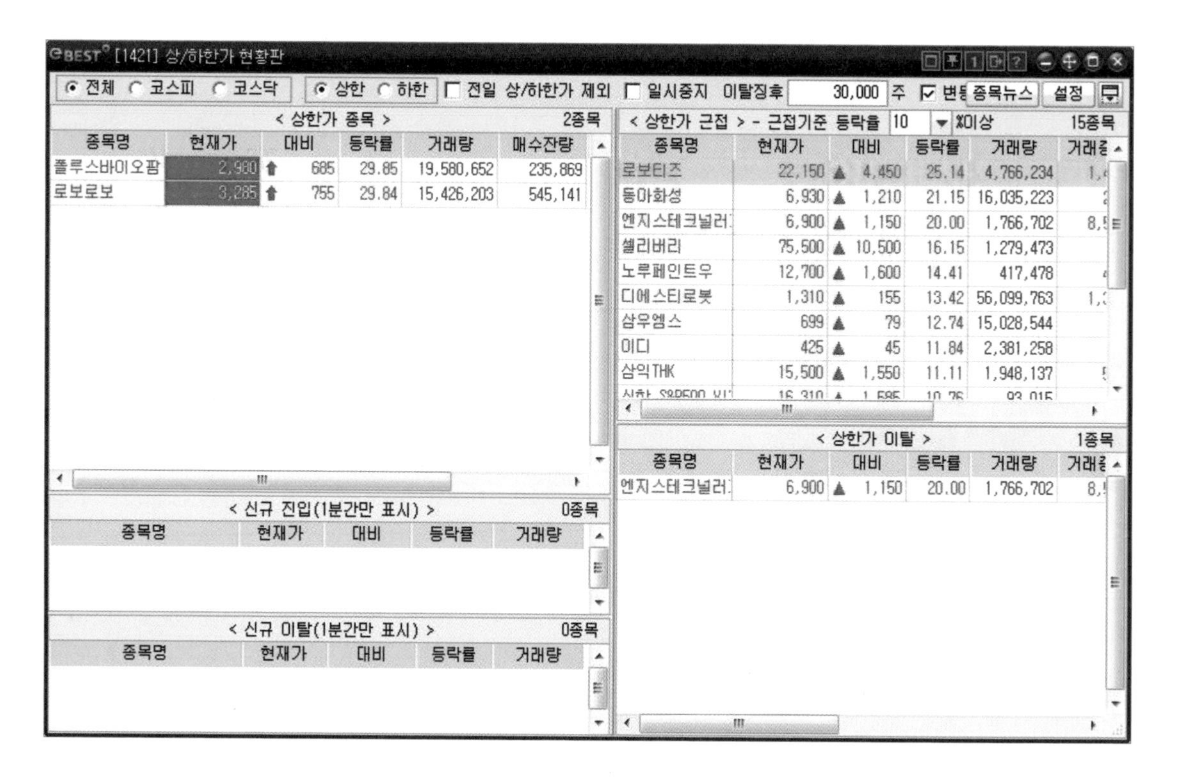

내가 찾은 종목을 집중적으로 보고 시간이 나면 '상/하한가' 창을 통해 지금 어떤 종목이 강한 상승세를 보이고 있는지 확인한다. 이를 가지고 시장의 중심 테마나 재료주를 확인할 수 있다.

관심종목과 현재가창과 함께 연동해서 볼 것은 바로 '일봉'이다. 지금 찾은 종목이 움직이는지 확인할 수 있는 기본 화면이다. 모니터 화면이 작다면 조그맣게라도 켜 놓고 있어야 한다.

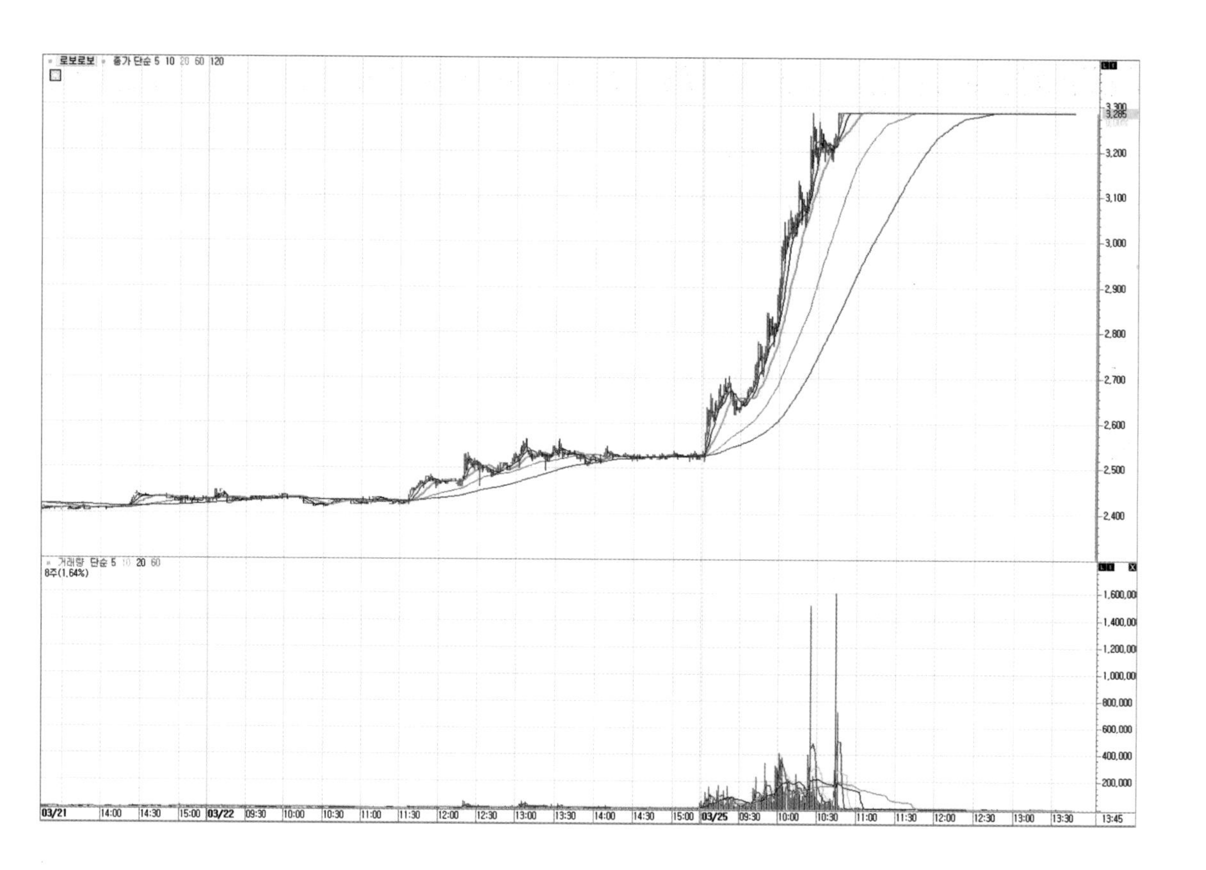

일봉차트와 함께 같이 봐야 할 것이 '분봉'이다. 이를 통해 장중 눌림목이나 진입 타이밍을 찾는다. 종목은 이미 찾아 놓은 상태이므로 많은 화면보다 핵심화면을 보며 진입 구간을 찾는 연습을 하는 것이 좋다.

eBEST [1451] 등락율상위100(실시간)

등락률상위100 | 거래량상위100 | 동시간대비거래급증100 | 거래량급증100 | 회전율상위100 | 거래대금상위100

전체 / 코스피 / 코스닥 | 상승률 / 하락률 / 보합 | 당일 / 전일 | 설정 | 조회 | 다음

증	종목명	현재가	대비	등락률	거래량	매도잔량	매도호가	매수호가	매수잔량	연속
100/100	폴루스바이오팜	2,980	⬆ 685	29.85	19,580,652			2,980	235,869	1
40/50	로보로보	3,285	⬆ 755	29.84	15,426,203			3,285	545,141	2
40/50	로보티즈	22,150	▲ 4,450	25.14	4,766,234	1,933	22,150	22,100	2,136	2
40/50	동아화성	6,930	▲ 1,210	21.15	16,035,223	1,679	6,940	6,930	5,258	2
40/100	엔지스테크널러:	6,900	▲ 1,150	20.00	1,766,702	1,721	6,900	6,890	16	2
100/100	셀리버리	75,500	▲ 10,500	16.15	1,279,473	82	75,600	75,500	727	1
100/100	노루페인트우	12,700	▲ 1,600	14.41	417,478	446	12,700	12,650	610	1
50/100	디에스티로봇	1,310	▲ 155	13.42	56,099,763	50,375	1,310	1,305	61,480	2
100/100	삼우엠스	699	▲ 79	12.74	15,028,544	5,271	699	697	887	3
100/100	이디	425	▲ 45	11.84	2,381,258	43,246	425	424	19,634	1
30/45	삼익THK	15,500	▲ 1,550	11.11	1,948,137	1,637	15,550	15,500	4,753	4
100/100	신한 S&P500 VI:	16,310	▲ 1,585	10.76	93,015					1
100/100	미래에셋 S&P50	16,295	▲ 1,580	10.74	24,203					1

모니터 화면에 여유가 있으면 지금 올라가고 있거나 '거래량급증 종목' 등 지금 움직이고 있는 종목을 확인할 수 있는 화면을 띄워놓자. 이를 통해 장의 흐름을 읽으면서 내일 흐름도 예측할 수 있다.

3. 매매종목 변수 대응법

종목 검색에 앞서 꼭 말하고 싶은 것은 반드시 모의투자를 하라는 것이다. 앞에 배운 것을 실전부터 바로 적용하면 안 된다. 반드시 모의투자부터 시작해라.

한 번 보고 바로 돈을 벌 수는 없다. 벌 수 있다면 그건 실력이 아니라 운이다. 많은 투자자들이 여러 책과 강의에서 매매기법을 배우지만 돈을 못 버는 이유는 실전에 적용할 줄 모르기 때문이다. 그냥 눈으로 한 번 보고 고수가 될 수는 없다. 영어책 한 번 눈으로 보고 영어 다 안다고 얘기하는 것과 똑같다. 현지인과 대화 한번 해보라. 한 마디도 못할 것이다.

주식도 똑같다. 배운 것을 실전에서 써 먹을 수 있을지 알아봐야 한다. 완전히 내 것이 될 때까지 연습해야 한다. 눈으로 보고 바로 실전매매를 시작했다가는 돈만 잃고 '주식투자 다시는 하지 말라'는 이야기나 하고 다닐 것이다. 반드시 모의투자로 1000만 원을 벌어보라. 그리고 다시 1000만 원을 벌어보라. 그래서 내 것이 됐다고 판단이 서면 실전에 나서라. 그땐 주식시장을 현금인출기라 생각하면 된다. 진짜 돈을 벌고 싶다면 반드시 실천해야 한다.

이번에는 모의투자로 매수해 보고 실전에서는 어떤 변수가 발생하는지 알아보자.

	종목명	구분	현재가	매입금액	평가금액	평가손익	수익률▼
	국보		29,700	34,199,877	44,260,425	10,060,548	29.41
	성신양회		11,100	21,011,935	22,055,700	1,043,765	4.96
	이에스에이		1,900	18,163,259	18,876,500	713,241	3.92
	슈펙스비앤피		1,200	5,693,021	5,961,000	267,979	4.70

먼저 앞의 기법을 적용하여 모의투자를 해보았다.

먼저 국보라는 종목은 상한가에 안착했다. 운이 좋았다. 종목이 상한가에 진입했으므로 수익률이 29.41%에 달했다. 3000만 원 정도 매수했으므로 1000만 원을 벌었다. 한 종목만 잘 잡으면 바로 1000만 원이 계좌로 입금된다. 3개월에 한 종목만 잘 잡아도 1000만 원이다. 이래도 안 할 건가. 다시 말하지만 어렵게 해야 머리만 복잡할 뿐이다. 하나라도 제대로 배워 실전에서 써먹을 수 있어야 한다.

< 상한가 종목 >					3종목
종목명	현재가	대비	등락률	거래량	매수잔량
국보	29,700	⬆ 6,850	29.98	1,039,548	5
드래곤플라이	3,510	⬆ 810	30.00	2,303,135	225,736
미래에셋벤처투	6,900	⬆ 1,590	29.94	11,960,185	419,003

당일 상한가가 세 종목이 나왔는데 그중 한 종목을 잡은 것이다. 상한가는 잡으려고 한다고 잡아지는 것이 아니다. 원칙대로 꾸준히 매매하다 잡은 것이 상한가가 돼야 한다. 지금까지 당신이 돈을 못 번 이유를 찾아봐라. 아마 이 종목, 저 종목 올라가는 종목을 찾아다녔을 것이다. 안 된 이유는 당신이 몰라서가 아니라 제대로 하는 것이 하나도 없었기 때문이다.

첫 종목은 상한가에 진입했다. 그러면 수익을 어디서 끊을 것인가가 중요하다. 모든 종목이 최상의 시나리오대로 움직이지 않는다. 여기서 또 낙오자가 생긴다. 주가가 배운 대로 안 움직이니까 실패하는 것이다. 어떻게 대응해야 하는지는 많은 경험에서 배워야 한다. 이번에 매수한 종목이 정석대로 안 움직이는 경우에 대해 배워보자.

사례1 국보

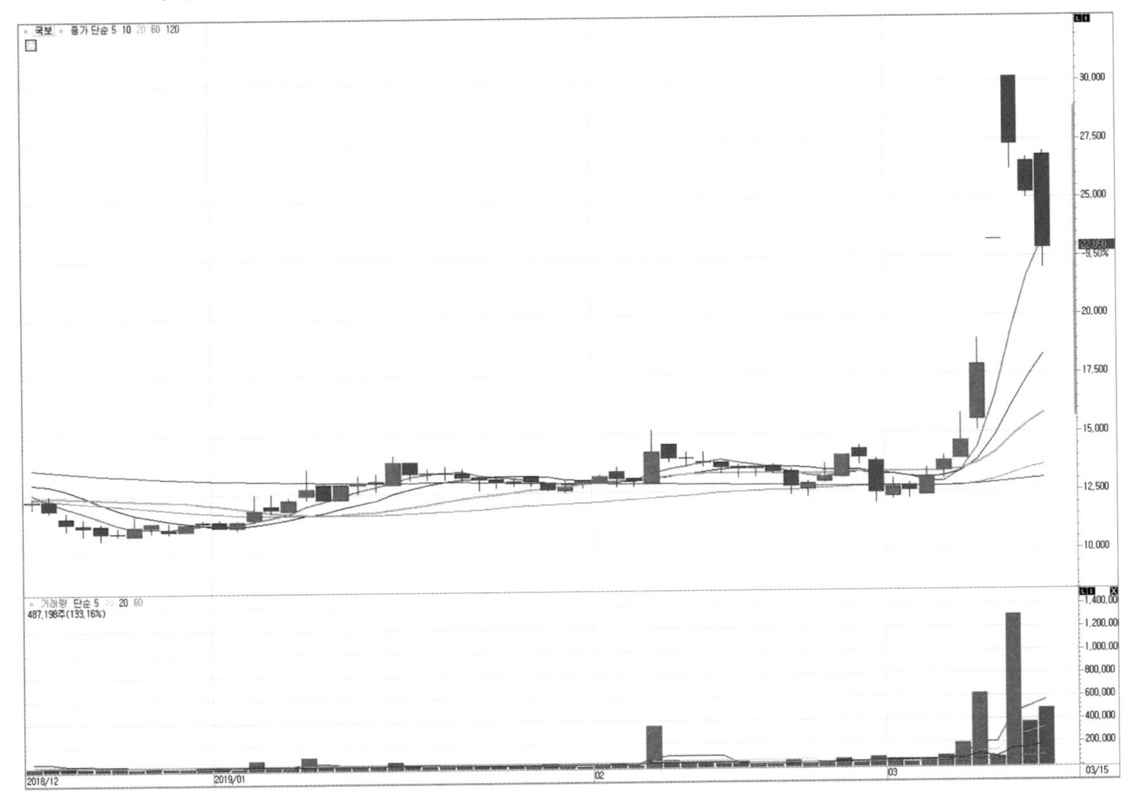

아주 강한 상승 종목이다. 점상한가 이후 2일 동안 음봉 조정이 나왔다. 앞에서 배운 종목이다. 여기가 매수 타이밍인데 다음 날 장이 안 좋았다. 기계적으로 2일 조정만 생각해서는 안 된다. 3일 조정이 나올 수 있고 5일 조정도 나올 수 있다. 그러나 장 상황이 좋지 않았기 때문에 매수에 들어가지 않고 기다렸다. 조정이 더 나올 수도 있었지만 주가가 5일선을 찍는다. 며칠 더 조정하기보다 오늘 조정을 마무리하겠다는 의도로 봐야 한다. 다음 날이 매수 타이밍일 확률이 매우 높다.

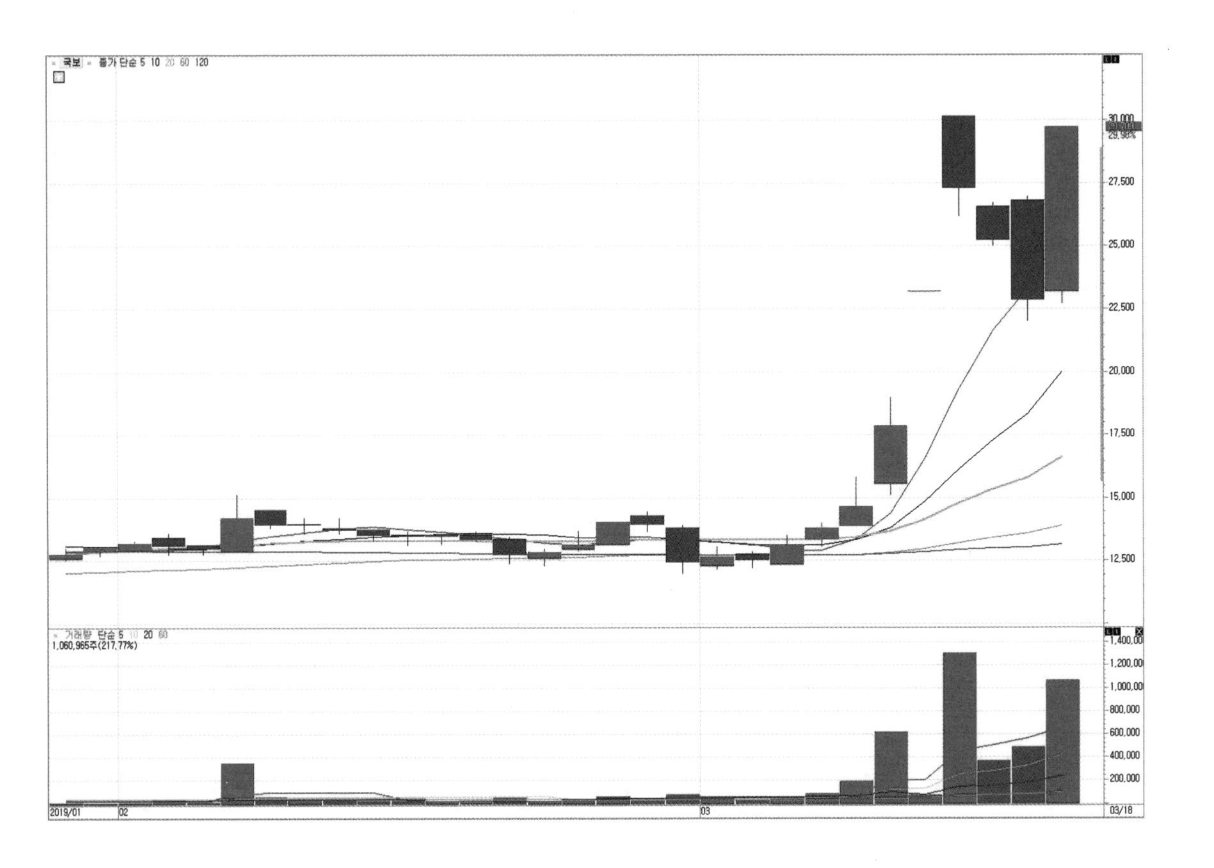

조정 3일째 5일선 찍는 조정을 주고 오늘 상한가가 나온 것이다. 미리 예측했으니 전일 매수도 가능했다. 매수세가 붙으면 시가부터 공격적으로 따라 붙어도 좋다.

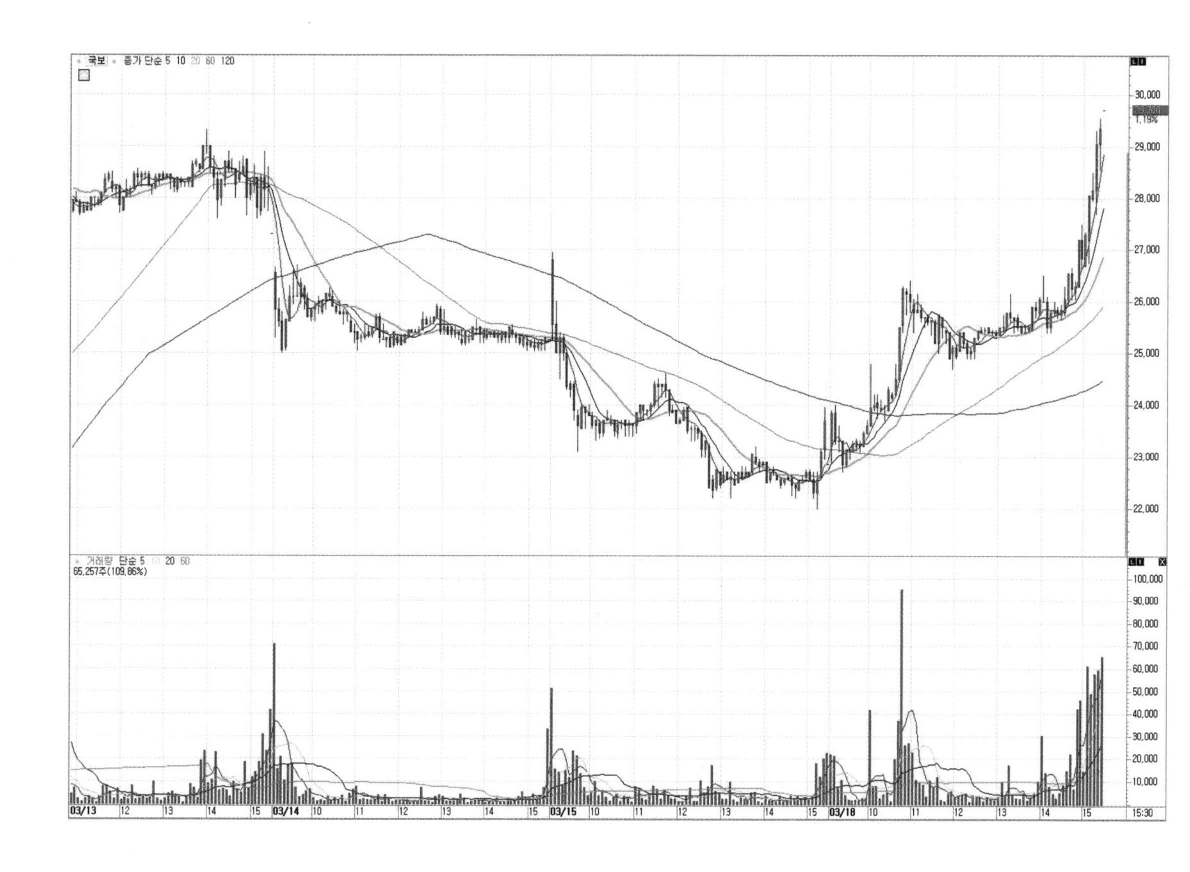

분봉을 보면 1차 상승하고 오후에 조정을 주고 나서 장 마감 시간에 급격히 주가를 끌어올려 상한가에 안착한다. 상승 초기에 들어가서 수익이 큰 상태이므로 오후 조정이 크지만 않으면 기다렸다가 상한가를 먹으면 된다. 문제는 다음이다. 언제 매도할 것인가.

호가창을 보니 상한가는 상한가인데 매수물량을 쌓아둔 강력한 매수세가 아니라 상한가에 쌓인 물량을 일부만 소화해준 상한가다. 잔량이 남아 있는 상태다. 강한 상한가가 아니므로 내일 언제든지 밀릴 수 있음을 예상하고 대응해야 한다. 내일도 강한 매수세가 들어오지 않으면 매도로 대응해야 한다. 이걸 모르고 상한가 잡았다고 좋아서 더 오르겠지 하고 계속 물량을 들고 있어서는 안 된다. 대박이란 생각이 들면 매도 타이밍을 놓친다. 기분이 좋을수록 냉정하게 대응해야 수익을 챙길 수 있다.

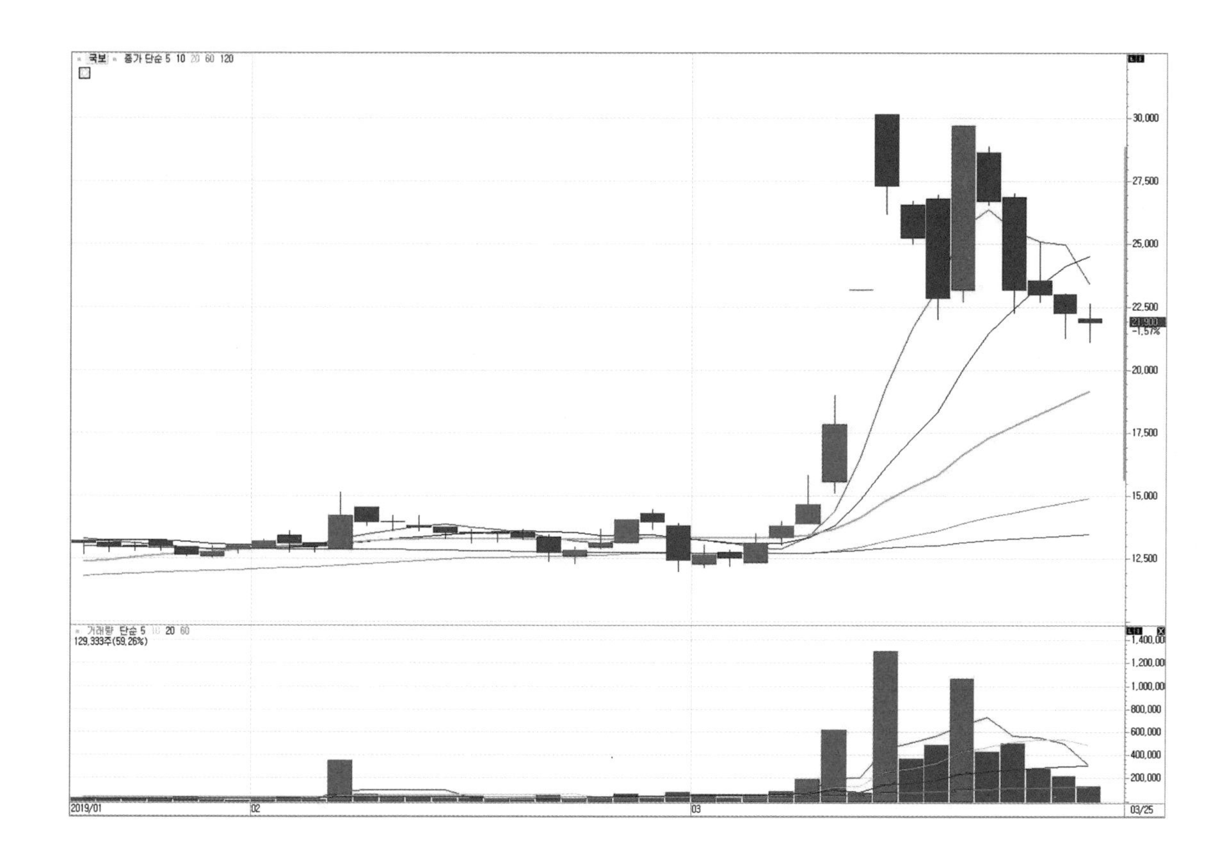

상한가가 나왔는데 다음 날 갭하락 출발했다. 그리고 매수세가 들어오면 버티는데 매수세가 없다. 거래량이 없는 것을 확인할 수 있다. 그러면 매도로 대응해야 한다. 앞의 고점을 못 뚫고 가는 거다. 일단 수익을 확정하는 것이 중요하다. 앞에서 배운 종목은 전고점을 극복하고 쭉쭉 올라가는데 이 종목은 그러지 못했다. 실전에서는 이와 같은 사례가 많다. 상한가 한번으로 끝날 수 있고 추가 상승을 기대했다가 먹을 것을 일부 토해낼 수도 있다. 이런 것은 책으로 설명할 수 없다. 연습을 통해 감을 키워야 하는 것이다.

사례2 이에스에이

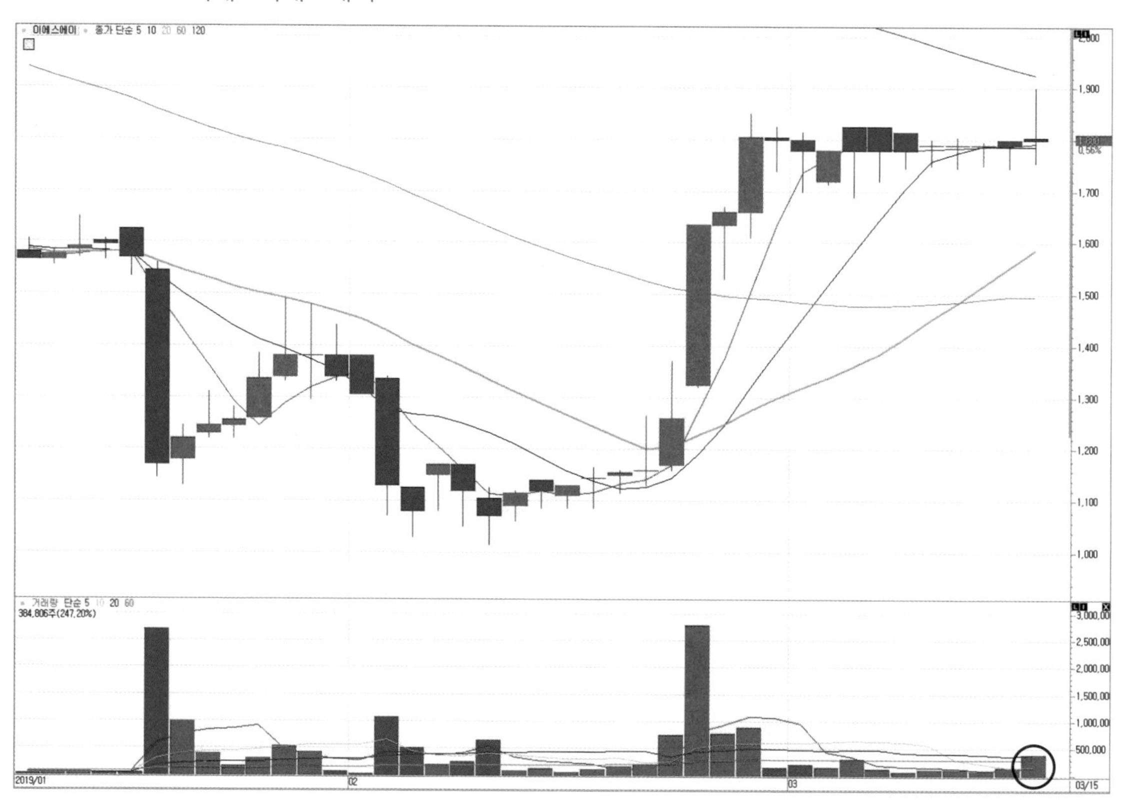

매수한 종목 중 하나다. 이 종목도 앞에서 배운 매매기법을 적용하여 매수했다. 다중 지지기법이다. 바닥에서 강한 상승 이후 연속 지지가 나오고 있다. 지지 구간에서 거래량이 확연히 줄어든 것을 확인할 수 있다. 주가를 끌어 올린 세력이 관리에 들어간 것이다. 그런데 오늘 거래량이 늘어나고 있다. 거래량 바닥에서 거래량 증가는 상승 신호다. 매수하면 된다.

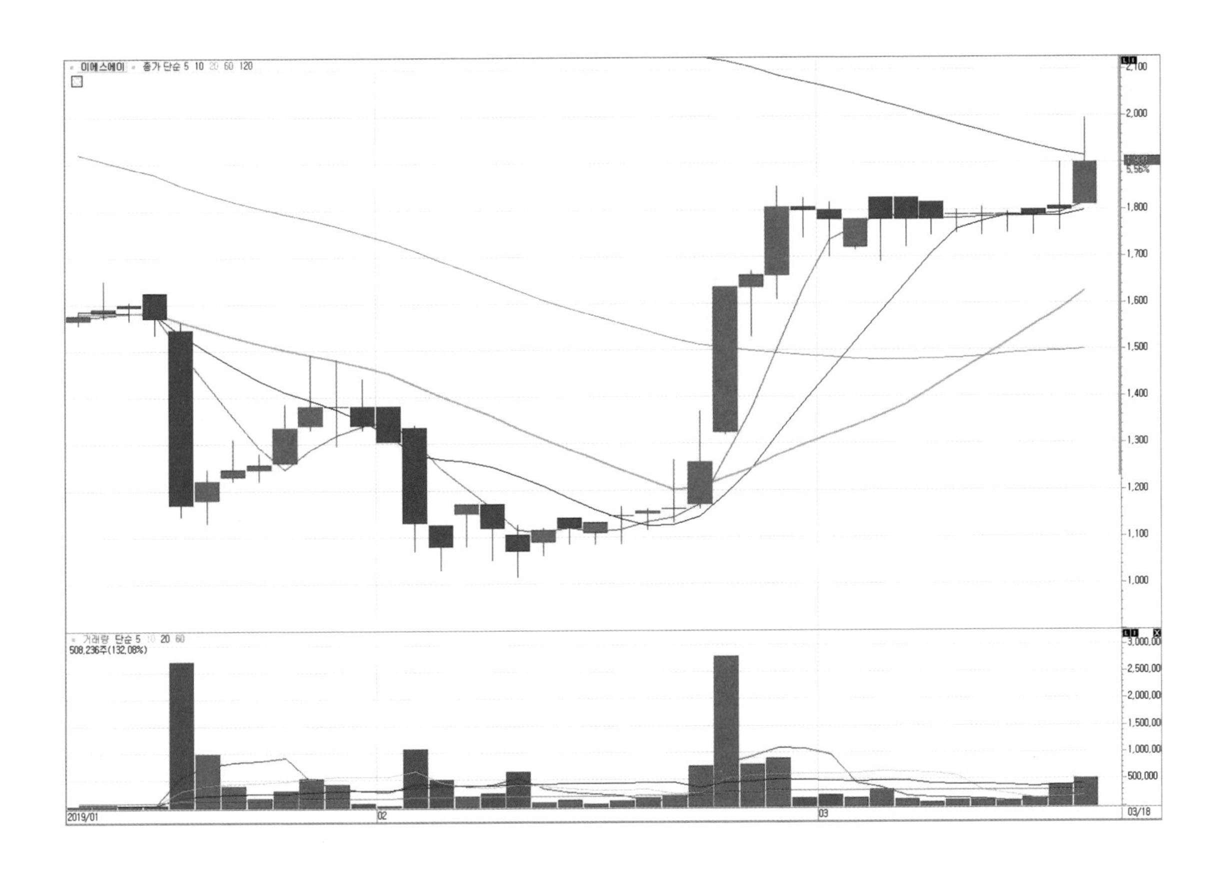

오늘 시가부터 주가가 상승하기 시작하더니 5% 상승 마감하였다. 물론 장중에는 더 크게 상승을 했다. 시가부터 매수세가 유입되어 매수를 진행했는데 앞에서 봤듯이 수익이 났다. 오늘 치고 올라갈 자리인데 장중 이평선을 이겨내지 못하고 마감했다.

분봉을 보자. 오늘 치고 올라갈 자리인데 올라가지 못했다. 그러나 차트는 견고해서 내일 치고 올라갈 가능성이 남아 있다. 문제는 오늘 밀릴 때 수익을 실현할 것인가 말 것인가다. 수익이 난 상태이므로 매수해서 기다려도 되고 매도해서 수익을 내도 된다. 치고 올라가면 큰 수익이지만 올라가지 못하면 오늘 올린 수익을 까먹을 수 있다. 이는 투자자 성향과 상황 판단에 따라 달라진다.

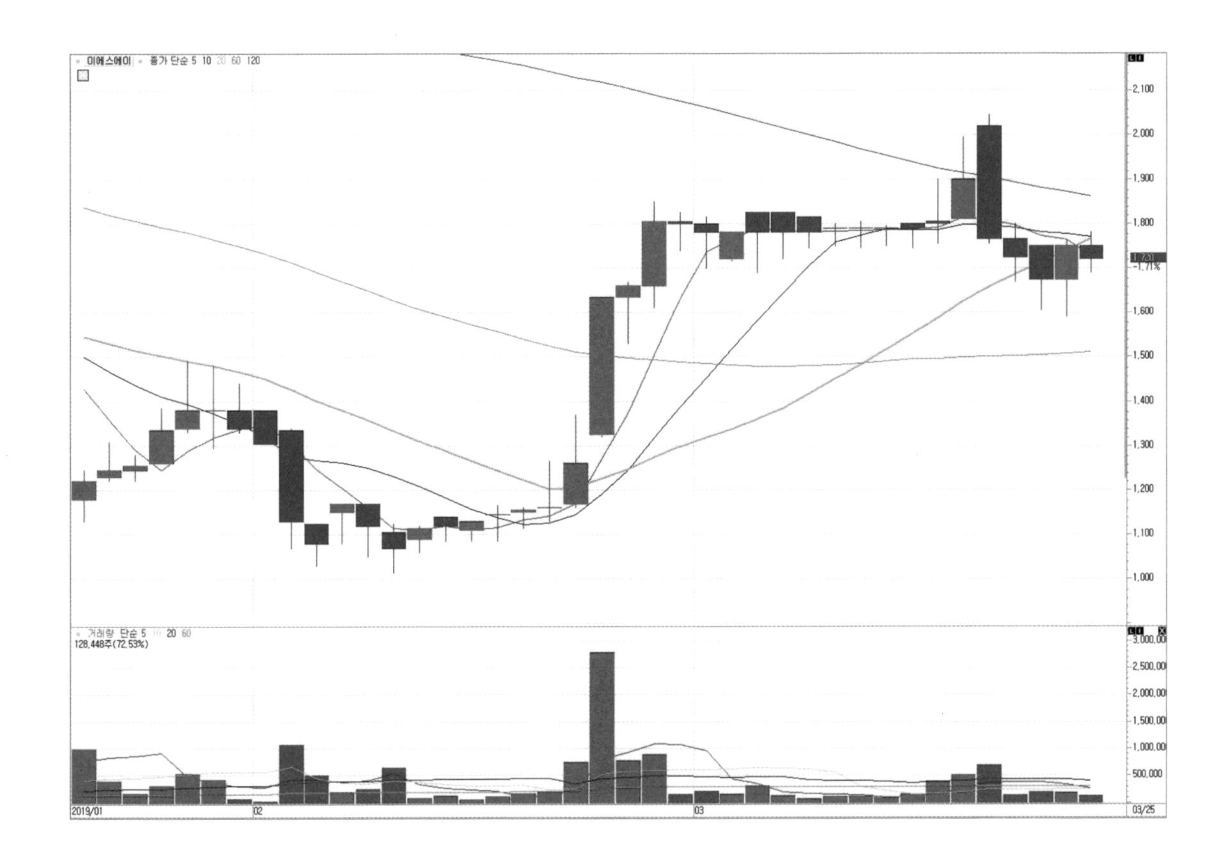

이 종목은 다음 날 갭상승했다. 갭상승이라 기대감이 매우 컸다. 그러나 갭상승 이후 매수세가 붙지 않고 오히려 매도세가 강했다. 만약 물량을 보유했다면 매수세가 붙지 않고 매도세가 등장할 때 상황이 심상치 않다는 것을 느끼고 매도로 대응했어야 했다. 이걸 배워야 하는 것이다.

정석은 일단 매도로 벌어 놓은 수익을 챙기고 다음 상황을 봐야 한다. 매도하고 보자. 아직 차트가 무너지지 않았다. 다음 기회가 있다. 빠른 대응으로 얼마라도 계속 벌고 나와야 돈이 계좌에 쌓인다.

사례3 슈펙스비앤피

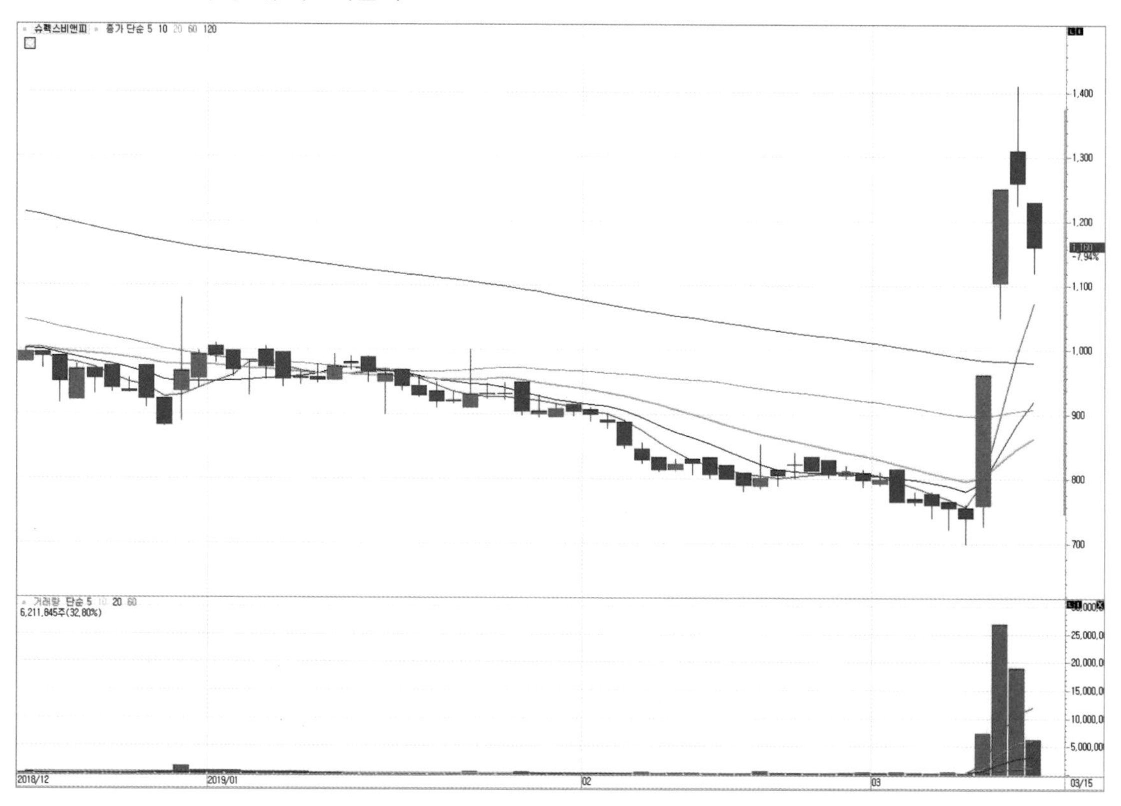

이 종목은 하락추세에 있다가 갑자기 연속 상한가가 나왔다. 두 번째 상한가는 갭상승이다. 아주 강한 종목이다. 그리고 2일 조정 음봉이 나왔다. 2일 조정 음봉의 전제조건은 강한 양봉이라고 했으니 조건은 딱 맞다. 그리고 오늘이 시장 조정날이었다. 그런데 밑꼬리가 달리면서 주가를 관리하고 있다. 그렇다면 2음봉으로 끝내고 내일 주가를 끌어올릴 가능성이 높다.

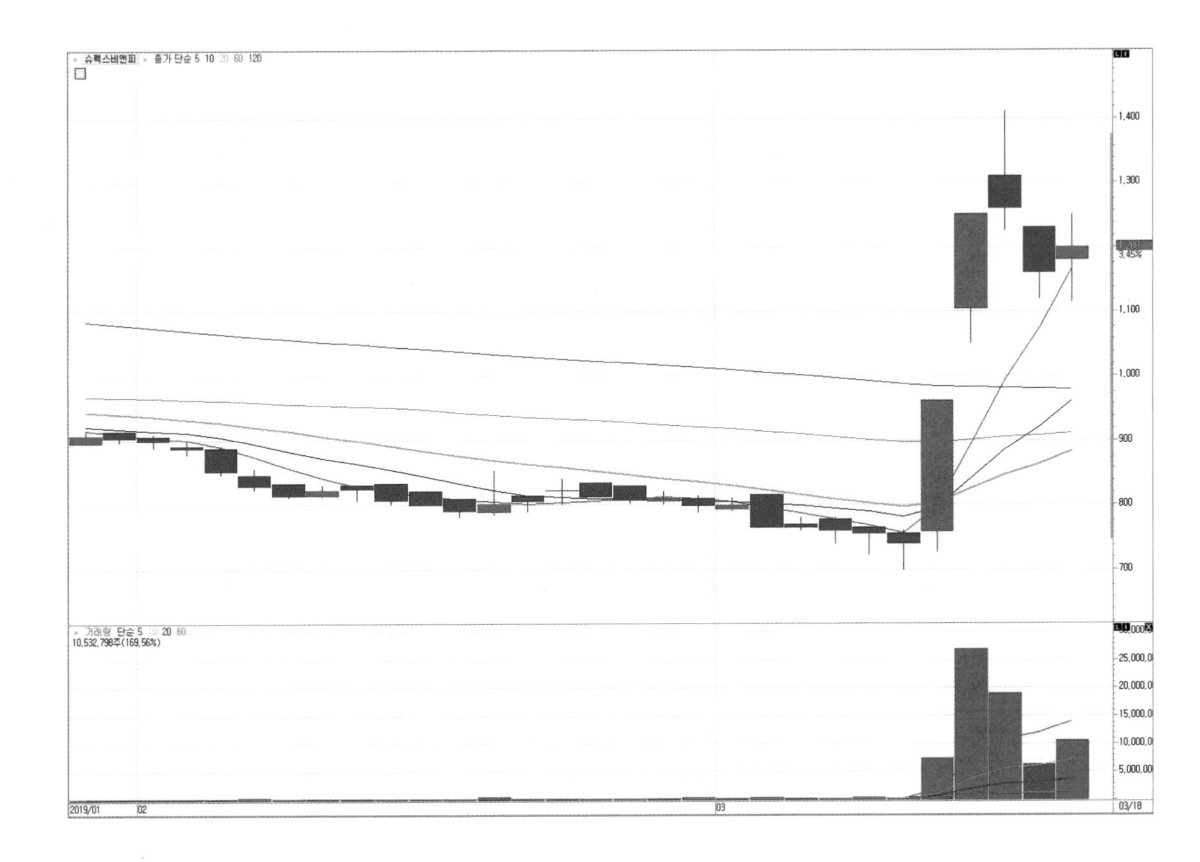

거래량이 증가하는 시점에서 진입해서 수익이 났다. 그런데 치고 올라가지 못했다. 여기서 어떻게 대응해야 할 것인가?

오늘 치고 올라가지 못했지만 그렇다고 차트가 무너진 것은 아니다. 오히려 만들어지고 있다. 중요한 것은 수익을 챙기고 다음을 볼 것인가, 아니면 들고 있을 것인가다.

분봉을 보면 바닥 찍고 올라가는 모습이 보인다. 그러나 치고 올라가지 못하고 밀리고 있다. 여기서 선택해야 한다. 일단 이익을 챙길 것인가, 아니면 밀어붙일 것인가. 실전에서는 이런 판단 능력이 필요하다.

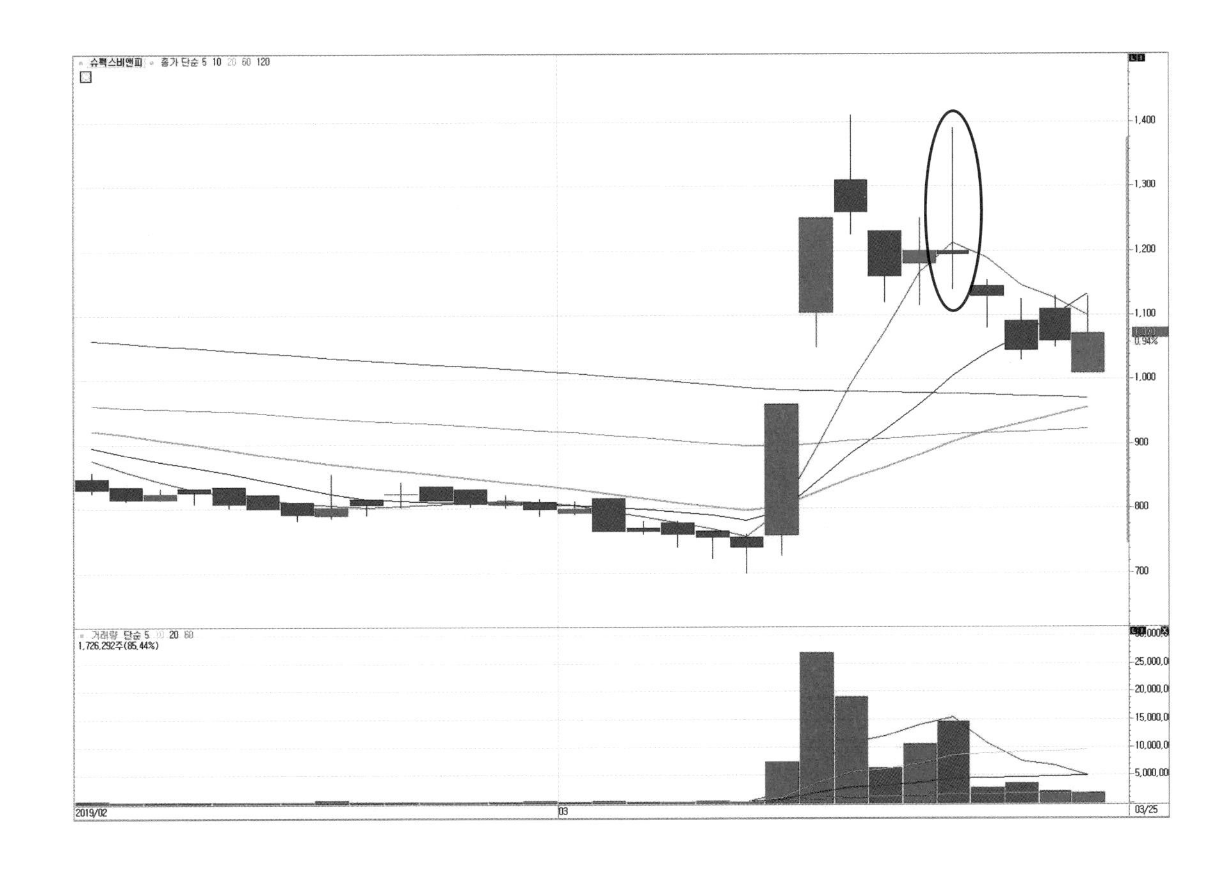

다음 날 주가가 장중에 치고 올라갔다. 하지만 위꼬리를 길게 달면서 밀렸다. 위꼬리 달고 밀리자 다음 날부터 거래량도 확 줄면서 힘없이 움직이고 있다. 다행히 그 다음 날 높은 가격에 팔 수 있는 기회를 주었다. 보유했다면 더 높은 수익을 챙길 수 있었을 것이다. 다만 매도를 못 했다면 장중에 얻은 수익을 반납했을 것이다. 만약 매도했는데 다음 날 상승에 들어가기 힘들었거나 들어갔다 해도 매도 대응을 잘못했다면 손실이 났을 수도 있다. 이런 대응 방법을 연습을 통해 계속 몸에 익히자.

사례4 성신양회

이 종목은 앞에서 배운 것을 응용해서 발굴했다. 지지의 원리는 똑같기 때문에 배운 것을 토대로 응용해 나가면 된다. 주가가 급락하고 바닥에서 지지가 되고 있다. 오늘 보면 장 상황이 좋지 않아 주가가 하락하는데 밑꼬리를 달고 급락 시 만들어진 바닥을 깨지 않고 있다. 거래량이 늘어난 것을 보면 저가에 매수세가 들어온 것으로 보인다. 바닥을 확인한 종목은 양봉 하나 정도는 먹을 수 있는 기회가 있다. 이를 노리고 매수를 진행했다.

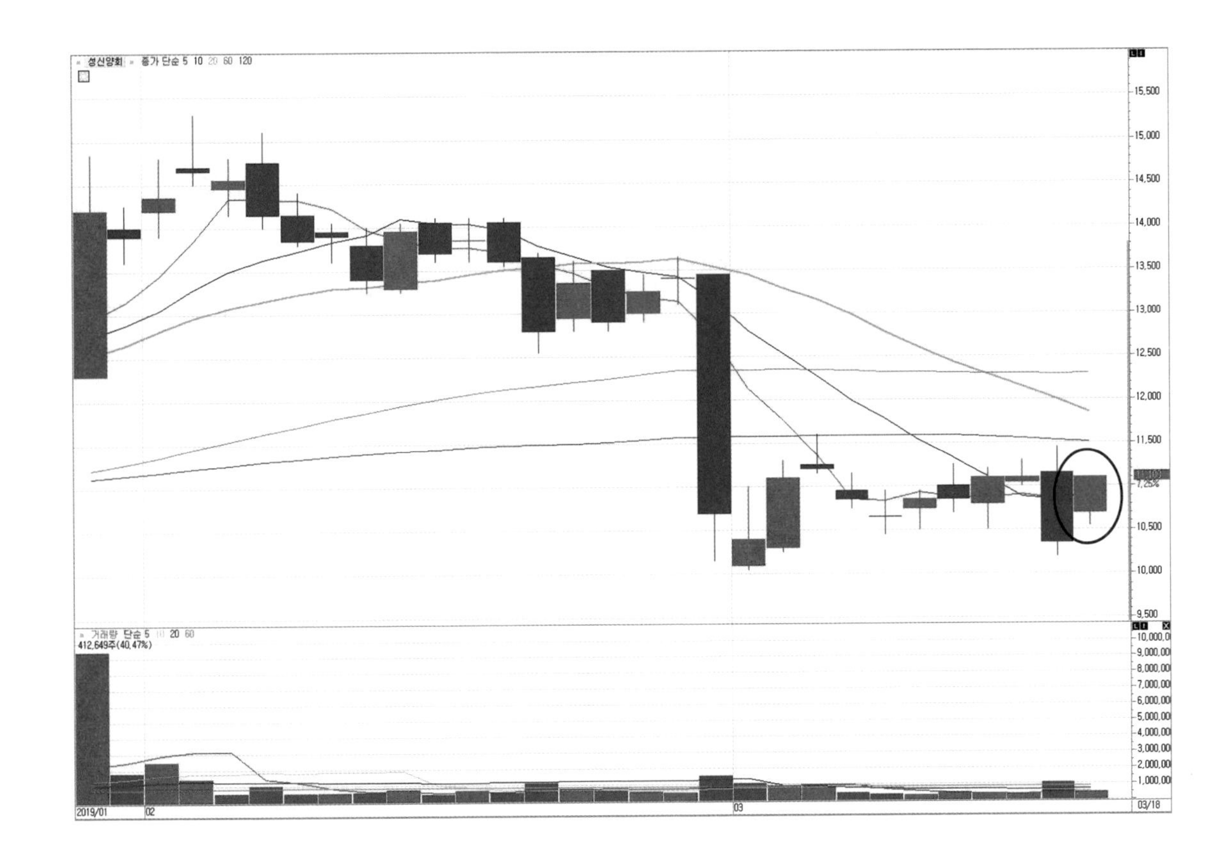

오늘 주가가 7% 정도 올랐다. 갭상승 출발했기 때문에 7%의 수익은 다 얻을 수 없었다. 하지만 장중에 밀리지 않고 끝났기 때문에 매수만 했다면 무조건 수익이 가능했다.

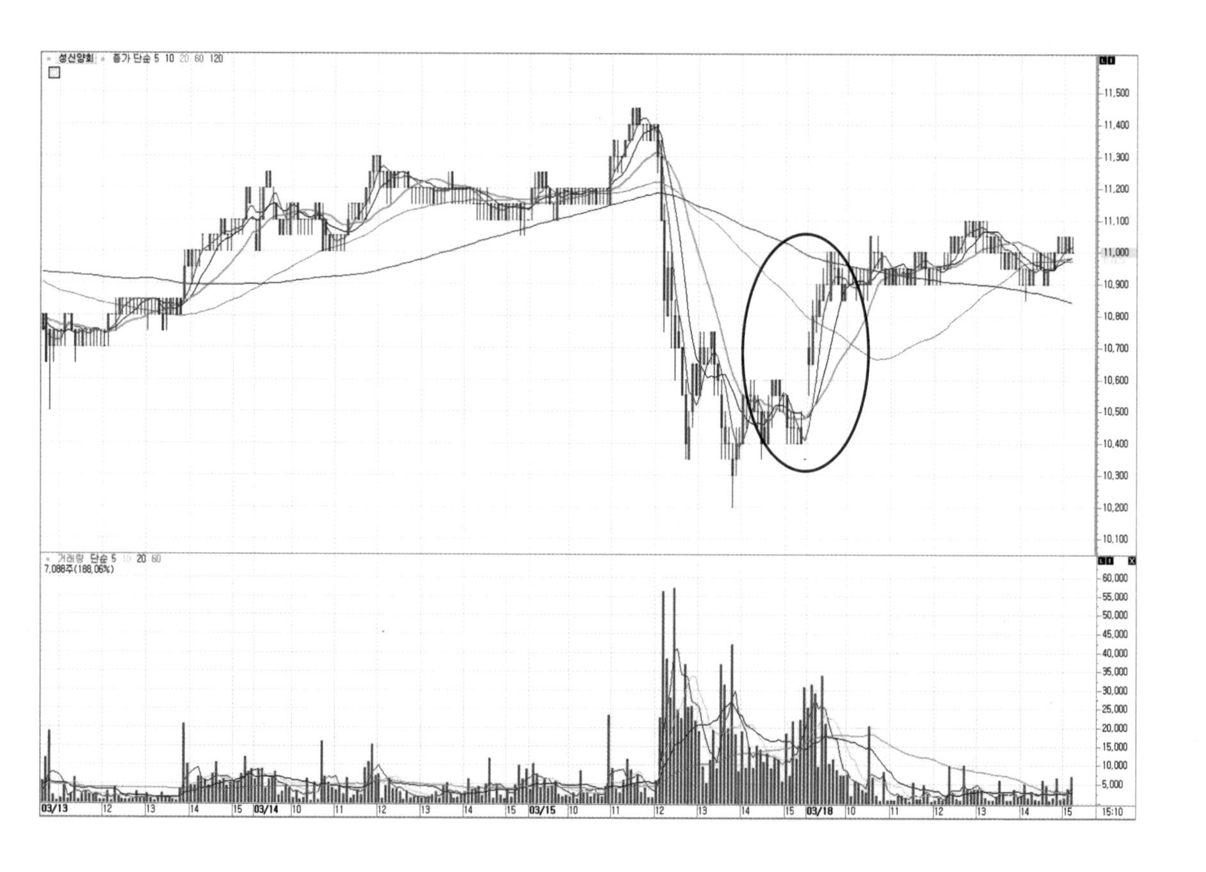

분봉을 보니 어제 주가가 하락하자 저가에 매수세가 붙었다. 바닥을 확인해 주는 세력이 있다는 것이다. 매수세가 있는 것을 확인했으니 갭상승할 때 매수가 가능하다.

여기서 선택할 상황이 발생한다. 오늘 상승은 해주었지만 내일 바닥을 벗어날지 아니면 횡보가 계속 될지 알 수 없다. 오늘 수익을 챙길 것인지, 내일 한 번 더 볼 것인지를 선택해야 한다.

다음 날 올라가지 못하고 있다. 만약 물량을 보유하고 있었다면 다음 날 매수세가 붙지 않는 것을 확인한 순간 매도해야 된다. 바닥이 언제까지 지속될지 모르기 때문에 다른 종목으로 눈을 돌려 자금을 회전하는 것이 좋다.

그렇다고 무너진 종목은 아니다. 일단 몇 십만 원이라도 챙기고 다음 기회를 노리면 된다. 한 번에 1000만 원, 수백만 원씩 벌면 좋겠지만 이렇게 몇 십만 원, 몇 만 원이라도 꾸준히 챙기는 것도 매우 중요하다. 그렇게 하다 보면 3개월에 1000만 원을 벌고 있을 것이다. 그날까지 쉬지 말고 노력하자.

북오션 부동산 재테크 도서 목록

부동산/재테크/창업

장인석 지음 | 17,500원
344쪽 | 152×224mm

롱텀 부동산 투자 58가지

이 책은 현재의 내 자금 규모로, 어떤 위치의 부동산을 언제 살 것인가에 대한 탁월한 분석을 펼쳐보여 준다. 월세탈출, 전세탈출, 무주택자탈출을 꿈꾸는, 건물주가 되고 싶고, 꼬박꼬박 월세 받으며 여유로운 노후를 보내고 싶은 사람들을 위한 확실한 부동산 투자 지침서가 되기에 충분하다. 이 책은 실질금리 마이너스 시대에 부동산 실수요자, 투자자 모두에게 현실적인 투자 원칙을 수립하는 데 유용할 뿐 아니라 실제 구매와 투자에 있어서도 참고할 정보가 많다.

나창근 지음 | 15,000원
302쪽 | 152×224mm

나의 꿈, 꼬마빌딩 건물주 되기

'조물주 위에 건물주'라는 유행어가 있듯이 건물주는 누구나 한 번은 품어보는 달콤한 꿈이다. 자금이 없으면 건물주는 영원한 꿈일까? 저자는 현재와 미래의 부동산 흐름을 읽을 줄 아는 안목과 자기 자금력에 맞춤한 전략, 꼬마빌딩을 관리할 줄 아는 노하우만 있으면 부족한 자금을 충분히 상쇄할 수 있다고 주장한다. 또한 액수별 투자전략과 빌딩 관리 노하우 그리고 건물주가 알아야 할 부동산지식을 알기 쉽게 설명한다.

박갑현 지음 | 14,500원
264쪽 | 152×224mm

월급쟁이들은 경매가 답이다
1,000만 원으로 시작해서 연금처럼 월급받는 투자 노하우

경매에 처음 도전하는 직장인의 눈높이에서 부동산 경매의 모든 것을 알기 쉽게 풀어낸다. 일상생활에서 부동산에 대한 감각을 기를 수 있는 방법에서부터 경매용어와 절차를 이해하기 쉽게 설명하며 각 과정에서 꼭 알아야 할 중요사항들을 살펴본다. 경매 종목 또한 주택, 업무용 부동산, 상가로 분류하여 각 종목별 장단점, '주택임대차보호법' 등 경매와 관련되어 파악하고 있어야 할 사항들도 꼼꼼하게 짚어준다.

나창근 지음 | 17,000원
332쪽 | 152×224mm

초저금리 시대에도 꼬박꼬박 월세 나오는

수익형부동산

[부동산TV], [MBN], [한국경제TV], [KBS] 등 방송에서 알기 쉬운 눈높이 설명으로 호평을 받은 저자는 부동산 트렌드의 변화와 흐름을 짚어주며 수익형 부동산의 종류별 특성과 투자노하우 60가지를 소개한다. 여유자금이 부족한 투자자도 전략적으로 투자할 수 있는 혜안을 얻을 수 있을 것이다.

김태희 지음 | 18,500원
412쪽 | 152×224mm

불확실성 시대에 자산을 지키는

부동산 투자학

부동산에 영향을 주는 핵심요인인 부동산 정책의 방향성, 실물경제의 움직임과 갈수록 영향력이 커지고 있는 금리의 동향에 대해 경제원론과의 접목을 시도했다. 따라서 독자들은 이 책을 읽으면서 부동산 투자에 대한 원론적인, 즉 어떤 경제여건과 부동산을 둘러싼 환경이 바뀌더라도 변치 않는 가치를 발견하게 될 것이다.

이재익 지음 | 15,000원
319쪽 | 170×224mm

바닥을 치고 오르는

부동산 투자의 비밀

이 책은 부동산 규제 완화와 함께 뉴타운사업, 균형발전촉진지구사업, 신도시 등 새롭게 재편되는 부동산시장의 모습을 하나하나 설명하고 있다. 명쾌한 논리와 예리한 진단을 통해 앞으로의 부동산시장을 전망하고 있으며 다양한 실례를 제시함으로써 이해를 높이고 있다. 이 책은 부동산 전반에 걸친 흐름에 대한 안목과 테마별 투자의 실전 노하우를 접할 수 있게 한다.

안민석 지음 | 15,000원
260쪽 | 152×224mm

정부 정책은 절대로 시장을 이길 수 없다

2019 대담한 부동산 대예측

2018년은 부동산 업계에서 많은 일이 일어난 해다. 서울 아파트 가격은 하늘이 높은 줄 모르고 뛰었으며 유래 없이 강경한 정부의 부동산 대책이 나왔다. 그렇다면 2019년 부동산 시장은 어떻게 흘러갈 것인가? 안민석 저자는 지금까지 부동산 역사 중에 '규제가 시장을 이긴 적이 없다'고 말하며 대담하게 2019년 부동산 시장을 예측한다.

주식/금융투자

북오션의 주식/금융 투자부문의 도서에서 독자들은 주식투자 입문부터 실전 전문투자, 암호화폐 등 최신의 투자흐름까지 폭넓게 선택할 수 있습니다.

박대호 지음 | 20,000원
200쪽 | 170×224mm

고양이도 쉽게 할 수 있는
가상화폐 실전매매 차트기술

이 책은 저자의 전작인《암호화폐 실전투자 바이블》을 더욱 심화시킨, 중급 이상의 투자자들을 위한 본격적인 차트분석서이다. 가상화폐의 차트의 특성을 면밀히 분석하고 독창적으로 체계화해서 투자자에게 높은 수익률을 제공했던 이론들이 고스란히 수록되어 있다. 이 책으로 가상화폐 투자자들은 '코인판에 맞는' 진정한 차트분석의 실제를 만나 볼 수 있다.

박대호 지음 | 20,000원
200쪽 | 170×224mm

암호화폐 실전투자 바이블
개념부터 챠트분석까지

고수익을 올리기 위한 정보취합 및 분석, 차트분석과 거래전략을 체계적으로 설명해준다. 투자자 사이에서 족집게 과외·강연으로 유명한 저자의 독창적인 차트분석과 다양한 실전사례가 성공투자의 길을 안내한다. 단타투자자는 물론 중·장기투자자에게도 나침반과 같은 책이다. 실전투자 기법에 목말라 하던 독자들에게 유용할 것이다.

최기운 지음 | 20,000원
312쪽 | 170×224mm

지금, 당장 남북 테마주에 투자하라

최초의 남북 테마주 투자 가이드북 투자는 멀리 보고 수익은 당겨오자. 이 책은 한번 이상 검증이 된 적이 있던 남북 관련 테마주들의 실체를 1차적으로 선별하여 정리해 준 최초의 가이드북이다. 이제껏 급등이 예상된 종목 앞에서도 확실한 회사소개와 투자정보가 부족해 투자를 망설이거나 불안함에 투자적기를 놓치던 많은 투자자들에게 훌륭한 참고자료가 될 것이다.

최기운 지음 | 18,000원
424쪽 | 172×245mm

10만원으로 시작하는 주식투자

4차산업혁명 시대를 선도하는 기업의 주식은 어떤 것들이 있을까? 이제 이 책을 통해 초보투자자들은 기본적이고 다양한 기술적 분석을 익히고 그것을 바탕으로 향후 성장 유망한 기업에 투자할 수 있는 밝은 눈을 가진 성공한 가치투자자가 될 수 있다. 조금 더 지름길로 가고 싶다면 저자가 친절하게 가이드 해준 몇몇 기업을 눈여겨보아도 좋다.

최기운 지음 | 15,000원
272쪽 | 172×245mm

케.바.케로 배우는 주식 실전투자노하우

이 책은 전편 『10만원 들고 시작하는 주식투자』의 실전편으로 주식투자 때 알아야 할 일목균형표, 주가차트와 같은 그래프 분석, 가치투자를 위해 기업을 방문할 때 다리품을 파는 게 정상이라고 조언하는 흔히 '실전'이란 이름을 붙인 주식투자서와는 다르다. 주식투자자들이 가장 알고 싶어 하는 사례 67가지를 제시하여 실전투자를 가능하게 해주는 최적의 분석서이다.

곽호열 지음 | 19,000원
244쪽 | 188×254mm

초보자를 실전 고수로 만드는 주가차트 완전정복

이 책은 주식 전문 블로그 〈달공이의 주식투자 노하우〉의 운영자 곽호열이 예리한 분석력과 세심한 코치로 입문하는 사람은 물론 중급자들이 놓치기 쉬운 기술적 분석을 다양하게 선보인다. 상승이 예상되는 관심 종목 분석과 차트를 통한 매수·매도 타이밍 포착, 수익과 손실에 따른 리스크 관리 및 대응방법 등 주식시장에서 이기는 노하우와 차트기술에 대해 안내한다.

박병창 지음 | 18,000원
288쪽 | 172×235mm

현명한 당신의 주식투자 교과서

"기본 없이는 절대 성공할 수 없다." 주식투자교육 전문가인 저자는 시간을 지평으로 삼아 세 가지 투자 방식을 말해준다. 단기, 중단기, 중장기. 이 세 가지 시간의 지평 속에서 각각 다른 투자 방식을 취하고, 자신만의 투자 스타일을 찾아 그것을 지키면 어떤 시황 속에서도 수익을 낼 수 있다는 주장이다. 주식 교과서란 말이 허언이 아닌 이유다.